周作人著作

飯後隨筆

上

陈子善 鄢琨——编订

岳麓書社·长沙

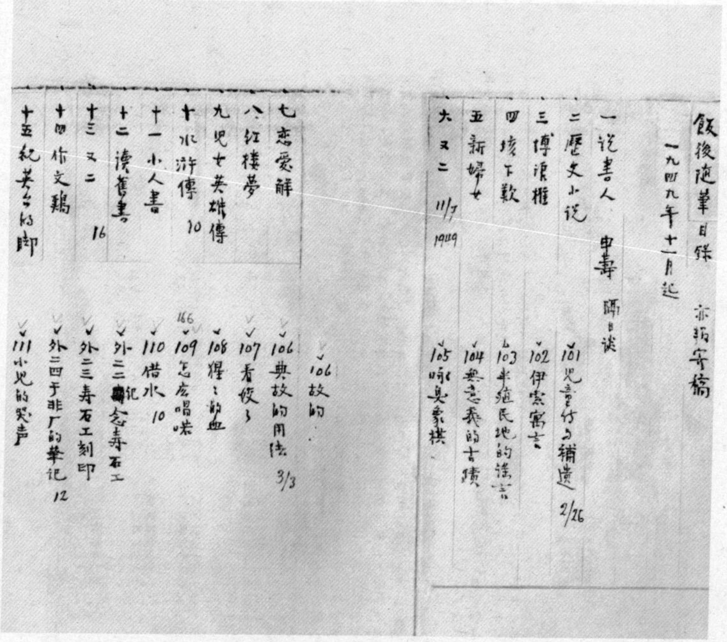

《饭后随笔》周作人手订目录

编者的话

锺叔河

一九八七年一月三日《光明日报》上，岳麓书社刊出了我拟稿的一帧广告（左图），宣布了书社和我对重印周作人著作的观点：

“人归人，文归文。周作人其人的是非功过是另一问题，其书的主要内容是对传统文化和国民性进行反思，对中国—西方和中国—日本的文化历史进行比较研究，今之读者却不可不读。……”

随即便开始出书。既出周作人著作的单行本，也出精装合订本。两年之间，出了二十四种。

书当然不是想出便能出的，得按规矩，走程序。周家授权了，报告批复了，宋木文、杨牧之、伍杰各位领导都当面或来信表示应允和支持了，便能够出了。

出就得出好。当时强调了两条：（一）因为均系据旧本重印，所以一定要认真校订，尽力改正旧本误植失校的错误；（二）因为手稿不存，无法对勘，所以一定要详出校记，改动处一概保留原文，承担责任。

这两条，读者看来大都是认可的。直到如今，在旧书网上，八十年代“岳麓版”的周作人著作，始终都卖得不错。

现在，岳麓书社决定又来出版周作人著作，仍然要我负责编订，做法则一仍其旧。主要还是这些书，还是这两条，新的广告也就不必再做了。

鄢琨君三十年前和我同编了这些书，此次仍然合作，蒋浩君也参加了进来。校记原列表在书末，如今改作尾注。二君新增校改之处，分别标出“鄢校”“蒋校”，特此说明，并志感谢。

二〇一八年五月十五日于长沙。

出版题记

《饭后随笔》，一九八八年一月岳麓书社初版名《知堂集外文·〈亦报〉随笔》，陈子善编。今据作者手书目录校订重印，收一九四九至一九五〇年间刊上海《亦报》文三百七十五篇，《大报》文四十三篇，共四百一十八篇。

当时我曾为此书作序，说“这些文章虽短，题目的范围却很宽”：《蓑衣虫》篇“短短数行中，自然史、语源学、乡土研究与文学欣赏的知识都有所接触，而作者寂寞的心情也历历如见”；又引《拿手戏》文云，“著作等身不如拿手戏三五只，……戏越唱越好听的人也越喜欢，写文章不能翻陈出新，……写不出时亦无皮蛋泡汤加白糖之类可以帮忙，此其所以不如之至也”，谓其“不谈大道理，……娓娓道来，情理自见”。语虽浅易，大家手笔之不同凡响，亦可见一斑。

但这些究竟都是周氏初出狱又逢中华人民共和国成立时的作品，为了生活，他有时一天得写两三篇，自难篇篇都写得一样的好，这也是无可讳言的。

发表在《亦报》上的文章，有些作者已将其收入《鲁迅的故家》等书；还有些手书目录之外的，则和其他集外文一起编集了。

二〇二〇年五月一日，锺叔河记。

锺叔河序*

《知堂集外文·〈亦报〉随笔》收文七百五十六篇，悉为周作人一九四九年至一九五二年间发表在上海《亦报》上的短文（含《大报》上的四十四篇）。陈子善先生把这些零散文字搜集起来编为一集，费了许多精力，他叫我为它写一篇小序，我当然无法推辞。

我早已声明，关于周作人，我只能辑其文，而不能论其人。我不过是一名编辑，不是什么研究家、批评家。我的工作是编辑出版旧籍遗文，使想看的人能够买得去看，想批评研究的人也才有材料好拿去做文章，或供于牺牲坛前，或钉在耻辱柱上，都悉由尊便。我自己亦未尝不想当研究家批评家，但一则天分

---

* 本文为《知堂集外文·〈亦报〉随笔》（岳麓书社 1988 年版）所作序文，因本书所收文章与该书多有重合，故移录于此，以备参考。——编者

太低，学来不易，二则所知甚少，缺乏本钱，正如跪在娘娘面前的高力士，“奴才没有”，无可如何。

那么，子善先生交下的这个任务怎么办呢？或曰，虽不能论其人，但既要辑其文，关于其文总可以谈谈吧。这话不能说不对，至少是不大好反驳，现在就来谈一谈我所看到的《〈亦报〉随笔》的文章，聊以塞责。

我所看到的第一点是，这些文章都写得非常短。七百五十六篇中，竟有七百篇不超过一个Page，也就是六百字。短当然不是看文章的唯一标准，但要用短短五六百个字把事情或道理写清楚，把自己要讲的话都讲出来，而又不像“阵中勤务令”或“技术要求”那样焦干梆硬，既要言不烦，又疏密有致，给人留下思索和咏味的馀地，那就不大容易。

这些都是发表在解放初期报纸上的文章，当时已经在说我们的报纸“沾了长风”，已经在提出“短些再短些”的口号了。一转眼三四十年，如今有的报纸篇幅超过当年《亦报》好多倍，可是版面上容纳的标题却越来越少。有限的地盘被几个（甚至是一个）大地主霸占着，这样的情况比起四十多年前究竟有哪些改变，真不好说。岂必今之作者才学真已远迈前贤，没有几千上万字即不足以表现其深刻的思想和丰富的感情吗？恐亦未必如此。那么，看看别人所写的短文，刹刹自己沾染的长风，大概也不会没有一点益处的吧。

我所看到的第二点是，这些文章虽短，题目的范围却很宽。从《梅兰竹菊》到《麟凤龟龙》，从《〈艳史丛编〉》到《〈聊斋〉稿本》，从《杭州的市房》到《北京的春雨》，从《夜读的境界》到《文章的包袱》，在广义的文化和文化史这个大范围内，随手拈来都是题目，也都是文章。作者不是先领下一个题目，再来就题作文，揣摩迎合；而是胸中先有一节文章，于是借题发挥，把想讲的话讲出来，同时也多少给读者以一些知识或感兴。如一九五〇年九月六日发表的《蓑衣虫》一篇，云有一种蓑衣虫——

> ……系蛾类的幼虫，织碎叶小枝为囊以自裹，负之而行。案：此即《尔雅》之蚬，缢女，因它附枝下垂，古人观察粗率，便以为缢。……我们乡间称之曰袋皮虫，《尔雅翼》云俗呼避债虫。披蓑有渔人或农人的印象，袋皮已沦为瘪三，避债的联想更为滑稽，缢女则太悲惨了，我们想起山西省妇女自杀的统计，觉得这种事实还未消除，难怪古人那么的说。我不知道这在北京叫作什么，仿佛没有看见过，要有也未必叫蓑衣

虫了吧，因为在北方蓑衣极少见。……唐人诗云，“孤舟蓑笠翁，独钓寒江雪”，这种情景在黄河以北实在是难被了解，不但寒江不能钓，就是蓑笠也是很生疏的东西，读了不会发生什么兴趣。

短短数行中，自然史、语源学、乡土研究与文学欣赏的知识都有所接触，而作者寂寞的心情也历历如见。

又如翌日（一九五〇年九月七日）发表的《拿手戏》一篇，开头说：“有些外国文里叫著作者为‘写字的人’……我们常写文章而实在没有什么自信的人用这个名称来叫，倒是很确当的。”这里也涉及了语文知识，因为 Writer 这个字本来也可以指“书手”，并不一定就是体面的“作家”。接下去略加演说，结尾则云：

现在连街头艺人都翻了身，写字的人如为人民服务，也是很好的事，无奈写字难以成为一艺，他没有师父传授，并无基本技艺，只是每日随时说说唱唱，费力多而成功少，并不一定是吃一行怨一行，的确乃是实情。某甲先生有一句名言云，著作等身不如拿手戏三五只，这话说得真好。戏越唱越好听的人也越喜欢，写文章不能翻陈出新，摆起摊来殊无把握，写不出时亦无皮蛋泡汤加白糖之类可以帮忙，此其所以不如之至也。

这类文字，不谈大道理，只是随手记下一点见识或者感受，娓娓道来，情理自见。它们继承了中国历代笔记文的传统，同时又吸取了欧洲十八世纪随笔文（essay）的特色，从中隐约可见《广阳杂记》《五杂组》和“英国名士遂夫特”（用曾纪泽《使西日记》语）的痕迹，和启蒙时期报章杂说的某种风格是一脉相承的。自维新以迄“五四”，“写字的人”之中，多有善于此道者；即新文化运动之巨匠，亦每每借新闻纸以为自己的园地，鲁迅之于《申报·自由谈》，沈从文之于《大公报·文艺副刊》，尤为著名。现在的散文名家，恐怕不太愿意为小报作小文了罢。周作人已矣，其人固不得原谅，其文却似乎可传，因为它们所包含的知识和见解是文化史上的客观存在，而在文章欣赏上亦自有其美学的价值。陈婆虽有麻子，所烧的豆腐固未尝不好吃也。我所希望者，在放言高论的大块文章间，尚能为此类随笔留少少馀地，它们虽决不能如名角的拿手戏那样中看或动听，但“读了不会发生什么兴趣”的人总还不至于真正成为彻底的清一色罢。

锺叔河

一九八七年九月六日于京广车中

目录

上

下

说书人[①]

中国说书的事业向来很是发达，不必说柳敬亭等人，经过文人称扬，留名书册，就是寻常一城一镇，也总有这种技术专家，挥着一把纸扇，凭了三寸不烂之舌，上下古今，说得天花乱坠，满堂听众专心静听，真是鸦雀无声，显得十分严肃。在十多年前，我在北京居住，一个冬天的晚上，正是二九三九的天气，十点以后街上已无行人，走到西北城的街上，却见一处灯烛辉煌，似乎还很是热闹。走近看时，乃是一家清茶馆，隔着大玻璃窗望进去，里边坐满了人，虽是那么严冬天气，窗门外边也还站着好些个人，热心的向里面呆看，再看上首有个人，正在指手画脚的说话。我这才明白，此人非别，乃是本地颇有名气的

【锺校】

① 本篇至《买墨的教训》（凡三百七十五篇）均刊上海《亦报》，文末括弧内为《亦报》刊出的年月日。

说书人，原是个旗下人，名字却一时记不起了，总之还不是连阔如，因为那时他还没有那么出名，而且我记得的是并非姓连。那时候我颇有感慨，既羡慕说书人的本领，也佩服听书人的热诚，像那种坐无隙地，窗外廊下都站满了人的盛况，在冰心女士或胡博士初次上课的时候，也往往有过，可是也不是通学期通学年如此，更不必提严冬深夜了。

我这里牵涉到学校上去，本意却并不是说老师讲得不高明，或是学生听得不上劲，实在只是比较一下，表示我对于说书人的技术的敬意罢了。他能那么的得到民众的喜爱，足以证明他的技术的高妙，所可惜的是说了就完，耳边只是一阵风似的过去，不曾留下一点儿痕迹，可以给没有能够听到的人随喜瞻仰，虽说是有话匣子的片子，究竟流传不便，不及文字记录的可以久远。本来说书的要素有文句、声音和姿态这几种，真要保存原来面目势必用有声电影才可，留声机已在其次，文句记录虽落第三，但简易这点上却是第一了。

（一九四九年十一月二十二日）

历史小说

中国的历史小说原是古已有之的，据现代学者的考证，有些宋元刊本的中篇短篇小说，出现于世，都是以历史为题材的，大概可以想见宋朝说史的人所用材料的一斑。不过那些东西读起来也很少兴味，他在社会上的地位大抵从明朝以来早已让给后起的什么演义了。

这一类小说，我们从前在书房读书的时候，偷读得很多，只要生书勉强可以背得出，其馀的工夫大半便消耗在这些木版小书上，自然大版的也是常有。演义的代表当然要算是《三国》，不过这部书实在浪得虚名，我近年重读一遍，很虚心的体味，总不能知道他的好处何在。

我想这本来只是说史的一种讲义，即是纲领，只供给说史的一个题目，其馀全得凭他在台①上自由发

【锺校】

①“台”原作“坛”。

挥补充，有如《黄鹤楼》一剧，《戏考》上本事寥寥几行，唱白另有一本，而周郎之抓雉鸡毛，与刘皇叔之回顾发抖，更在唱戏人之善于表演了。《三国演义》之有名，我想原因在于说书与做戏，而做戏尤其有力，曹操之奸端的由于白脸，关羽之忠也由于红脸而来，若没有这些而单靠一部干燥简单的《三国演义》，一定不会得有那么大的影响与成功。

此外演义，不论时代而以重要估算，则为《说岳》《说唐》，《列国》《两汉》便差得远了。《水浒传》虽然并不全凭历史，却也可以算在里边，以技术论要说是最高的了，其影响也很不小。明末《三言》《二拍》等话本都是短篇，有许多也是重述历史的，读过《今古奇观》的人当还能记得。但是我觉得所有这些之中，只有清初的一部《豆棚闲话》，如讲介之推、西施、叔齐诸篇，都写得很好，有他独特的地方。因此又想起鲁迅的《故事新编》，也是不可多得的佳作，内中有些古典，都有出处，有些今事，尚待索隐，读者往往容易忽略过去，正是很可惜的事。

（一九四九年十一月二十四日）

博浪椎

偶然拿起一套旧书来看，乃是官书局本的《史记》，原是粗本，却经前人用过功，过录了许多的丹黄评点考证，这于我全无用处。我偶然翻开的地方是《留侯世家》，因此我就想到张良在小说戏文上有些什么事情。说也惭愧，《前汉演义》在小时候原是看过的，却早已同那时所读的正经书一起还给了先生了。戏文看的本来很少，就看过的那些越剧京戏想来，一点都没有张良的影子，所记起来的只有两个图像，一是上官周的《晚笑堂画传》，一是金古良的《无双谱》。《晚笑堂》的只是一个人儿罢了，没有什么特别的地方，《无双谱》的则是两个人，张良年少身矮，旁边一个彪形大汉，比他要高出一头地，手里拿着铜锤，像是西瓜装了柄似的，此人即是狙击秦始皇的力士。金古良自汉至宋选择了四十个人，画图作赞，都是今古无双的人物，第一幅博浪椎却画作两人，后人加以指摘，的确是个漏洞。

据史书上说，良为韩报仇，东见仓海君，得力士，为铁椎，重百二十斤，秦皇帝东游，良与客狙，击秦皇帝博浪沙中，误中副车。假如要说书，这里便可以大有发挥，第一他去找力士，要从河南走到东北去，因为据《史记正义》说，仓海在东夷，高丽南，新罗北，当系今韩国地方，那么这一路旅行是很足够描写的。其次是制造铁椎，在始皇收天下兵，销以为金人之后，民间私制大概不很容易，不像鲁智深在国清寺外打禅杖戒刀那么顺手了，这也须得交代明白，或者这从仓海带来也未可知。总之这一段是很有意思的行程，出入关门两次，那时正在筑万里长城，说不定会碰得见孟姜女，可不是很热闹的一个场面么。末了是狙击的问题。普通常称狙击，其实原文云与客狙，狙者伺也，谓伏伺在那里，等始皇来而击之。博浪沙也是河南地方，不曾到过，不知形势如何，照道理讲总须是峡谷，或一面是崖岸，居高临下方可，若是一片平原，不但无可隐蔽，而且铁椎也难掷得很远，有种种不可能之处。可是张良却能从容逃走，东游下邳，与黄石公相遇，那个力士也不听说被捕，大抵出关回去了。这是很好的一个小说戏曲材料，可惜不曾有人利用，若是制成影片，也很有意思，这里的问题是服装怎样，汉代衣冠至今无人明白，考证亦非易事，若用明代戏装又不免寒村，这也是一个很大的困难吧。

（一九四九年十一月二十六日）

垓下叹

讲到了博浪椎，便自然想起垓下叹来。《无双谱》里所画的西楚霸王，是一个着盔甲，戴胡须的人，我说戴胡须，并不是有心挖苦画家，因为金射堂这人很有见识，我是十分佩服的，可是那画上的胡须不大像是生长着，仿佛觉得是挂上去的样子，所以这么说罢了。但是史上说项羽初起时年二十四，及至末日谓其骑曰，吾起兵至今八岁矣，计算起来死时年才三十一，实在比周公瑾还要年青，世间一般的印象却总觉得他年纪很老，这大概是给霸王这名号所欺骗的吧。

项羽在民间艺术上的运气的确要比张子房为大，只就我外行人来说，就知道有《鸿门宴》与《别姬》，把他一生三轶事之二都戏剧化了，而且向来似乎都很风行，中国人民可以说是不曾辜负项王了。我有许多戏差不多都没有看见过，《别姬》虽是有名，也不曾见，正与《散花》《醉酒》一样，实在没有开口的资格，我只好奇，不知戏台的项王那时什么模样，我想脸还不妨打，只是不要胡须，那么演起来一定别有效力。《鸿门宴》如太史公所记，刘邦几乎就是他末代子孙在《黄鹤楼》的样子，他的连襟樊哙有如赵云，而一股流氓气，与这保长出身的沛公倒正是好一对儿。

我说三轶事，最大的（这是说喜剧方面）一件却未经编为戏剧，就是广武那一幕，在这里顶容易看得出刘项的优劣，项王还不肯宁我负人，沛公则只要成事，什么手段都会用的，父亲妻儿都落入楚军手里，后来也全无事回来了，他的运气真是不小。这段故事如演成戏文，那么说幸分我一杯羹的时候，脚色势必非丑或净不可了，沛公的真面目也就自然显露出来。项氏世世为楚将，刘氏则是吏胥流氓，成败不同，这大概亦是世家破落后的自然趋势吧。

（一九四九年十一月二十八日）

新妇女

在一个英国人的笔记里，见到一段很有意思的文章。其时为第一次欧战的后半，有一只运兵船在地中海沿岸中了德国的鱼雷，快要沉没了，幸而出事地点离海岸不远，兵卒都凫水逃命，可是也有许多不识水性的，看看将要浮不起来了。这时有一个看护妇在甲板上脱去衣服，对着旁边的兵说道："大哥们不要笑话，我要去救那小子们的性命哩。"随即跳下水去，把那些不能游泳的兵士拉往岸边，游来游去，救了不少的人。著者感叹说道，我在这里见到了新时代的新道德了。妇女的旧的羞耻改变成新的勇敢，这与旧道德是多么的不同呀。著者同时又引意大利的一件事相比，有房子着火，一个女人因为不穿衣服，不肯出来，终于烧死在楼上，以为这样道德是值得诅咒的。用新的眼光来看，二者的是非自见，简单的说也只是封建与民主之分罢了。

封建的道德是以男子中心的三纲主义为准，如在女人便应完全为了君父夫一个人而牺牲[①]自己的生命与幸福，或为空洞的名教与贞节而死，在今日看来其不合理是显然的了。民主的道德可以分为前后两期，前期是个人时代，中产阶级革命，摆脱君主贵族的压制，争取自由，却以个人为主体，就妇女方面说，易卜生的戏曲里的娜拉是极好的代表，她脱离虚伪的家庭，要去独立重新[②]做人，这可以说是第一步。后期是人民时代，也可以说新民主时代，一个人要完成自己，或者如有人说在水里救了自己，以便可以去利人，即如上文的实例中去救人的性命。那个看护妇的行动，只是寥寥的几句话，却是很具体的说明了这后期的新的道德。在中国现在的打倒封建思想的过程中，这类实例一定也可看到，希望有人来加以记述流传。

（一九四九年十一月三十日）

【锺校】

①“牺牲”原作“牲牺”。

②“新”原作“从”。

新妇女（二）

这也是那个英国人的笔记里所说的。有一天他坐在楼上，从窗间望下去，看见街上离拐角不远的路上，站着一个女人，衣服颇为整洁，大概是发了什么病了，两手扶着墙，可是还是站不稳，挣扎了一会之后，终于坐倒了。她似乎觉得不大雅观，于是硬挣了起来，仍旧扶着墙壁立着。这时间来来往往的人不少，有些人看一眼自奔前程去了，绅士们很有规矩，连看也不看，只有一位警察走近一看，知道不是酒醉，与他无关，也就走开去了。过了有好几分钟，他见有一个女工模样的人，一直线走来，仿佛专为此而来的样子，走到她身边，扶住了她，似乎是问她的住址姓名，随即扶了她转过拐角不见了。著者于此自有他的感慨，却不说什么，只在后边附和一句道，这种事情要是在俄国，第一个看见的行道者便走过来这样做了。

他这段笔记是一九一五年左右所写，还在俄国十月革命之前。我们中国人看了这篇故事，不能不有更深的感慨。中国的历史很长了，所以受了专制的害也很久，多年养成的怕事的心理一时难得改变，各人自扫门前雪，莫管他人瓦上霜这两句话，比任何圣贤的教训都还要有力，男女老幼无不信受奉行。在这样社会里，有人不服古训要来多管一点事，的确容易招出麻烦来，因此益证明自私自利是最好的处世法则。这是中国的很大的一个毛病，现在必须去努力克服他才好，在现今实行新民主主义的时代大概成功是不很难的。我们不能期望第一个看见的行道者便去这样做，至少也要在十人之中有一个一直线走去，仿佛是专为此而来的样子，在目前也就可以满意了吧。

（一九四九年十二月二日）

恋爱解

中国现今通用的许多名词，本来是新名词，是中国向来旧话里所没有的，所以按下去意义多是模糊不明，虽然在人们的口头笔下已经很是熟习了。举一个普通的例，有如恋爱。民间也单用爱字，或说爱慕恩爱，文雅一点则云相思（但相思病已是极通俗的一句话了）。恋爱二字连用的新名词乃是从东洋来，翻译西洋的意思用的。中国以至东洋的所谓爱，说的是简单的男女相悦，西洋却加进些宗教哲学似的分子，很有点儿神秘了。

这恋爱一语在中国通行已久，可是实在意义还很朦胧，可以说是同床异梦，有如文字言语中常见接吻一语，而英美人总说是东方人不懂得接吻，也正是同一的缘由。这个理由，可以简括的说一是宗教的，二是社会的。西洋中古崇拜圣母，复活了古代的女神礼拜，文人骑士对于半抽象的女性备致敬礼，虽然实际的妇女地位并无进步，这一种思想在中国是不曾有的。

其次是中产阶级革命之后，个人觉醒了，自由竞争之风大盛，个人几乎各个孤立了，——野蛮民族是很幸福的，他遇见别部落的人的时候觉悟这都是敌人，要准备个你死我活，或者是你活我死，若是在本族里那是同躺在母亲的怀抱里一样，只觉得温暖，不要怕什么危险的。

现代文明社会的人看去都是绅士，相见时彬彬有礼，可是口蜜腹剑，心里不知怎么的在打主意，彼此都非随时警戒提防不可，这实在是够疲劳够寂寞的。

绅士们对于这种生活难免也感觉不满足，梦想平安幸福的理想境，向过去去找，只觉得自己的母亲是全世界上最可靠的人，不但用不着防备，而且还肯牺牲了自己来保护他，可惜那早已过去了，她老人家也已不在了。绅士们同时也有性的要求，迟早非迎娶一位夫人不可，他于是发了如意算盘的心愿，希望这女子因了性的关系而结合，却又是同他的母亲一样的无条件的爱他，他也可以至少对于她个人不必警戒提防，同在母亲旁边似的可以安心休息，恢复他在社会对于人人或攻或守的作战的疲劳。这个要求是在民主的个人主义时代所特有的，他的名称是恋爱，于是男女相悦的恩爱之上加上了些装饰，即是绅士们的愿望。我们与西洋绅士状况不同的人，对于这恋爱不能十分了解，大约可以说是当然的了。这一种说法是英国一个人类学兼心理分析家所说的，我觉得颇有意思，所以引用在这里。

（一九四九年十二月四日）

《红楼梦》

上月里法捷耶夫在北京某处演讲，提到李太白，有人说那么现在李太白也可以讲了，近来听说有大学里开了一班课，是研究《红楼梦》，那么《红楼梦》岂不是也可以读了么。其实无论什么，没有不可以看的，只要看得得法。看法原来可以有几种，其一是站在外边，研究作品的历史、形式与内容，加以批判，这是批评家的态度。其二是简直钻到里边去，认真体味，弄得不好便会发痴，一心想念林妹妹，中了书中自有颜[1]如玉的毒了。此外有一种常识的看法，一样的赏识他的文章结构，个性事件描写的巧妙，却又多注意所写的人物与世相，于娱乐之外又增加些知识。这是平凡人的读法，我觉得最为适用，批评家我们干不来，投身太虚幻境又未免太傻了。假如用这种读法

【锺校】

①“颜”原作“人”。

去看《红楼梦》，以至任何书，大概总是可以有益无损的。

《红楼梦》所着力的地方是描写那些女人的性格行动，这虽是三百年前的模型，在现代也尽存在，有如那样随意的贾母，能干的凤姐，深心的宝钗，娇性的黛玉，刁恶的袭人与率直的晴雯等，随处可以见到一鳞半爪，这非得有社会上的大变动是不容易改变的。就这一点说来，曹雪芹虽是十八世纪的人，他这著作却是说得上是写实主义，应得法捷耶夫的称赞的。我读《红楼梦》前后大约有两三次，心里留下的印象也还相当清楚，我所觉得佩服的只有王凤姐，喜欢的只有晴雯，这两个人虽然原来是在荣国府大观园里，但是假如换上一个背景，放在城市或乡村的平民社会里，还是一样的可以存在，可以发挥她的特色的。曹雪芹生在那时代，只知道描写贵族社会的生活，但是因为是写实的，他不但写出了荣国府的生活，而且还写了好些女人出来，这是别的小说家所不曾能够做到的了。

（一九四九年十二月六日）

《儿女英雄传》

我每提到《红楼梦》的时候，总要想到《儿女英雄传》。这个理由我也不能明白的说明，最显明的或者是在语言上，二者都是用北京话所写，在这一点上是可以与吴语所写的《海上花列传》等相比的。《红楼梦》写时代与地方很是朦胧，至少他不说明是清朝，也不说及什么岁时风俗，显出地方色来，《儿女英雄传》则明白的说是旗下人家，书中纪献唐虽是映射年羹尧，但所写的社会家庭，依照著者的年代推测，当是乾隆嘉庆的时候吧。描写清朝中期的家庭社会，特别是那考试的情形颇为明细，很是难得，不是科举出身的满洲世家子弟没有人能写，就是曹雪芹在这上面也不能不让一步了。书中所写人物，我只觉得安得海与何玉凤即十三妹最好，安老爷是讲道学的，可是他虽有点迂阔而很通人情，我曾戏说，我痛恶道学家，但是像安得海的却还不妨见他一面。十三妹是个任才使气的女孩儿，在现今也还可以见到，自然只得她的一面，像能仁寺的那一场那是戏台上的事情，我们不能希望现世真有这样的大姑娘，虽然中国社会最为欢迎，只看《十三妹》这部戏文的风行可以证明，在全书中却最是软弱部分，因为前有《剑侠传》，后有各种侠义小说，虽描写得很有点幽默之外，说不上有什么特色。这书与《儒林外史》一样，现在恐怕难得青年们的真正的赏识（我所说的赏识，单赏识十三妹的武艺便不能算是真正）。可是二者的价值却是一样的重要，因为小说中讲到科举的只有这二者，现代的中国人是值得注意的。大学里如要开小说研究班，这两部书作一组，第一应当列入，作为研究资料，正式的八股文的研究自然更好，不过那是严肃的沉重的功课，不能像这个的有兴趣了。

（一九四九年十二月八日）

《水浒传》

《水浒传》的批评向来一直颇好，只有少数卫道的绅士加以非难，称之曰诲盗。这班绅士们的操心也不全是空的，因为一般人的喜欢《水浒》便因为这里边的官逼民反，替天行道，有许多江湖好汉落草避难，表面上仰慕桃园三杰，实际上是学的忠义堂一路，不能不说是这部小说的力量。中国过去政治不良，贪官污吏与土豪劣绅占据全面的社会，人民无法生活，只好挺而走险，不但消极的避难，还可以积极的复仇，一班有心无力的听听也觉得痛快，正如西洋中古时代的罗宾汉故事，其流传与欢迎是无足怪的了。

上梁山泊去的英雄中，因为打不平或受冤曲而去的原也不少，但是主要的人物，有如晁[1]盖、宋江、

【锺校】

①“晁”原作“晃”。

吴用，却又是另一路，这仿佛是抄的旧文章了，除学究算是自由职业外，保正与押司原是政府下级员司，他们的行为却不是贪污也不[1]是土劣，而终于加入好汉的首班，大成其功者，这是什么缘故？我想，这种事情总是有原因，汉高祖刘邦与酂侯萧何，可不就是历史上的例子么。这样看来，《水浒传》里不但写了贪污土劣逼人去上梁山，而且也写了他们怎么的去上梁山，这也是一件很有意思的事吧。

《水浒传》描写人物事件的确有许多好的，但从思想上来说他很有些缺点，他说官逼民反，替天行道，可是他对于人民的态度实不见得好，例如李逵劫法场，只拣人多处杀去，这固然也是形容李逵凶猛蠢笨，但著者亦不无痛快的意思，此是其一。其次是对于女人小儿的态度也很不好。武松杀嫂，或者是不得已，但其写杀时不但表示踌躇满志，而且显示快意，近似变态，至于翠屏山的一场，难道真是如金圣叹所说，故意要犯重复而写得两样以见手段么？我觉得还是喜欢那么写，其居心更是不可问了。只是他不曾玩弄小脚，无论这是施耐庵或是李卓吾金圣叹的意思，总之都是好的。

【锺校】

① 原无“不”字，今增。

旧小说中写女人的态度显得大方的，还要推《红楼梦》与《儿女英雄传》，这是很难得的，莫非因为著者是旗人的缘故，所以受旧文人的恶习较少么，这我不知道。近代学者平步青博学多识，著《蚬斗薖乐府本事》，改作近人笔记，简炼可读，却喜言金莲，极致倾倒，读之肉麻，良可惜也。

（一九四九年十二月十日）

小人书

在上海或是北京的马路上行走，常可以见到路旁有些小书摊，却不是卖的，只是借给人看，又不拿回家去，只在摊边翻看。

这在北京名为小人书，但也并不专门只给小孩们看，有好些成年人也在那里看着，而且还很滋滋有味的。这些书都是横长的账簿式的小册子，一页上有图有字，普通称为连环图画，其实还只是每页都有图而已，不大有什么连环的意义。

这种编法，从历史癖上说起来，可以说是古已有之的，宋元的历史评话现今有五六种保存着，原来都是这样，可以说是字画并重，后来逐渐以文字为主，只是一回中有一两张插画，末了则是我们最常见的绣像，卷首画着一个个的人物，这是最后的一阶段了。

这里显然可见，先前的书是给识字不多的人看的，看了图再念说明，可以更懂得清楚，就是不念也能看出大意来，至于后来的主顾则是读书人与中产阶级，内容与形式很是不同了。明朝后半的板画的发达是很可惊异的，但是他全是知识阶级的专有品，不单是人民，就是儿童也得不到他的好处。直至清季才有点转变，先是石印的画报，随后有插画的教科书，这才通俗化起来了，可是吴友如的画风几十年还有影响，至今难得看到好的插画。

儿童书在中国的历史也不算短了，大概总有了四十年以上了吧，至今却不能争取儿童的光顾，眼睁睁地看着他们在爱读摊上的小人书。这里有什么缘故，我们儿童书的作者与画家似乎应该反省一下子，外行人没有别的好意见，但是向儿童去学习，那总是一个要点吧。

（一九四九年十二月十二日）

读旧书

中国的书向来是专门供给读书人的，所以普通人民以至妇女小儿都不能得到他的什么好处，那么这于读书人，即是能够懂得他的人，当然是一种很好的享[①]受了吧。是的，也并不是。一口说读书人，里边也很有些差别，即使在专制的古时代还出过些离经叛道的人，何况后世？读了书而仍把书还了的更是常有，他只是偷了一套拳头回来，却不跟着做徒弟，反而看穿了老师傅的把戏，不免要对他表示不敬了。为的分别起见，我们称这新的一派为知识阶级，对于旧的则称之为士大夫，自然现今的知识阶级里有些也还是士大夫，要完全的划分原不是可能的事，这里只说个大略罢了。我说是的，因为士大夫是封建文化的主体，那些旧书都是由他们主稿，由他们审定，再由他

【锺校】

①“享”原作“亨”。

们去赏鉴，自然是十分配胃口的了。但是在知识阶级之有点见识的看去，这便并不如此。有如用了现今上海服装的标准去看张园时代的时装，觉得可以通用的成分就很希少，更因文字有宣传的作用，看去更觉得有点讨厌了。从前大家迷信《四库全书》，其实分量虽多，全是一堆红袍纱帽或马蹄袖蟒袍，说是遗产却毫无用处，况且有许多都经过清朝因忌讳而加以删改，也失了本来的面目了。我们中年以上的人，在书房里以十年萤雪的工夫学会了些古文，如今翻阅旧书，往往看得昏头搭脑，一无所得，只觉可恼，正如出钱买了假古董，空费一日光阴，大呼倒楣不止。有谁肯为人民服务的学者，牺牲时间，把文化遗产加以整理区别，使得后人可以选择利用，功德无量，与造桥铺路的工作不相上下。

（一九四九年十二月十四日）

读旧书（二）

再说旧书有什么地方不好，那么看得觉得可恼，这须得略为具体的说明一下才行。笼统的一句话，自然可以说是封建道德，但事实上这倒并不着重在三纲主义上面，最讨厌的还是在别的地方，简单的说乃是卑鄙。古今的诗文都还装点面子，最是赤裸裸的明简的是在散文笔记上，在这里最可以看出著者的思想感情，是研究中国士大夫的很好的资料，若是随喜阅读，却是常要感觉不愉快的。这里边所多的，第一是迷信。假使是民间的俗信，例如什么神什么鬼什么禁忌，那各有社会文化的背景，值得了解与探讨。士大夫的迷信则多是他卑鄙心理的表现，某人捐钱赈饥，固然做的是好事，结果还是中了举人，才算大家满意；某少妇平日为人很好，忽被雷[①]击，推究原因为

【锺校】

①“雷”原作“电”。

了鞋底里衬了字纸，满卷全是乌烟瘴气的祸福观念。其次是势利。人的标准是科名与官职，书里说到某人必须带有称号，自监生以至状元，自典吏以至大学士，在笔记诗话中都要提出，便是没有功名的人也要称他一声布衣，表示现在虽然如此，将来可以有锦衣的希望的，仿佛铭旌上写待赠的样子。我们查西洋的文章，总不见有戈德相国或培根水部的名称，可见这是有科举的历史的中国所特有的习俗，是很值得注意的。以上两种特色在中国旧书中全不能免，大概以宋为中心，古时尚好，自唐以考试取士，渐重科名，宋兴道学，二者结合，至明清而极，其卑鄙也简直达于顶点，民国以后仅存馀波，可以说是革命之功，至于革不能尽，亦或有之，但总之也就不多了吧。

（一九四九年十二月十六日）

作文难

自从胡博士发明这两句白话文歌诀，有什么话说什么话，话怎么说就怎么说之后，无论是不是他的朋友，无不同声赞成，努力实行，无如天下事知易行难，这两句话寥寥十六个字，明白流丽，不但读来顺口，听去也干脆可喜，可是要想照样去做，却是有点无从下手。

第一，有什么话，这自己便很有点茫然。本来人会说话是一个大进步，正如他的直立一样，可是也同样的是很勉强的。一个人平时步行不觉得怎样，但是身体有点欠安的时候他就想要爬倒了。说话本来只是信号，我们举猫为例，它在饿时，怒时，痛时和叫春时才开口作声，平时决不多叫，人虽是比较进步，根本还是一样，哪里有这许多话来，不饿而叫，不怒不痛或不叫春而叫，无话寻话，岂不都是假的么？

即使有了想说的话了，话怎么说，这也是一个大难问题，我的确还不知道是应该怎么说的。譬如猫觉得饿了，它①叫了一声，意思说是我饿了，下回是如此叫，别的猫也是如此叫，那是很简单的。人不能这么做，不但文章怕犯重复雷同，而且也太短，不能成为一篇文章，即使说是白话文。于是这里便有了些花头了。第一找话，有话是自动的，找则是被动了，有如抽斗里的什么东西，虽则也是本有，却总是找出来的了。其次是想法子来说，固然无须讲究起承转合，究竟要布置一下前后轻重，这总还是一种技工。做文章到底是苦事，其原因便如老笑话里所说，因为在肚子里原是没有的，而且即使腹中有那四五百个字，一时也有点凑不起来了。

（一九四九年十二月二十日）

【锺校】

①“它”原作“他”。

祝英台的脚

听见人家讨论祝英台是大脚小脚，有人以为这都没有什么关系，或者是对的。关于艺术，不管这戏文电影或说书，那是专门，我们门外汉不能赞一辞，所以应当承认是对的，假如是艺术界所决定的话。不过门外汉也有他的立场，他不懂艺术而只讲道理，这里加上一个“或者”，就是要保留地步，让他可以一说平凡的反对意见。说到道理，当然是必要新民主的，现在大家还未学习清楚，所以先从反面来说，这总当是反封建的吧。

男尊女卑，虽说是东方各民族的通病，女人总是被侮辱与损害的，但是一千年来的缠足，实为中国所独有，够得上称为国渣的了。事实上现今已经将就消灭，在历史上却总留一个疤记，文学艺术也不能抹杀了他，若是想要表现中国生活之真，而决不是美。这只有两个场合，其所表现的那时妇女确是缠足的，或是并无时代的限定而要表现缠足的妇女生活的苦痛，此外便无此必要了。

戏台上旦脚的扭捏的走路姿势，我相信全是男性所喜欢所造作出来的，女人本来未必如此，却因看了戏文偶或模仿，容或有之而已。或云小脚鞋可以表示女性，这也是过去的看法，现代青年所爱所知的女子都是大脚的，我想他们不见得这样看重小脚鞋，其实只要不是青布鞋，如用浅色或有花绣的鞋子，岂不也是一样的可以暗示女性的么？再说一句迂阔的话，梁山伯祝英台究竟不知是那一朝的人物，假如不是宋以后的人，那么在事实上也不会得是缠足的。《无双谱》里把花木兰画作小脚，虽有很多人并不觉得它的错误，究为识者所笑。金射堂虽是名人，这总是一个无可辩解的错误。

（一九四九年十二月二十二日）

苍蝇之微

近来有一句通行的话，说宇宙之大，苍蝇之微，做文章的人无不可以讲的。不过由我看来，宇宙好讲，苍蝇却实在不容易谈，因为如老百姓所说寥天八只脚的讲起来，宇宙大矣远矣，我们凡人那里知道得许多，当然是莫赞一辞，任他去讲好了。若是苍蝇呢，谁都看见过，你有意见要说，他也会有意见，各说各的，所以谈宇宙般的大事没有什么问题，说到苍蝇之微，往往要打起架来，这也实在是无可如何的事。而且苍蝇虽微，岂是容易知道之物，我们固然每年看见他，所知道可不是还只他的尊姓大名而已么。

我们在乡下从小听大人说，这里有金苍蝇，麻苍蝇，以及饭苍蝇，一共是三种，而且又望文生义的加以解说，以为金苍蝇麻苍蝇要生蛆，所以很脏，饭苍蝇则是专门来定（古文云集）在饭上的，自然是干净的，至于在定在饭上之前曾经到什么地方去过，那是不曾调查的了。有朋友到西南某地，看见烧饼上漆黑的全是苍蝇，对卖烧饼的表示不满，回答说道，那不要紧，你吃的时候他会飞去的。我们现在嫌恶苍蝇的手脚不干净，怕传染疾病，更多的人却还相信苍蝇没甚关系，只要不活吞下去就好了。凭了科学的真理，谈苍蝇到笔舌俱敝，会得有什么用处呢。不到人民生活提高，居处清洁，田野整理，人肥兽肥适宜处置，苍蝇感觉有点不适生存的时候，关于苍蝇所说的症结始终还只是废话，于事实丝毫无补的。提起苍蝇来，结局还得拉到社会这大问题上去，则又谈何容易乎。那么我们还是去谈宇宙么，这虽说是比较容易，但人也有能有不能，不可勉强也。

（一九四九年十二月二十四日）

臭豆腐

近日百物昂贵，手捏三四百元出门，买不到什么小菜。四百元只够买一块酱豆腐，而豆腐一块也要百元以上，加上盐和香油生吃，既不经吃也不便宜，这时候只有买臭豆腐最是上算了。这只要百元一块，味道颇好，可以杀饭，却又不能多吃，大概半块便可下一顿饭，这不是很经济的么。

这一类的食品在我们的乡下出产很多，豆腐做的是霉豆腐，分红霉豆腐臭霉豆腐两种（棋子霉豆腐附），有霉千张，霉苋菜梗，霉菜头，这些乃是家里自制的。外边改称酱豆腐臭豆腐，这也没有什么关系，但本地别有一种臭豆腐，用油炸了吃的，所以在乡下人看来，这名称是有点缠夹的了。更有意思的是，乡下所制干菜，有白菜干油菜干倒督菜之分，外边则统称之为霉干菜，干菜本不霉而称之曰霉，豆腐事实上是霉过的而不称为霉，在乡下人听了是很有点儿别扭的。

豆腐据说是淮南遗制，历史甚长，够得上说是中国文明的特产，现代科学盛称大豆的营养价值，所以这是名实相符的国粹。他的制品又是种类很多，豆腐，油豆腐，豆腐干，豆腐皮，千张，豆腐渣，此外还有豆腐浆和豆面包，做起菜来各具风味，并不单调，如用豆腐店的出品做成十碗菜，一定是比沙锅居的全猪席要好得多的。中国人民所吃的小菜，一半是白菜萝卜，一半是豆腐制品，淮南的流泽实是孔长了。还有一件事想起来也很好玩的，便是西洋人永不会得吃豆腐，我们想象用了豆腐干油豆腐去做大菜，能够做出什么东西来，巴黎的豆腐公司之失败，也就是一个证明了。

（一九四九年十二月二十六日）

吃豆腐

好几年前在上海，才听到吃豆腐这句话，在北京是一直没有听见过的。我们的乡下别有一句吃大豆腐，那是指办丧事时的素菜，所以是死的替代词。不管这些俗语的含义如何，豆腐这东西实在是很好吃的。就乡下的经验来说，豆腐顶好是炖豆腐，丧事时的大豆腐其实也即是这个，不过平时不那么叫，只是直称炖豆腐而已。

光绪年间，有近亲在大寺里打水陆道场，我去看了几天，别的多忘了，只记得有一天看和尚吃午饭，长板桌长板凳，排坐着许多和尚，合掌在念经，各人面前放着一大碗饭，一大碗萝卜炖豆腐，看去觉得十分好吃的。这是我对于豆腐一个不能忘记的印象，虽然家里做的原来也是一样的好吃，将豆腐先煮一过，加上笋干香菇，透味炖成，风味甚佳，有些老太太能吃长素，我颇疑心大半是因为有这一碗菜，而霉货与干菜也是一半的原因。

此外有溜豆腐，这里我姑且用溜黄菜的溜字，与醋溜鱼意义很不相同，此字应当从手从柳声才行，可惜没法子写。制法是把豆腐放入小钵头内，用竹筷六七只并作一起用力溜之，即是拿筷子急速画圈，等豆腐全化了，研盐种为末加入，在饭锅上蒸熟。盐种或称盐奶，云是烧盐时泡沫结成，后来不知何故甚不易得，或以竹叶包盐火烧代用，却不很佳。这与盐不同，微有涩味，即其特色。溜豆腐新成者也可以吃，但以老为佳，多蒸几回其味更加厚，即此一点亦甚适于穷人之用，价廉味美，往往一大碗可以吃上好几天，早晚有这些在桌上，正如东坡所说，亦何必要吃鸡豚也。

（一九四九年十二月三十日）

砚台的寿命

我们乡下称砚台只是叫砚瓦，可知原来是用瓦做的，有如乳钵，用以研磨石墨煤烟，仿佛一个颜料碟罢了。后来文房用具考究发达起来，砚台改用石头，有端歙各种佳品了，但那只是少数人所用，平常的也还是一般青石，与瓦相差不远，只要不滑而发墨，就很好了。这样的砚台我想是在将来也不会被废弃的，论便利自然比不上自来水笔，在讲堂里抄讲义，车站上写个电报，拿块砚台很不合适，但是在社会上他的适应性还不小，这里就是他的生命。

中国纸除仿造的一点报纸洋纸以外，都不宜于墨水钢笔，假使中国不能发达造纸工业，提高人民生产，使得供与求方面获得足用的资料，则在柔软的纸张上，势必仍须毛笔来画，而砚与墨也就变成不可少的东西了。四者之中，纸具有决定的性质，此外三者则又以墨为主，笔砚却是附庸。墨与外国墨水之不同，在于一者有胶而一者无胶，因为有胶所以可以写在质松的纸上，同时所用的笔也须是“刷子”似的东西，而不能用削尖的鹅毛管或是金属制品了。

墨里有胶，制成锭块，研了才可使用，于是砚就出来了。

或者说墨也可以制成液体装瓶备用，这理论是很对的，可是天然墨等至今未能成功，可知还有困难，这种制品往往成为新东西，定价很贵，或者也是个障碍吧。我们一生不曾见过好端砚，可以呵出一文钱的水来的，只是中国现时的情形，暂时用纸不能改变，还得借用旧式的笔墨，因此觉得砚台也可以有相当的寿命也。

（一九五〇年一月一日）

医生颂

乡下有一个基督教医院，一个美国医生主持其事，说得一口好土话，在第一次欧战的时候，他对取药去的我的兄弟谈到这事，说道，现在我们的敌人是微生物，应当大家合力来对付他，为什么要自相残杀呢。这不但是在医生的立场上说得很对，就是依照凡人的常识来说也是不错的。我平常就有一个偏见，最佩服医生，因为[①]他们的职志是救人的疾苦，古人常以良医良相并称，不过相常是只有良法美意[②]，人民难得实惠，而医则是一个个的真把人医好，所以更值得佩服。尤其是专攻微生物学的医学家，他的功德更大，道德更高，他的研究成功的时候，所救的人不只几个以至百十个，乃是以千计万计，而且十年百年以

【锺校】

①“为”原作“以”。

②“意”原作“法”。

后还受其赐，假如研究一不小心，则自己立即成为牺牲，也是本来觉悟的。

一个似乎法国系的美国人，姓特克鲁夫，著有一册小书，直译可以叫作《微生物的猎人们》，即是讲欧美（亚洲没有人）这些学者的。美国书未免多是浅薄，这书却很值得一读，虽然内容也是通俗，其实不通俗我们也就读不懂了。其中叙述微生物之发现，预防注射之成功，以及黄热病疟疾等种种试验研究，有许多可泣可歌的事实，这种舍己为人的精神实在够得上说是革命精神，有振作人心的作用。我的朋友某君曾将此书译成中文，送给某大书局，大概因为印别的东西太忙的缘故，至今未见出版，觉得很可惜的，其实这些材料倒很可以编作连环图画，所为难的，只是要好的插画很不容易而已。

（一九五〇年一月三日）

吸收文明

关于中外文化问题，以前曾有过好些争论，但是有益于人民，即是可以利用厚生的外国文明，不但可以而且也应当吸收，那差不多是没有问题的了。不过尽管说吸收，实际上还有好些困难，不是一件容易的事。接受一种外来文明，有如吃食，第一必须肠胃能消化吸收，于身体上有益，其次是这种食品自己有材料，能制造，这才可以说是成功，否则吃了不消化固是白吃，或者如咖啡和可可糖，必须由国外输入，那也不是办法。

于人生最切要的东西，衣食住之外是药，前三者中国现时尚可维持，医药一端须得大加改进，医学教育之日益发达，可以证明这一个趋势。学问前进无穷，学者精进学习，当然必须与世界学术界密切联系，至于医疗器械药物至少应有基本的制作力，可以应付一般的需要，特别的物品自然还不得不仰给于外国。若是应用药材不能自给，一旦交通有障碍时，便要为难，就是平时也不足分配。依照这个标准来看，于生活最切要的医药文明中国至今还未能完全吸收，成为自己的一部分，其他的也就可想了。

近百年中中国人接受外国来的东西，自己有材料，能制造，而且大家觉得喜欢的，计算起来只有一种，这便是鸦片烟，可以说是充分吸收进去了，至今还未能全然吐出来。我痴心的想，只要像鸦片那样的，自己来预备药材，制造药剂和器械，那么我们的医药事业的前途便将发达无量无疑，事有前例，未必是不可能的事吧。

（一九五〇年一月六日）

吃鱼

生长在江浙的人说起鱼来，大概总觉得一种爱好，孟子说，鱼亦我所欲也，可见这并不论地域，现在只就自己所知道的来说罢了。水乡不必说了，便是城里也都是河道，差不多与大街小巷平行着，一叶渔舟，沿河高呼“鱼荷虾荷”，在门口河步头就可以买到，若是大一点的有如胖头鲢鱼鲫鱼之类，自然在早市更为齐全便利，总之在那里鱼虾的供给是与白菜萝卜一样的普遍的。人家祭祖照例用十碗头，大抵六荤四素吧，从前叫厨司代办，一桌六百文，三鲜里有鱼圆，此外总有一碗煎鱼，近似所谓瓦块鱼，在杭州隔江的西兴镇，饭店老板劝客点菜，也总提议来一碟烤虾一块煎鱼，算作代表的家常菜。农工老百姓平常少吃肉，鱼介却是常用，鱼固然只是小鲜，介则范围颇广，虾蛏螺蛘，得着便吃，价亦不贵。此外宁波来的海味，除白鲞外，王瓜头鲞带鱼勒鲞以至淮蟹，因腌货可储藏而又杀饭，大家爱用，南货店之店铺多，生意好，别处殆鲜有其比。古人称越人断发文身，与蛟龙斗，与蛙黾处，现在不是那样了，但其与水族的情分总之还是很不错的。

北方虽然也有好些大河，鱼却不可多得，不能那么大众化了，一般人吃不着，咸鱼也少见，南货店多只卖干果类，稻香村之类的地方带卖[1]一点鱼鲞，这又成了贵货，不是平民的食品了。大概鱼类宜于吃饭，自然吃酒更好，若是面食那便用处很少，除非是吃黄鱼面或划水面，但这又不是北方普通的吃法，供给不多，需求又少，其所以不能大众化，盖非无故也。

（一九五〇年一月四日）

【锺校】

①“卖”原作“买”。

吃肉

从前有一个我的朋友，并非什么有名人，而且已经去世了，他说过一句很有意思的话，说凡可吃的东西他都能吃，只有人肉除外。我很赞同我的朋友的这句话，自己觉得也正是如此。

话虽是这样说，人肉固然不吃，别的肉类也是吃得不多，没有什么值得说的。我吃过的四只脚的肉有猪羊牛驴，狗马骆驼则不曾吃着，甲鱼与田鸡不知是否也该列在里边，两只脚的有鸡鸭鹅，雉鸡柏子鸟麻雀野味。我并不主张吃素，但也不赞成一定非吃肉不可，有些飞走的小动物，有如鸽子兔子，不必搜求来吃，既有普通的鸡豚也就可以够了。

我的意见大抵如古人所说，蒜葱鱼肉碰着便吃，觉得无须太是馋痨，一心想吃别个的肉，况且在现时这个肉价钱，要吃也实在不易。动物有草食肉食两种，生理各别，不能改变，人原是草肉兼食的，比较可有通融，西北草原的游牧民族通年把羊肉当饭，有些山乡的老百姓每天只吃番薯与六谷（玉米）糊，也一样的生活下去。中国本部的人愁的只是没有饭吃(包含面与杂粮在内)，没有肉吃怕甚么。列位不要以为这是《伊索寓言》里的狐狸，因为够不着所以说是酸葡萄，我的话是代表中国的穷人说的，自然也连自己在内，乃是由衷的真话。《孟子疏》中说七十者不食肉不饱，虽是好意却并非事实，至少现时的老头子没有这样好胃口，即吃也甚有限，这里可见古今人之不同，但同时又有一句云肉食者鄙，这倒有几分道理，假如要找酸葡萄的口实，庶几可以适用吧。

(一九五〇年一月五日)

《二十四孝》

宋朝人讲理学据说很是玄妙精微，但那是一种专门，只有哲学家懂得，与我们凡人是没有缘分的，其留给后世有实际影响的乃是这几句话，什么“烈女不事二夫”“饿死事小，失节事大”“君叫臣死不得不死，父叫子亡不得不亡”，十足的封建道德，三纲主义的教训。

一部风行天下的《二十四孝》也是他们的大作，这固然也是提倡父为子纲的，可是样子还不怎么凶狠，却很显出好些愚蠢来，一方面为明白人所指摘，一方面引导事理不明的人往愚蠢中去，也留下很坏的影响。郭巨埋儿之不合理，早经明清两代的人指出。丁兰刻木之无聊与迷信也很显然，亏得编书的道学家看上了，把他高中在二十四名之内。还有一点，著书示范教人行孝，而实行的条件却很困难。有的必须父母死亡、失踪、逃难，或是后母很凶，不然便不合格。有的像子路负米，须要母亲啮指，这也是无从模仿的。冬笋现今已有，南方河水不冻，孟宗与王祥虽是不可无一，却也已不能有二了。剩下来的只有黄香扇枕席，庶几不失为庸行，不妨照办。若是去喂蚊子，那就有点傻气，南边多蚊之处向有蚊虫药，从前只有二文一股，任何穷人都是用得起的。

中国逐渐成为社会主义的国家，父母子女各尽人民的责任，自会少者得所归，老者得所养，一面不必切望养儿防老，一面也无卖身葬父之必要了。情理上的孝亲即在民主时代自然也是好事，但总之不可再有封建道德的色彩，《二十四孝》便是这种道德色彩非常浓厚的教本，在现今可以说是了无用处了。

（一九五〇年一月七日）

忌十三

在一本讲古代文明的书里，说到禁忌的问题，他说野蛮与文明在这里有显明的区别，其一谨守禁忌，而其一则否。但是因为世上没有地方是充分文明的，所以在所谓文明人中仍多有蛮风之遗留，有如请客忌讳十三个人，即是一例。我觉得这话很有意思，在中国知识阶级中谨守十三的禁忌的也是常有。不过这乃是从外国输入的，我们本有些土禁忌，后来又加上洋禁忌去，自然更觉得热闹了。

从这一点上看来，解说又略有不同，这个禁忌并不出自蛮风之遗留，却是奴化的模仿，正如从前的报馆闹什么四月愚人节一样。因为我们中国原来是半殖民地，这种情形可以说是不足为奇的。疑古先生遇见过一个老新党，很讲究卫生，每天吃几个鸡蛋，据他说的理由是，因为外国人吃鸡蛋，所以兄弟也吃鸡蛋。又听说有过一个留学生，回到家里，有一天他的父亲看见他走进来，洋服裤脚卷着，问道，外边下雨了么，答说不，因为现在伦敦是雨季了。这件事只是传闻，所以真实性如何碍难保证，总之这与吃鸡蛋都可以代表半殖民地空气的；幸而这些新的士大夫向来与民众隔离，不曾将模仿的洋禁忌传播开去，解放以后思想逐渐变化，好在半殖民地的背景除去了，这种模仿自然也将自行消灭吧。这里并不是说土禁忌比洋禁忌好，只因后者出于无谓的模仿，更是无聊，所以觉得更为可笑罢了。

（一九五〇年一月八日）

张三李四

中国俗语说张三李四，这与文言的某甲某乙差不多，只是假设有姓有排行，更像是实有其人了。这句话很是平常，但想起来也颇有意思。一姓一名，姓前名后，这岂不是当然的么。我们看孔子的姓名以及孔门同学录，都是那么整齐的了，可是也不尽然，庄子喜弄玄虚，姑且不算，《左传》中间有那许多怪名字，便是孔子的父亲也还称叔梁纥呢。但是总之周秦之际有了规定，姓氏统一，名字确定，这种办法二千馀年维持下来，到了现在，大家视若固然，却不知道这是很特别的，可以说是东方人的一种特有的习惯。

高丽安南向来受着中国文化的影响，他们索性改用汉族姓名，这个我却觉得没有什么意思。

日本用汉字去译写他们的姓名，比较的保存了本色。

匈奴的事情不能详知，但是他们的远亲匈加利人虽是迁居欧洲[1]，入了基督教，却仍旧保留姓前名后的旧俗，这是很可注意的事。匈加利的革命诗人裴象飞最为鲁迅所敬爱，在文学史上见到他的署名是裴象飞·山陀耳，并不写作亚力山大·裴象飞，又小说家育珂摩耳也不写作摩利支·育珂。

菲列宾被西班牙所征服，被迫改教，现在如单看他们的名姓，便简直都是西班牙人了，这是一个例，信仰与姓名是可以用强力改变过去的，但也是在西班牙人的手里这才能够实行吧。菲列宾人中不少中国统系的分子，可是在整个上不能发生什么作用，由此也可以知道帝国主义的强力之可怕了。

（一九五〇年一月十日）

【锺校】

①“洲”原作“州”。

名从主人

中国人的姓名是中国话，所以用汉字来写，这是音义兼该的，但是国内也有少数民族，他们的名字须用汉字译音，与外国人交往时又须拼作罗马字，那都是存音而省义了。

关于拼译别人或是自己的姓名，重要的规则是名从主人，虽然西洋人也有反其道而行之，即是名从客人的，有如从前广学会的李提摩太，不过这是教士的做法，光绪年间他们在中国乡下还有留小辫戴红结子瓜皮小帽的呢，自然要算是例外。至于外国人弄不清，如德国有人写信给蔡孑民，称培先生，美国大使赫利叫蒋介石为密司脱石，也是可能，只好随他，反正这种事情也不多的。可是也有自己这样称的，却不知是何缘故，如马玉山马宝山两家饼干公司，洋铁罐以及饼干上的罗马字总是两个字头和一个山字，即爱姆歪山和爱姆披山，照西洋的规矩看去，便是一个姓山名马玉，一个姓山名马宝了。

中国的基督教徒，因为有教名，照西洋式先名后姓的拼成罗马字，也还自成一个格局，可是教名大概有个范围，多是习见的那些名字，蒋政府的大使中有顾维钧名威灵吞顾，罗家伦名罗斯福罗，似乎很是特别，不晓得在外国这种例子也是常有的么。教士因为想土人信任他，当康白度或仆欧的因为东家的方便，所以都有迁就的必要，若是平常人民，采用名从主人的办法总是不错的，倘说觉得有点别扭，本来言语不同，习惯不同，这点的不便，是不可避免的。

（一九五〇年一月十一日）

谈天

人是合群的动物，他最怕的是孤独。人生在世上，负着两重的义务，一是种族的生存，一是个体的生存。古人说过，孤阳不生，孤阴不长，欲求种族的生存，孤独固然是不行，就是个体的生存，也须得众人着力，才能维持，几万年来的经验便养成了爱群的习性，除了参禅坐关，做苦功学[①]道的人以外，谁都不能安于寂寞，总喜欢和人来往，谈不关紧要的天，我们看大家坐航船，坐茶店时的情形，顶明白的可以看得出来。这种谈话看去似乎是闲扯[②]谈，白耗费时光的，其实也并不然，倒是颇有意义的。

普通谈话的内容很是凌乱复杂，但在听众的立场说来，从那里所得到来的可以有这几种东西：一是事

【锺校】

①“学”原作“字”。

②“扯”原作“拉”。

实，不管这是赵匡胤的龙虎斗，泥马渡康王，或是红灯照的女人，桃花山的好汉，传说也罢，谣言也罢，都归入旧闻新闻一类，因为此外得不着正当的报道。二是论理，从大家的阅历上得到的教训，是很好的参考，至于这多是适应封建社会的，那是时代如此，也是不得已的。三是娱乐，说故事讲笑话固然是的，便是大家发表自己的意见与感情，在融和的空气之中，听的说的都感得一种满足。这样[1]看来，谈话的作用原是很好的，问题只在把内容弄好，就可以有好的结果。我们写些小文章，自然一部分原因由于“以工代赈”，实也别有供求关系，因为这是风干的谈话，是供喜欢谈天的人不时之需的。需求总是存在，只要供给者能有不害卫生的货色拿出来，不误主顾就好了。

（一九五〇年一月十日）

【锺校】

①“样”原作“种”。

历史剧

我是向来不大佩服历史小说的，因为这是两难的东西，做得像小说，便不免不合历史，若是迁就历史，又不容易写成小说了。可是我却很看重历史剧，特别在民众娱乐与教育上，我觉得这很是重要，这个并无什么理论，全是根据事实来的。民国初年我住在乡下，听见一个老百姓慨叹县政府禁止民间演戏，说道，那么我们能够从哪里知道一点老话呢，翻译出来就是说知道一点历史。这句话使我大受刺激，第一感觉自己与老百姓的思想有那么间隔，不能料到他们这种的意见，第二是老百姓那么的看重历史，他不说禁止迎会做戏文，剥夺了他们休息与娱乐的机会，却着重在那一点上，这对于我真是一个很大的启示。

老百姓是顶道地的中国人，他忠于这土地，死守着不肯动，他也想守着传统做人，可是他的生活不让他受教育，只好从戏文上去看一点来，而这又不让看了，他怎能不发慨叹呢。那一句简单的话，至今想起来还觉得是够悲哀的。在当时指导的人士看来，看戏近于玩物丧志，要妨害他们的正业，把他禁止了，何尝不是好意，却不知事实并不尽然，关于农民的事如不请教农民，坐在书房里无论怎么想得周到，总是不能适用的。即如复兴历史剧，要怎么做好，我辈外行固然开不得口，便是技术专家我想也得首先去向农工学习，遵从他们的意见，才能办得很好，假使他们要知道历史，那么事实是第一，娱乐与教训自然也在其次了。

（一九五〇年一月十二日）

谈迷信

中国民间至今还多有迷信，就表面看去很不合道理，但是从情理上来看也是可以理解的。例如对于死者，人情不欲死其亲，虽然明知其一瞑不视，却总还要事死如生的供给衣食等，不然便过意不去。其次是人力不可抗时，只好归之于神，如水旱之于龙王，瘟疫之于黄老相公。其次是死与病的防止，许多都是符咒的形式，我们就治病项下来看，可以分出三样。吃仙丹是自己服用庙中香炉里的灰，独自吞下，最为简单。天汪汪地汪汪，贴一张纸在墙上医治小儿的夜啼，只要过路君子念一遍，人亦何乐而不为呢。出卖伤风，纸裹一文钱，让人家拾去，连伤风也带去了。或是只将一片红纸写这四个字，贴在易见处，那更是损人利己，缺德之尤了。

这几项总结起来，原因也很简单，求生免病本是人情之常，一方面因了科学知识的不发达，经济力的不足，所以走入迷信的路去。假如他确知亚司披林可治伤风，而口袋里有充分买药的钱，那就未必去做缺德的事，那样出卖岂不是为的省钱的缘故么？别的迷信也是如此，上次察北发生鼠疫，政府迅速处置，因了科学的力量，世上最可怕的传染病随即扑灭了，人民看了这个情形，自然没有去求疫神的必要。若是水利兴办，森林发达，人力可以控制水旱，那时龙王也就失了权威，无人再去烧香叩头，大概只有在《西游记》中留下他的踪迹，供小孩们的欣赏罢[1]。

（一九五〇年一月十三日）

【锺校】

①“罢”原作“吧”。

写文章的副业

写文章是一种职业么？这从理论上讲不知道怎么样，在事实上从前可以算是的。写小说卖稿子的，替阔人写演说稿的，报馆里写社论和新闻的，给刊物写长短论说和杂文的，换句话说可以称作小说家、秘书、报人、打杂的文人，大概可以包括下去，现在除第二项只在蒋管地区尚有存在外，其他的三项则解放区也还是多有的。既然是职业，那么这总该可以维持一家的生计吧，在小说家与报人大抵当不成问题，打杂的文人恐怕有点不大成，他似乎不是长年的雇工，而是打短工的，以职业论这很不确实。在下也是一个打杂的，深觉得这个不很妥当，有设法改进之必要。我的理想是改而做工，参加生产工作，留下一点工夫来写文章，称为半工半文如不合适，可以说是以做工为本业，写文章为副业吧。但是这第一要工业发达，有工厂可以收容，让我们能够有简易的工作可做，例如做螺丝钉之类，一面又有宽容的办法，许可自己认定做多少小时的工作，工资自然照算，保留若干做副业的时间，那时去写文章出来，一定会安详得多，思想也进步些了。可是说到这里转侧一想，现在打杂写文章，可不是因为没有别的工可作的缘故么？假使有了做螺丝钉的之类的职业，那么何必再来抽出时间去写文章呢？虽说写文章这一件事比起徒弟学手艺来更为困难，花的年月更多，可是既然算不得技术，当不成职业，抛弃了也没有可惜，只留下看报与写信的用处，这已经够好了。

（一九五〇年一月十五日）

文化遗产

中国成了人民共和国，军事政治经济各方面已经相继成功，接着来的当是文化建设的高潮，凡是与文化有点关系的人应该无不关心，而且也都有责任。创造的建设自要特别的人才，若是接受文化遗产，乃是大家的事，不论古今中外①的文化，都要拿来加以一番甄别，分别应用。这与一般革命事业相同，同时要有很高的警惕，与很大的包容。

在现今进行着反封建反侵略的斗争的时期，对于有这些毒素的东西必须绝对的排斥，即使是现代哲学上的新学说，古来道德上的旧纲常，也要不客气的认清他，这是一方面。在别一方面，也要去从敌人阵营后边去认出友人来，这样不但增加自己的力量，也即是同样的减去了敌人的势力。具体一点的说，在古来

【锺校】

①“外”原作“今”。

的文学美术中间这类的友人该是不少，五百以至一千年前，虽有先觉也哪能知道民主主义呢，但是反封建与专制的思想却是古已有之的，他们没有明说的自由，多借了艺术来表现出来，只须虚心的看就可以知道。杜甫白居易之关心民生，这是大家明白的，陶潜李白还不只是隐逸颓废的诗人么，可是他们总不是封建的乐队或君主的帮闲，他们的诗还是有可取的。法捷耶夫谈到中国古典文字，常把这几个人并举，这里很有意思，真可谓旁观者[1]清了。

接受文化遗产，顶好先有整理的工作，各个人自己努力也是好的，但是这样做难免事倍而功[2]半，很不值得，只是在未曾整理工作之前，也就止有这个办法罢了。

（一九五〇年一月十四日）

【锺校】

①“者”原作“的”。

②“功”原作“工”。

小伙计看书

我有一个朋友住在北京的南城，就是从前文士所称的宣南，一家八口，南北习惯都有，吃的是大米白薯与高粱。白薯是有门口推车来卖的，米类则得自隔街的小粮食店，发薪时买上三五十斤，店里便派小伙计送将去。这一个小伙计大概是小学出身，年纪已有二十以外，却很有读书的兴趣，放下米来，看了破书架上的线装书便逡巡不去，问有什么历史书可看么。我的朋友是在中学教国文的，他的书架上虽有《汲古阁十七史》（纸已漆黑，连收废纸的人都不大要了）、《廿二史札记》和《廿一史识馀》，可是没有可以借给小伙计看的书，他说，只要那大板的《二十一史约编》不被贼偷就好了，不过已经丢了也是没有法子。这样的两三次之后，他怕碰见那小伙计，有一个时期，他不得不往别一个店铺里去买粮食。

听了他的这故事之后，我有好几天心里老是记着那小伙计，虽然我不曾见过他，不知怎的觉得有点懊恼和不愉快。我对于这个不认识的小伙计，实在比十个用功的大学生还要觉得关切。冷街的小店里有这样刻苦好学的青年，这是中国将来希望之所在，他不以知识人士自居，不预备以知识作资本去求发迹，他安心站在柜台后边，却想正当的了解本国的过去，把握了现在。所患的就是缺少这种人，这种人多起来，成了市民的中坚，中国便有希望了。我想在农工中间这种情形一定也是普遍的，问题是怎样的给他们书看，新书固然太少，要他花几千块钱去买一册来看，那也是事实上办不到的。

（一九五〇年一月十六日）

嫖客态度

卖淫的起源很早，人民被剥削，妇女被轻视，自然出现[①]这个结果，但是到资本主义时代这才成了合法化，而且还是必要的附属品，所以说这是资本主义的产物也未始不可。十九世纪中一个英国诗人曾说，妇女问题要与工人的同时解决，这就是说资本主义下存在的制度到了社会主义时代才能改革过来。北京的妓院由人民政府封禁了，这正是当然的事。可是这还只是一方面，资本主义的变相的人身买卖许可取消了，人民可以生活，妇女有了职业，在供的一边已是正本清源的解决了。馀下来的还有一方面，那是求的一边，其责任全在于男子。这个原因却不能全推给资本主义，至少有大半是由于别的，即是封建的男子中心思想。

【锺校】

①“出现”原作“现出”。

封建的道德说夫为妻纲，把妻拘束得很紧，但是他于妻之外还有妾婢以及妓，此三者地位待遇虽有差别，由他看来其为纵欲之对象则无不同，对于她们的态度多少是一种嫖客的态度，原是一样的。现今娼妓与婢女固然已由法律明禁，妾亦不复许可，可是在封建道德尚有势力的现时，这种多年养成的嫖客的态度未能一时消灭，那也是①无可如何的事情。这有什么方法呢？有效力的方法是没的，除非男子实行自肃，把思想搞通了，不但抛却资本主义的燕尾服，而且还脱去封建道德的马褂，从新来过男女平等的生活，庶乎其可。这未免是迂阔的空话，但别的法子我实在也想不出来了。

（一九五〇年一月十七日）

【锺校】

①“也是”原作“是也”。

洋囡囡

小孩的玩具大抵多在庙市或新年设摊售卖，但乡下也有店铺，墙上大书曰“要货”，其实这也只能算是文言，在口语中则称为“嬉家生”，意思是说游戏用的器具，并无玩物丧志的意味含在里边，我觉得这倒是很难得的。他的种类并不很多，大都是模仿家生什物的，一是武器，木制刀枪椎斧，附纸制假面，俗名胡脸子，倒与古名胡面子相合，可见原来是胡人的脸相。二是乐器，锣鼓铙钹，喇叭箫管。三是家具，桌椅盘碗，烛台手炉等。四是杂类，竹木制的蟠龙斗老虎，泥制可吹响的鸡与青蛙，各种人物如状元，老嫚，一团和气与老寿星，此外也有孩童，却只有正面着色，总称曰烂泥菩萨。

这里我觉得缺限的事是没有所谓洋娃娃，南方叫作洋囡囡的那种东西，因为这是小孩特别是女孩子所最喜爱的，时常看见她们用衣服卷了背着，摇着身子唱催睡歌，可是不知怎的并无这种玩具，而且还没有这个名称。文言里傀儡乃是指的木头人，是演剧用的，不是抱着玩的小人儿。易卜生说妇女的反叛的戏剧，有人译作《玩偶家庭》，虽是不得已，总是生硬而不通俗的。中国的父母对于小孩的慈爱并不缺少，却缺少了这顶可爱的玩具与其名字，不知是什么原因，而且因此使得此刻所有的也真的变成洋囡囡，舶来的不说了，本国制的也浑不似中国小孩，多是黄发碧眼，这岂不成了胡面子了么？中国文学美术上表演儿童的也很少，大概是出于同一缘故吧。

（一九五〇年一月十八日）

坐船

古书上说越人断发文身，入水与蛟龙斗，小时候读了就不相信，现今江浙还是水乡，那里有这种事情呢。辛亥革命以来，发是断了，但那是全国一样的，文身很少有，蛟龙早已没有了，千馀年中世上情形的确改变了不少，所以有些古人的说话现在看来都要打个折扣，自然当初说得夸张的地方也不是没有。可是无论如何，乡下人和水的情分到底总是有的。既然生长在水乡里，一生的见闻生活都离不开水，城里还只有一条街路与一条河道平行，中间搭上各式各样的桥，乡间则水路多于陆路，走得远一点固然必须用船，就是到邻近村庄去，也往往非过个野渡不可，所以他坐船浮在水上的机会就很多了。俗语云，瓦罐不离井上破。船天天浮在水上，人又三日两头的坐在船里，那么船翻人沉的事当然是很可能的。这的确常有，人们却也泰然不以为意。我在拜别故乡不再坐船以前，也是这样的泰然的，有好两回几乎做了波臣的机会，趺坐在脚划船底，隔着一层板即是水，一不凑巧便会翻转，或者以为这与坐车的危险相等，不知那是陆上，现在则不在船里就在水里了，这水虽是做老酒的好水，但是人一掉了下去却不是好玩的了。

那么学游泳以防危险，岂不好么？可是也并不学。老百姓中间尽有识水性的，不过那是小时候游嬉洗澡，因而学会的，当初并不为了这个缘故。老子云，民不畏死，奈何以死惧之。我想这习性也是好的，只要能好好的引导向积极方面去，变成一种有战斗性的冷静，可以很是有用。

（一九五〇年一月十九日）

吃酒

在城里与乡下同样的说吃酒，意义则迥不相同。城里人说请或被请吃酒，总是大规模的宴会，如不是有十二碟以上的果品零食（俗名会浅，宁波也有这句话）的酒席，也是丰满的一桌十碗头。若是个人晚酌，虽然比不上抽大烟，却也算是一种奢侈的享乐，下酒的东西都很讲究，鸟肉腊肫与花红苹果，由人随意欣赏，到了花生豆腐干，那是顶寒酸的了。乡下人吃酒便只是如字的吃酒，小半斤的一碗酒像是茶似的流进嘴里去，不一忽儿就完了，不要什么过酒胚，看他的趣味是在吃茶与吃旱烟之间，说享乐也是享乐，但总之不是奢侈的。我说城里乡下，并不是严格的地方的分别，实在是说的两种社会的人，乡间绅士富翁自然吃酒也是阔绰的，城里有孔乙己那样的吃法，这又是乡下一路的了。

中国智识阶级大都是城里人，他们只知道城里的吃酒法，结果他们的反应是两路，一是颓废派的赞成，一是清教徒的反对。颓废派也就算了，清教徒说话做文章，反对乡下人的奢侈的享乐，却不知他们的茶酒烟是一样，差不多只是副食物的性质，假如说酒吃不得，那么喝一碗涩的粗茶，抽一钟臭湾奇，岂不也是不对么？民国初年有些主张也是出于改革的意思，可是出于城里人的立场，多有不妥当的地方，如关于演戏即是一例，可供后人参考。我并不主张乡下人应当吃酒，也只是举例，我们须得多向老百姓学习，说起话来才不会大错。

（一九五〇年一月二十一日）

萝卜与白薯

中国人吃的菜蔬的种类，在世界上大概可以算是最多的了。历史长固然是一个原因，但古人所吃的有许多东西，如蘋藻薇蕨，现今小菜场上都已不见，而古无今有的另外添进去了不少，大抵重要的原因还是在于中国的调烹法的特殊，各式的植物茎叶他都可以煮了放在碗里，用筷子夹了吃，这用在西洋料理上往往是没办法办的。

这些菜蔬中间，我觉得顶有意思的是萝卜与白薯。这两样东西都是大块头，不但是吃起来便利，而且也实在有用场。明人王象晋称萝卜可生可熟，可菹可齑，可酱可豉，可醋可糖可腊，乃蔬之最有益者。徐玄扈说甘薯有十二胜，话太长了，简约起来可以说是易种，多收，味甘，生熟可食，可干藏，可酿酒。具体的说，我最爱的和尚吃的那种大块萝卜炖豆腐，其次是乡间戏台下的萝卜丝饼以及南京腌萝卜鲞，至于白薯自然煮的烤的都好，但是我记得那玉米面糊里加红蕃薯，那是台州老百姓通年吃了借以活命的东西，小时候跟了台州的女用人吃过多少回，觉得至今不能忘却。

希望将来人人可以吃到猪排牛排和白面包，自然是很好，我们要去努力，可是在这时候能吃苦也极重要。我想假使天天能够吃饱玉米面和白薯，加上萝卜鲞几片，已经很可满足，而一天里所要做的事只是看看书，把思想搞通点，写篇小文章，反省一下，觉得真如东坡在临皋亭所说，惭愧惭愧。

（一九五〇年一月二十日）

坐车

我的坐车的经验是很少的。生长在江东，所知道的车只是水车与纺车而已，其所以名车者大概因为有一个轮，后来到上海南京才坐了人力车，独轮车与马车，又走京汉路，坐火车，在北京坐过骡车，文明利器则有汽车以及公共汽车，在定县的乡间又曾在冬天坐了一天的大车。这里分类固然可以人力兽力机动力区分，但是由坐车的人说来，有无弹簧这个区别也是很重要的。大抵在海禁未开以前，中国的车都是无弹簧的，所以无论孔子的一车两马的周游列国车，或老子出关去的青牛车，坐了一定是不大舒适，而图画中美人所坐的长背椅子下装轮子的车看了更是危险得很，似乎动不动便要翻似的。以我的主观来说，倒是独轮车顶安全好坐，只要两边压得平，而最不好的是汽车走坏路，这比大车还要难过，因为人在弹簧上蹦，自然比较硬板上蹦得更高了。

据说在西北地方，地上有很深的车辙，车轮放在里边，有如顺着轨道，走起来倒很平稳，可惜我没有去过。又听说有一种骡轿，用两只骡子抬着，轿身宽大，可以随意坐卧，这似乎是骡车的改良，本来很好，可是骡子原是不会抬轿的，前后各自任意走路，所以坐的人觉得有一种特别的不舒服。车辆将来总须得全用机动力或兽力的，特别是乘坐用的车，但是人力的如排子车及独轮车还足供搬运之用，尤其是后者，在田间狭路最为方便，有如挑担虽是劳苦，但在民间也有需要。

（一九五〇年一月二十二日）

学名与俗名

有一个外国的水产学专家，在一本讲中国的淡水鱼的书里说，中国的动物学家有学问很好的，但是他大抵最熟悉拉丁文的学名，对于本国的名称不很知道。清季的学者张啸山在笔记中曾叹说，读《诗经》《尔雅》，不明白那些动植物是什么形状，看见了实在的东西，又不知道他在书上是什么名称。这两句话很能说出向来研究名物的缺点。孔子教人学《诗》，说可以多识于鸟兽草木之名。后来学者便忠实的这样做去，记住了好些雎鸠卷耳的名字，及至见到了他们却又对面不相识，也并不想认识他们，但是著作起来可以写成整本的书，引据渊博，我们外行人看了还是不得要领。古人注书如郭璞《尔雅注》，陆玑《诗疏》，还好一点，常说今某地方人拿来怎么吃用。后来便多捧古书，与现世隔离。清代朴学家又渐务实际，如王引之的《广雅疏证》，郝懿行的《尔雅义疏》，常说今某处名什么，蝼蛄下注北方名拉拉姑，瞿叟（原有虫旁）下注名钱龙，扬州名蓑衣虫，是很好的方法。中国革命后，学问文字都有改革，论理应当更有进步了，然而也不尽然。现今的学者见到一种实物，当然是认得的，可是假如他只能说出拉丁文的学名来，那么这与旧学者之只知道古书上的古名没有什么差别，对于我们是同样的无用的。

一样的东西，民间口头叫的中国话是甲，学者书本上说的学名是乙，口头与书本有了距离，老搞不到一起去，不只是人民沾不到学问的光，即在学问方面也总是一个缺点吧。

（一九五〇年一月二十三日）

金刚钻的用处

听说有一个老夫子，写信给从前的学生，那是一个医生，去过西洋，现在很阔了。他用了一张旧式宣纸的信笺，却给那位学生退了回来，回信里很教训了一番，说在现今节约时代，用这种讲究的信纸，殊属不合。不知道他老夫子原是讲节约，不去买新的纸，才用旧诗笺应付的。

清朝有过一个很风厉的抚台，下属如不是穿了破旧衣服去见他，必定要大不高兴，一个知县初到省，特地着了簇新的衣帽跑去，抚台果然大加训斥，知县惶恐的说道，卑职家贫买不起旧袍褂，不得已只好用这新的，抚台听了默然。又见清季遯安子的《虎口日记》，说避乱躲在人家的屋顶上，晚间下来搜求食物，在屋内找到一包鱼翅，乃拔芥菜，一并煮烂加盐食之。饿极时草根树皮也吃，但先找到了鱼翅而又无处换得草根树皮，则先吃鱼翅自是当然的事。应当穿布衣，现在只有绸呢的旧制，自亦无妨先拿来穿，不必去兑换布的，而且换时恐怕还要贴钱。至于信纸，则还没法兑换，只好称斤作废纸卖，再去买进，旧的一斤只能买白报纸一张而已。这样计算起来，某医生的办法很有点与抚台相像，虽是提倡节约，实际却要变成耗废，假如节约中间不知道废物利用的这一节目，这里便不完全。我只觉得宝石类没法子利用，特别是金刚钻，我知道他可以划玻璃和锯碗，不过那只要砂子大小就好了，要若干克拉的何用？女人如以为戴了这个才美，那真太是看不起自己了。

（一九五〇年一月二十四日）

秋瑾与鲁迅

秋瑾与鲁迅同时在日本留学。取缔规则发表后，留学生大起反对，秋瑾为首，主张全体回国，老学生多不赞成，因为知道取缔二字的意义并不怎么不好，因此这些人被秋瑾在留学生会馆宣告了死刑，有鲁迅、许寿裳在内，鲁迅还看见她将一把小刀抛在桌上，以示威吓。不久她归国在江浙一转，回到故乡去，主持大通体育学堂，为革命运动机关，及徐锡麟案发被捕，只留下“秋雨秋风愁杀人”的口供，在古轩亭口的丁字街上被杀。革命成功了六七年之后，鲁迅在《新青年》上发表了一篇《药》，纪念她的事情，夏瑜这名字很是显明的，荒草离离的坟上有人插花，表明中国人不会忘记了她。在日本报上见到徐案消息的时候，留在东京的这一派人对于与徐秋有关的人的安全很是忧虑，却没有人可以前去，末后托了一个能懂中国话的日本同志，设法混进绍兴去，可是一切混乱，关系的人一个都找不到，竺绍康、王金发大概逃回山里，陶成章、陈子英等人随即溜到东京来了。这个探信的人大抵未曾留辫子，异言异服的，不曾被做公的抓了去，实属运气之至，可见清朝特务之不讲究，那时城中还没有客栈，所以无处安身，只好在一家鸦片烟馆里混了两晚，他也不会抽大烟，不知道是怎样的对付过来的。他的姓名现在已不记得，这件事远在四十多年以前，所以知道的人也只有一两个人了吧。

（一九四九年十二月十五日）

照顾小朋友

后台里喝彩论理是不应该的，不过这里说的是事实，所以我想没有什么关系。“读者服务”这一栏的文章我很喜欢看，从问题上可以知道各人的种种疑惑与烦恼，答案则给予明快的解决，准情酌理，很得要领，而且说的颇有风趣（这如用旧的新名词即是幽默），有些题目也定得很妙，常觉得比自己文章上的还要有意思。这回拿出合订本来翻看，见到一则题云“我爱吃糖”，读了下去，不觉渐渐的紧张起来，仿佛有什么问题落到自己的身上来了的样子。

这是很有趣的一封信，是一个高小一年级的学生所写，说他每天省下车钱，买一张《亦报》和一卷水果糖，他所想要请教的是吃了糖有没有什么不好。这事本来与我无干，但是我以前不曾想到看报的小朋友，只漠然的觉得那些读者大概都与我所知道的几位写稿的朋友同年辈的人吧，这回发见其中有的是小学生，使我始而错愕，继而惶恐。我写了些小文章，固然童叟看了都没有什么害处，总之是写的时候并不曾有小读者放在对象中间，这实在是十分对不起的事情。我们固然写不出专供给小朋友的文章，但总不可全不理会他，假使前后写了十篇，这其中能有一篇半篇可以给他们读的，那也就很好了。自己忖度能够这样么，老实说没有这自信，只好放在心上，想这样的做，以期不误主顾而已。

事实上，女士们的读者一定也不少，我们所写的都是原来以男士为对象的文章，也是一种毛病，不过这还好办，只要有女士们肯来帮写些文章，就可以调和一点了。

（一九五〇年一月二十五日）

山里红

冬天在北京街上多看见卖糖壶卢的，此物又甜又酸，老小都爱吃，我们乡下叫作糖山球，山者盖系山查之省略，平常称为红果，北方云山里红，但蜜饯中有炒红果之名，可知这个名称也是有的。乡下的只是山查一样，北京则花样繁多，据《一岁货[①]声》中“糖壶卢车子”一条下所说，共有十馀种之多，其中如扁熟山里红，生山里红，又夹澄沙胡桃仁，白海棠生熟二种，红海棠，蒲萄，山药，山药豆，荸荠，桔子，黑枣等，尚多有之，若梨糕奶油骰块，乃是光绪年间物事，早已不见了。这里种类虽多，其实顶好的还只是生山里红这一种，别的似乎都是勉强配搭，不那么吃也可以，而且就是山里红，熟的也不大好，中嵌豆沙和核桃仁那不免是多馀的，且不说奢侈也罢，

【锺校】

①“货”原作“呼”。

因为这里只要红果的酸，加上冰糖的甜，这就够了，好的就在他的简单。我想糖壶卢应当以生山里红为正宗，别的模拟品没有什么意思，自然的就归于淘汰，不过此刻物价涨了，小朋友或者不容易吃得到，但是与假水果糖相比大概不见得更贵吧。

中国向来说山查可以消食，对于小孩吃糖山球以及山里果子不加禁阻，这原来是很好的事。

此外有山查糕也是用红果[①]所制，更为精美了，但因此也就更贵，往往搁在稻香村等处的玻璃柜内，与玉带糕等同一待遇，不复是昔时水果摊糖担中之物了。说说这些土货，并无怀旧之意，只觉得也大可吃得，而且比新糖果更有点真味，可以谓是一种可取的地方吧。

（一九五〇年一月二十六日）

【锺校】

①"果"原作"药"。

焕强盗与蒋二秃子

因徐锡麟案而亡命日本的人中间有一个是陶焕卿，名成章，可是清政府似乎只知道他的别号，所以通缉令中道：“会稽先生一名，善催眠术。”看去很有点儿吴学究的气味了。

他家在乡间，开着一爿砖瓦店，可是他不乐商务，好游行运动革命。有一天替父亲管店，因为不知道梗灰市灰的区分，把好灰卖了次灰的价钱，大为父亲所不满，加以训斥，问他那么游荡是什么意思。他答说道，为的要使人人有饭吃。后来他的父亲告诉人说，他要使人人都有饭吃，我怎能反对他呢。

此后他便到处奔走，联合各地绿林豪客，作起义的准备，在江浙有相当的潜势力。逃到东京后，同龚未生住在小公寓里，穷得要命，衣服全是东洋瘪三的样子，可是意气还是一样，访问友朋总谈的是某处已经或可以“动”，即是起事。他到《民报》社去，章太炎先生看见总开他的玩笑，说焕强盗来了，事实上他真是江东的盗魁，他的命令是可以动员若干山上的豪杰的。他深通史学，尤熟记春秋时事，著有《中国民族权力消长史》，只出版了第一册。他的特色是刻苦耐劳，做事认真，但是像范蠡一样，恐怕必要时手也是辣的，不过这只是推想而已。

陶焕卿与章太炎本是光复会的人，加入同盟会中，与孙中山手下有些人是不大融合得来的。

辛亥革命成功，国民党分子设法取得了杭沪政权，可是觉得陶在上海终是障碍，于是他就在法租界医院里被人暗杀了。据一个老国民党说，当时陈其美偶说陶不死吾侪不得安，有人听了便径去办了，陈知道了大悦，即推荐于中山，加以信任。此人为谁，即蒋二秃子是也。

（一九四九年十二月十六日）

《雷峰塔》

小时候看书，在小说之前，往往先翻弄弹词之类，到了普通小说看得差不多了，特别的弄不到手，不得已便又来读弹词聊以过瘾。就我的记忆说来，前者有《雷峰塔》，后者有《天雨花》。《天雨花》可以说是弹词中之翘楚，比《玉钏缘》《再生缘》等都写得好，虽然里边的故事都忘记了，记得的只有左维明这一个人，可是因为阶前剑斩犯淫的侍女一节，一向对他的印象很坏。

《雷峰塔》是在看图识字时代所看的，所以连书名也有点模胡了，仿佛是又叫作《义妖传》，木板小本，多简笔字，只是上面有绣像，特别是那法海，那是记得清清楚楚的。原文虽不曾读，本事却全本知道，大概因为本系民间传说，有西湖边的塔为证，流传所以广远，在戏文中也有两出，比《天雨花》是普遍得多了。法师收妖，故事中常见，不知怎的法海特别令人讨厌，我们小时候自然也是这样感想，至今想起来还当他是封建与道学的代表。两三年前所写歪诗

(不依诗韵，上去通叶）中有《白蛇传》一首，可以抄在这里：

顷与友人语，谈及白蛇传。
缅怀白娘娘，同声发嗟叹。
许仙凡庸姿，艳福却非浅。
蛇女虽异类，素衣何轻倩。
相夫教儿子，妇德亦无间。
称之曰义妖，存诚亦善善。
何处来妖僧，打散双飞燕。
禁闭雷峰塔，千年不复旦。
滦州有影戏，此卷特哀艳。
美眷终悲剧，儿女所怀念。
想见合钵时，泪眼不忍看。
女为释所憎，复为儒所贱。
礼教与宗教，交织成偏见。
弱者不敢言，中心怀怨恨。
幼时翻弹词，文句未敢念。
绝恶法海像，指爪掐其面。
前后掐者多，面目不可辨。
迩来廿年前，塔倒经自现。
白氏已得出，法海应照办。
请师入瓮中，永埋西湖畔。

（一九五〇年一月二十七日）

冻死人

近日看见报上的几条新闻，其一是庵里的尼姑们拟办托儿所，这当然是为社会服务的好事，其二是上海最冷其实是还在冰点上一度半的那天，路上冻死了四十一人，其中四个是成人，三十七个都是小孩。像这样的统计，在去年冬天也曾在报上看见过，现在记了起来，数字无可考了。总之是小孩的数目超过成人几倍。这些自然都是小乞丐吧，不过这是哪里来的呢，这个愚笨的问题却是有重大的意味的。中国向来这就成为问题，五十年前严幾道在所译孟德斯鸠《法意》的案语中曾发过感慨，有云“吾每行都会街巷中，见数十百小儿，蹒跚蹀躞于车轮马足间，辄为芒背，非虑其倾跌也，念三十年后国民为如何象耳”。严氏为旧的自由主义者，唯此种忧惧却是真诚也是好意的，至于“怎么办”他是没有说，大概也是没法子吧。

中国向来有育婴堂，这多少可以对于弃婴或溺女有所补救，不过那只能顾到女婴一部分，若是男孩则虽贫家亦往往不忍弃，勉强留养，末后终于流落街头，死于冻馁，社会不大注意，只由善堂收埋完事。这种悲惨不合理的事情，非待社会制度彻底的变更，不能革除，自今以后当渐有希望，治本治标两者并进，庶几此类记事可不再见于报纸上面了。

（一九四九年十二月十八日）

坟地的改革

中国的婚丧习惯都是以封建道德为基本的，革命以来一直没有什么改革，但是到了现在却不得不加以检讨，着手整理了。别的且不谈，只说坟地吧。南北的埋葬法，大概因了地土性质的不同，很有差异，简单的说来，北方葬在地下，南方则是葬在地上的。北方掘坟普通是以深九尺为准，看去很是干燥温暖，一般就把棺木放下去，实在由我看来就是以土亲肤，也无什么不可，在填平之后再做一个土堆，一样是土馒头，可是其中并没有馅。南方因为地下就是水，所以不能实行入土的葬法，反而在地面上填高了作为墓穴，再堆起土来，要盖得住石椁的角，总非得八尺一丈高不可。总结一句，可以说是北方墓而后坟，南方以坟为墓吧。

现在的问题是为求生产，土地很是重要，怎样能够还土地于活人，不要让死人老是损人不利己的占领着。北方的死人睡在地底下，地面尽可利用，种豆麦蔬菜，并不妨碍他的长眠，难的是在南方，假如是在好水田熟地中间，那么除搬场之外大概没有别的办法。小时候听见老百姓的传说，换朝代的时候要出平坟大王，把坟墓全都平了，可见人民的意见也觉得这制度的不好，只是非等社会组织改革没有法子办了。现今似乎机缘渐熟，明白的人士应当自动的起来，对于这个问题加以研究。提倡火葬也是一件重要的事情，其实民间因生活困难实行火葬灰葬者久已多有，反对的大抵是资产和知识阶级中人，只是少数，假如有设备有宣传，火葬可以通行那是没有问题的。

（一九五〇年一月二十八日）

展览会

时常听说有少数民族的生活文化展览会，自己不曾去参观过，只是听去看过的人说，或看见报上登载的文章，觉得大家总多注意那新奇的怪异的一方面，其平常衣食住的情形，与我们没有多大不同的生活，似乎很少引起兴趣。本来人情好奇也是难怪的，不过我相信展览的用意不是像摆西洋景摊似的专拿奇怪的物事来给人看，无宁倒是要叫人看取异民族间的同来的。因为少数民族是中国人民的一部分，平常我们很疏远，不知道他们的生活状态，以为与我们大不相同，认为即是野蛮，便生出差别待遇来，现在要改正这个错误，第一必了解他们，彼此生活习惯不一样，毕竟是大同小异，看清他们衣食住的需要，哀乐的感情，和我们根本的一致，此外风俗宗教上的若干殊异，正如老百姓所说的乡风各别，那是小节，不值得惊奇的。譬如蒙古，我们知道他们的家乡是沙漠地，以牧畜为生，所以住的是蒙古包，吃的是羊肉，与我们务耕种的吃米麦住瓦屋茅舍同一道理，至于喇嘛那有如道士和尚，他的头骨的小鼓乃是特殊的法器，不是一般的什物，又如台湾高山族的木雕偶像，也是这一流的东西，好像中国城隍庙里的牛头马面，或是腊塌四相公，有是有的，可是不能代表现时中国的生活。

这种展览的性质我想是两重的，即政治的与学术的，我们要紧的是去把握住各民族的共通性，互相了解，从这上面发生政治的作用，若是人类学上的种种怪怪奇奇，那要让学者来专门料理，对于我们凡人倒不是怎么有用的，若是太注重了，反会发生离异的现象，那便不是展览的本意了。

（一九五〇年一月三十日）

外国来的菜蔬

西洋人吃早餐，只有面包黄油是本国出品，茶叶与糖均元本出于外国，若是咖啡豆与柠檬，那便是现在也还是输入的。中国的情形稍有不同，吃的菜蔬只是豆腐青菜，全是土货，除了高等华人学吃西餐之外，食桌上是不大会有什么舶来品的了。

但是植物的历史说起来有点特别，它们多数是有着四千年的中国籍，有好些正如元微之辛文房之流乃是归化的外国人，不过注册已有千百馀年，大家都已忘记。这些食用植物中间，顶重要的是落花生、蕃薯以及南瓜。这都从南洋方面过来，南瓜蕃薯在名称还可以看出来，虽然北方叫作倭瓜白薯，稍有改变。日本人回敬称南瓜曰唐茄子，一名又作东婆寨，则已显示他的原籍是在越南了。来到中国的年代大概是在明朝，有四五百年的光阴了吧，我们想像以前的小孩在新年没有瓜子花生好吃，那该是多么寂寞呀。

胡麻、胡荽、苜蓿，都是汉朝张骞拿来的，胡豆见于晋时，但据说《尔雅》中已有，那么也是汉朝输入的吧。这些历史虽久，可是除胡麻外用处不大，胡豆我还不知道它是怎么样子的。菠菜与莴苣，在隋唐时进来，现今通行甚广，或云黄瓜又名胡瓜，萝卜有人说也来自西域，那还少证据，未能相信。

近时从外国来的有马铃薯，北方名土豆；甘蓝通称白菜、菜花；番茄北方名西红柿，却没有多大势力，大概因为未曾平民化的缘故。马铃薯本来有用，但有芋头与白薯在和它作竞争，做菜不如芋头，做点心则不及白薯，其不得意也是当然的吧。

（一九五〇年二月一日）

点心与饭

小时候爱吃杂食，时常被大人们教训，说点心不是当饭吃的。这句话里的真理我一直相信着，因为点心与饭的区分就是这样定的。我们乡下的点心大抵可以分作两类，一是干点心，在茶食店里所卖的是，二是湿点心，一切蒸制及有汤的东西。这第二类中有莲子茶，汤圆，烧卖，花饺，馄饨，包子，各式面，藕粥等，有的家制，有的有专店，半干湿的糕和麻糍一类也就附在这里。这些湿点心固然可以吃个半饱，但总不把他当饭，除非是有特别情形，这也只是偶尔的例外而已。所以有些旧式的老辈诉说胃口不开，问他今日吃了些什么，则面和饺子之类也相当吃了些，可是饭并没有吃，因此足见胃口是不好了。

这个道理拿到北方来，便全然讲不通，这里说吃饭，不能如字讲的，固然也有小米饭与高粱米饭，一般所珍重的是面条、馒首与烙饼，用南方的旧标准来看，乃是以点心当饭的。不明了这个关系的人来到以面食有名的北方，一吃馄饨炒面等，觉得并不及南方好吃，未免奇怪，其实是当然的，因为这里乃是当饭吃的呀。在北京要吃面食的点心，必须去找江苏或扬州的馆子，在那里所做的才不是饭而是点心。北方烙饼有一手指厚，奢侈点裹一片肉，普通只用葱蘸酱，卷了就吃，我们乡间戏台下卖的山东饼乃薄如指甲，却加上红酱辣酱葱花，裹上几倍大的一条油条，广东月饼的用意相同，这表皮差不多只作容器用而已，这正是一个很明白的例子。

（一九五〇年二月二日）

南北的点心

现在说的是单指干点这一类，这在中国的南北也略有点不同。以四十年前故乡的茶食店为例，所卖的东西大概有这几类：一是糖属，甲类有松仁缠，核桃缠，乙类牛皮糖，麻片糖，寸金糖，酥糖等。二是糕属，甲类有松子糕，枣泥糕，蜜仁糕，乙类炒米糕，百子糕，玉露霜，丙类玉带糕，云片糕等。三是饼属，甲类有各种月饼，限于秋季，乙类红绫饼，梁湖月饼等，则通年有之。四是糕干类，有香糕，琴糕，鸡骨头糕干等。五是鸡蛋制品，有蛋糕，蛋卷，蛋饼等。

到北京来看，货色很不一样，所谓小八件大八件，样子很质朴，全是乡下气，觉得出于意外，虽然自来红自来白这些月饼似的东西，吃起来不会零碎的落下皮来，觉得还有可取。至于玉带糕寸金糖之属，要在南方店铺如稻香村等才可以买到，这显明的看出点心上的界线来了。这是什么缘故呢？我当初也不明了。后来有人送我一匣小八件，我打开来看，不知怎的觉得很是面善，忽尔恍然大悟，这不是佛手酥么，菊花酥么，只要加上金枣龙缠豆[①]及桂花球，可不是乡下结婚时分送的喜果么？我怎么会忘记了的呢！

我又记起茶食店的仿单上的两句话，明明替我解决了疑问，说北方的是官礼茶食，南方的是嘉湖细点。大概在明朝中晚时代，陈眉公李日华辈在江浙大有势力，吃的东西也与眉公马桶等一起的有了飞跃的发展，成了种种细点，流传下来，到了礼节赠送多从保守，又较节省，这就是旧式饽饽成为喜果的原因了。

（一九五〇年二月三日）

【锺校】

① 此处原衍“的”字，已删。

糖与盐

从前在家乡的时候，每到年前总要买一点年货，以备过年之用，这差不多全是南货，我们小孩便担任开账之责，依据去年的旧账加以增减，我还记得糖这一部分，有什么台太本间台青这些名称。台太台面都是细白好看的糖，只买一点，给新年客人蘸粽子年糕吃之用，平常使用的多是本间，颜色微黄而鲜甜，台青则是红糖，有时煮藕脯等也非特别用这个不可，流质的黑糖名为泉水，品级似乎最低，却亦自有风味。这些精炼的上等物事往往好看不中吃，现代五磅十磅一袋的砂糖，四角的车糖，我觉得是台太的一路，正如西餐桌上的精盐，光有咸味而不鲜美，殊不足取。乡下买的粗盐，里边固然有杂质在内，但因此反而比精盐更多鲜味，我想如用那种精盐去腌白菜芥菜，那么味道一定未必有那么好吧。

喝水也是泉水最好吃，雨水河水（自来水的来源）次之，若是蒸馏水，虽然顶合于卫生，可是其淡而无味，正与一切精炼的东西一样，这是纯净的化学化合物，因其纯所以也成为单调了。人类中间的知识阶级与学者也是经过了一番提炼的东西，把原来的泥土气洗掉了，便也失却了本色，与一般人民有了间隔，虽不相违反，也总难以接近。谈糖与盐的事而拉到人上面去，有似古文《卖柑者言》的作法，但这个比喻谁都容易联想到，所以未能免俗的加在这里，其实这或者还是转合的老调，也未可知。

（一九五〇年二月四日）

猫头鹰

猫头鹰本是一种益鸟，对于农人很有功劳，可是向来为人所迫害所诽谤，实在要比莫须有三字之狱更为冤枉。他以一切小动物为食，特别是各式老鼠，尖嘴油老鼠除外，整个的吞下去，随后再把消化不掉的部分吐出来，有人检查过，这全是老鼠的毛骨，大概一团里有三四只的分量，足供猫头鹰的一顿晚餐，又或查点七百个团的内容，共计含有二千五百多只老鼠的遗骨，约略该当两年，可以想见他捕鼠的效能了。

中国人却自汉朝起硬赖他说食母，不知他吃食要整个吞的，我在乡下曾得到一只小猫头鹰，好好的养他，天天给他吃好肉，不久生了软骨病死了，后来看讲生物的书，才知道他因为没有骨头吃，缺少了钙所以不行了，老猫头鹰既然吞不下去，他怎么吃得呢。况且鸟类哺子，到能飞时各自分散，并不像大家族似的同住一处，何至如学者所说，既长，母老不能取食以应子求，则挂身树上，子争啖之飞去，读书人乱说，我又来认真的同他们辩，也不免有点迂阔了。

猫头鹰在夜里呼叫，声音又很怪异，所以人们听了觉得害怕，预感不吉，有一种叫声似云掘汪，便以为有人将死亡的先兆。其实这只是城市的人如此，在山林里的习惯了，便不觉得有什么了。我有一个本家老太太，母家是在深山里，她就不相信。小时候听她说过，早起开门出去，看见树上坐着猫头鹰，还未回家去，对人摇着他的大头，这有什么奇怪，还不是同城里每天看见麻雀一样么。以我个人的经验来说，对于猫头鹰[1]的呼声很喜欢听，还是姑恶的叫声听了倒觉得有点凄苦。

（一九五〇年二月五日）

【锺校】

①“鹰”原作“鸟”。

女人与蛇

说起女人与蛇，第一令人想到犹太人的《圣经》，在《旧约·创世纪》上说蛇引诱夏娃吃了知识树的果子，上帝诅咒蛇说，你必用肚子行走，终身吃土，我又叫你和女人彼此为仇，你的后裔和女人的后裔也彼此为仇，女人的后裔要伤你的头，你要伤他的脚跟。大抵女人怕蛇是事实，这样郑重的在经典里来予以说明，却是希伯来系文明所特有，或因伊甸一带属于热带的关系，与黄河流域不同，中国只说驱龙蛇而放之菹而已。不过蛇这东西实在是可怕而且讨厌。我自己相信并不是夏娃的后裔，但对于蛇很感着嫌恶与恐怖，虽然我不拟与他为仇，怕他要伤我的脚跟乃是真的。乡下没有怎么凶的毒蛇，只见到过所谓雉鸡蝮狗屎蝮这一类蝮蛇，俗语读若扑蛇，说是可以毒死人，但也很少听到实例，比起响尾蛇与眼镜蛇来，大概差得很远了。

印度从前虽是佛国，可是这蛇与老虎之凶实在可怕得很，老虎还住在山林中，蛇则与人杂居，更是危险。在一本旧英文杂志里见过一段故事，说在印度一个集会上，大家讨论男女孰为勇敢，各有意见，大抵推重男子，女主人一声不响，只回头叫侍者拿一碟牛奶来放在地上，客①人们大吃一惊，知道②这是诱蛇的方法。不一会儿一条眼镜蛇从桌下③蜿蜒出来，被等着的侍者们立即打死了。大家问女主人怎么知道有蛇，她答说道，他正缠住我的脚踝呢。这场讨论于是全翻了案，男人们可以有血气之勇，这种冷静却是绝不易得到的。

（一九五〇年二月七日）

【锺校】

① 原无“客”字，今增。

② “知道”原作“知客道”。

③ “下”原作“上”。

航船与埠船

航船可以列入文言，也是普通话，埠船乃是方言，但乡下也有航船这句话，不过是专指远路的夜航船，若是水程六七十里，一天里打来回的，那就称为埠船。埠船总数不知道共有多少，大抵中等的村子总有一只，每日往来城乡间，早上开船，旁午进城，停泊一定的埠头，中间大约有几小时的休息，让客人可以访问亲戚或买东西，到下午开回去，到得村里总在快晚边了①。乡村的住户都是固定的②，彼此全是老街坊，或者还是本家，上船一看主客差不多是熟人，坐下来就聊起天来，这里的空气与远路多是生客的航船便很有点不同。

航船走的多是从前的驿路，终点即是驿站，他的

【锺校】

①“快晚边了”原作“晚快边了”。

②“固定的”原作“定的固”。

职业是送往迎来的事。埠船办着本村的公用事业，却有点给地方服务的意思，不单是营业，他不但搭客上下，传送信件，还替村里代办货物，无论是一斤麻油，一尺鞋面布，或是一斤淮蟹，只要店铺里有的，都可以替你买来，他们也不写帐，回来时只凭记忆，这是三六叔的旱烟五十六文，这是七斤嫂的布六十四文，一件都不会遗漏或是错误。他不但载人上城，而且还代人跑街，这一层很重要，其用处比船店为大，因为船店总要好些天才来一次，这是天天可以利用的。我离开故乡很久，有些情形大概已经改变了吧，交通或者更是便利，但不知代办货物的这一种便利现在有没有，这恐怕是埠船所特有的，我看北方从前跑城乡的大车都不如此，因为车子不能像船那样有存放东西的地方。

（一九五〇年二月八日）

续作文难

老笑话里多有嘲笑秀才的，有一则说仆人送考，见主人老不出来，问乙仆道，一篇文字有多少字，答说，大约是三四百字吧。甲仆着急道，难道我们相公肚里没有这些字？乙仆道，你别急，他肚里有是有，就只是一时拼凑不起来罢了。我想写篇小文章，也不过是四百字之谱而已，自信肚里并不是不足此数，却总是拼凑不成，对于那位考先生实在不胜同情之至。

我研究这写不出的缘故，大半由于没有题目，因为我还做过从前的小题文，懂得一点法则，假使有一定的题目，只要不十分枯窘，总可以设法来敷说数句，算是完卷了。现在却要自己找去，学学新法，写了文章再定题目，说来虽是容容易易，做去实是烦烦难难。这里我又想起了一个笑话，秀才苦吟，妻笑他说，你们做文章的艰难好比女人的生产。秀才说，我们还要难，因为你们肚里是有的，我们是没有的。这里的没有是说没有那三四百字，那题目总还是有的，若是连题目也没有了，岂不更是空虚得很了么？

但是话得说了回来，没有题目先做文章，到底是个好的方法，先有一点思想，把他抓住做个中心，应该怎么说才明白，分个先后说下去，看看有了字数，便来收科，随后提要加上题目去，就可交卷了。这是我想的方法，不过理想尽管理想，不容易实行还是一样，结果仍旧像秀才似的苦吟不已，别人不来笑我，我自己也觉得是好笑的，我从前曾写过一篇《作文难》，这可以说作续篇吧。

（一九四九年十二月二十八日）

作画难

我不是画家，现在来说作画的难不难，这岂不是越俎代庖么？那当然不是的，我是不懂美术的，西洋油画不必说，便是中国画，我看也是看的，好坏实在不懂，即如有些山水画中，房屋像是要坍，老头儿坐在危崖边上怕要掉下去，心里未免腹诽，却总不敢说出口来，这本是一种专门，外行人自认不懂，不妄下雌黄，以免贻笑大方，总是对的。

我现在所谈的只是一种人物画，虽然也是美术的画，却有历史和风俗的拘束，与专讲气韵的有点不同，譬如王冶梅画的《赏心乐事》，人只有两黑点的眼睛，有如银鱼一般，那么他的衣履如何，又何从考究呢？我颇怀疑南宗的画是聪明人偷懒的把戏，毕竟是聪明人，玩的自有妙趣，但是因为偷懒，也误了些事，这便是历史风俗画的失传，他把握住了风雅的一面，却将人生那平凡而实在的方面忽视了，不曾记录下来。我们说别姬，却不知道秦末的衣服的样子，说鸿门宴，也不知道汉初酒席的格式。戏台上胡搞一番倒也罢了，若是要来一张历史画，那就不知如何是好，我所谓难即是在此。

只有画醉酒我觉得还有办法，因为近年出土有些唐代土俑，可以当作范本，上小下大的倒瓜子脸，红的面颊，肥壮的身材，与杨玉环倒颇相合，那些髻鬟和衣裳即使不是贵妃服束，也总是唐人的，可以对付一下。此外各时代的各式人物，我实在觉得无法下笔，若只是那么斜领飘带的来一下，那便是绣像小说的作风，只好骗骗从前的小孩子而已。

（一九五〇年二月十四日）

求仙

俗语有一句话，做得皇帝想成仙。事实上有好些皇帝是这样的，秦始皇汉武帝[①]最为有名，到了唐朝，的确有个把皇帝服了金丹把命送了的，据说那做《原道》的韩文公也是如此。道士的求仙方法有内外两条，一是吐纳，二是服饵。做内功很要费年月费气力，外功则只要有资本，就可以修炼，拿来吃下去，像补药一样，很是省事，有钱有势的人都愿意走这一条路。金丹的理论颇为简单，世间万物唯金石最寿，所以只须有方法将他炼得可以服食，吃下肚去，则人身成分都是金石了，自然可以同金石一样的长存，即是长生不死了。

我们现在听了这话觉得荒唐，因为人体的有机组织不是别的什么东西可以替换的，但在这里我们不能

【锺校】

① 原无“帝”字，今增。

不承认有一点子科学气，有如且夫二字有了做起讲之意。西洋在中古时代也有炼金术，是术士的把戏，目的想用铅铁之类炼成黄金，随后发达成为化学。因为他种种试验，结果黄金炼不出来，却发现了各式分合变化之迹，自成一种独立的学问。中国定了方剂，只是一味的呆煮，没有试验，就没有变化，烧好了就吃，吃死了也还是照样的烧，炼丹与炼金同样的起头，一个变成了完全的科学，一个只有科学的芽就干瘪了。

中国人对于宗教不大热心，求仙思想固然荒唐，但也是从现实主义出发的，他不追求虚幻的灵魂与天国，只想改进并延长现世的幸福，这只须改换一下，从利己转为利他，就很有用，差不多可以由宗教而变作社会运动了。

(一九五〇年二月十六日)

外国语

中国的士大夫一向是大少爷的态度，口袋里有的是钞票，外边有什么时新东西，只叫他们拿进来，反正给钱就行，用不着自己操心来做，不管电灯汽车飞机都是如此。在清末有一个时期，曾想自来制造，办过一阵子工业，但北洋派和国民党政府时代又复怠惰下来，只待人家来卖给我们了。对于外国语也是同样的态度，洋人反正有他们的通事，至于少数民族，那算是藩属，理应由他们学会汉话来说，老爷是总只会得说官话的。

清末讲维新，有些中年的名士发愤学习外国文，风气稍开。办起学校之后，中学以上都有必修的外国语，照道理讲至少大学毕业的都该懂得一种以上，看外国书报总是行的了。事实上恐怕未必然，这原因一半由于学习者的不看重，一半也由于文物机关不发达，洋书太贵，学了没用，就无兴趣。现在中国全部解放了，文化建设亟待展开，学问与知识极是需要，外国语乃是开门的钥匙，非得把握住不可。少数民族原是本国的人，亚洲各国都是近邻，我们都必须互相了解，所以这些言语别有学习之必要。我想近代中国的知识青年（中年老年也在内）应当特别注重外国语文，一个人至少要学欧亚语各一种，少数民族语一种，设法利用，务求于学术上政治上有多少效用，虽然看起来似不容易，可是只要决心去做，没有什么难的。

我上边说是至少，若是加多，原是多多益善，总之无论东西古今，多学一种语文，总是有益无损的。

（一九五〇年二月十五日）

袁文薮与蒋抑卮

袁文薮与蒋抑卮都是鲁迅的老朋友。鲁迅从仙台医学校退了学，来到东京，决心要做文学运动，先来出一个杂志，定名叫作“新生”，是借用但丁的一本书名的。他拉到了两个同乡友人，给《新生》写文章，一个是许季茀，一个即是袁文薮。许是在东京高等师范念书，袁不知学的是什么，但未曾毕业，不久转往英国留学去了。袁与鲁迅很是要好，至少关于办杂志谈得很投合吧，可是离开了东京之后就永无音信，所以这里关于他的故事也终结了。蒋抑卮是杭州的银行家，大概是浙江兴业银行的理事吧，他本与许季茀相识，一九〇八年他往东京割治耳病，先到本乡许处寄居，鲁迅原住在那里，所以认识了。

他虽是银行家，却颇有见识，旧学也很好，因此很谈得来，他知道鲁迅有介绍外国小说的意思，愿意帮忙，垫付印刷费，卖了后再行还他。这结果便是那两册有名的《域外小说集》，第一册一千本，垫了一百元，第二册减少只印了五百册，又借了五十元，假如没有这垫款，那小说集是不会得出世的。此书在东京的群益书社寄售，上海总经售处是一家绸缎庄，很是别致，其实说明了也极平常，因为这铺子就是蒋家所开的。《域外小说集》的故事已经有些人讲过了，但是关于出资的人似尚未提及，我觉得也值得介绍一下。民国以后，鲁迅在北京的时候，蒋抑卮北来必去拜访，可见他们的交情一直是很好的了。

（一九四九年十二月二十七日）

关于陈百年

“五四”前后，北大教授里有一位陈大齐，号百年，是专攻心理学的，在《新青年》上写过些文章，后来在《新潮丛书》中出版，叫作《迷信与心理》。他年青时闹革命，跟着陶焕卿跑，还有一个同伴是龚未生，都是嘉兴人。陶焕卿写了一本《中国民族权力消长史》，署名会稽先生，后面有两行云“悠悠我思、独念和尚同校”，那便是他们两人，所以老朋友中后来还有叫陈百年做“悠悠我思”的。龚在日本不进学校，跟陶很久，陈则进了高等学校以至大学，不在一起了。新文化运动勃兴之后，商务印书馆的《妇女杂志》由章雪村编辑，改变讲刺绣做鸡蛋糕的风气，进而大讲新道德，提倡自由恋爱，陈百年作文反对，称之为多妻的新护符。这一场论战虽然已在二十多年以前，记得的人大概当还不少。

论理陈百年是不会反对新道德的，他所反对的是多妻的新护符，在容易误认并利用自由的中国社会上固然不免有这流弊，而且陈本人就身受其害的，他的老太太在家庭受尽侮辱与损害，不能安身，一直由他独力奉养，他对于这种事情之痛心疾首正是当然。不过当时很少有人知道这内幕，所以大家难免觉得他太偏于保守一点。事实上他的忧愤不是多馀的，在男子中心思想占势力的社会里，不管护符是旧是新，女人总归还是吃亏。就我个人所知道的说，像陈百年母亲[1]这种的人眼前就有好些，不过她们自己不说话，我们旁观的人也只能慨叹而已。

（一九四九年十二月二十八日）

【锺校】

①“亲”原作“子”。

三味书屋的轶事

三味书屋是鲁迅小时候读书的地方，在《朝花夕拾》里说过，近来常有人访问记载，所以知道的人很多了。我在杭州认识一个商人，他也曾在那里上过学，不过因为年纪小，是寿镜吾先生的儿子所教的，和那些大学生不大熟习。据他所说，三味书屋是坐东朝西的一排，中间三间打通，是镜吾先生的书馆，南首一间用圆洞门隔开，便是两三个读《大学》《中庸》的小学生的所在。外边北头一带是鲁迅，他的族叔周乐山，李孝谐，歪摆台门姓许的这些人，南头诸人中有王之栋，锡箔行的张翔耀，又一高姓也是商家，坐近东墙，那里一头门通到有腊梅花的后园，最便于溜出去闲耍。

那时有些书房很是专制，例如王广思堂里绰号矮癞胡的一个塾师，学生小便须领路签，如私自出去要打屁股，这里却可以自由，也不须告知老师，可算是很开明的。有一回三味书屋的学生听了广思堂的消息，大为气愤，于中午下课时去袭击一次，把砚台翻转，朱墨笔撒了一地，撒尿签都扔到屋上去了。又有一回，有什么人住在南街的，在绸缎弄口受了贺家武秀才的气，大家要替他报复，傍晚约齐了到贺家门口去，幸而武秀才不曾露面，没有闹事，这样去了两天才算罢休。小学生们没有资格参加，只许跟在后边看看，他只记得主要的脚色里有张翔耀、鲁迅和姓高的在内。高姓善玩“手指头戏文”，用纸做了好些盔甲，金碧辉煌的，锁在抽屉内很是矜贵，张翔耀大不高兴，等傍晚放学时捉了几个蟑螂从钥匙孔里放进去，明天高姓打开看时，那些盔甲都被蟑螂啃得不成样子了。这些轶事，不知别人有没有把它记录过，我只就听得的记了下来罢了。

（一九四九年十二月二十六日）

难认识的原稿

做文章各人的巧妙不同，就是稿纸上写字也是各式各样的。有人写得很潦草，有的很清楚，有的还重抄一遍，差不多近于课卷的样子，但是排印起来，这似乎全没有关系，一样的印刷出来，假使有错，潦草的不见得错的多，清楚的也不见得少，若是没有错，那还不是都一样么。

据编辑过《新青年》的朋友说，陈仲甫的字最不好认，不但是他学过《十七帖》，他还有自己的写法，在什么帖上都没有的，同人们看了都觉得头痛，可是印刷所却有办法，他把这种稿件交给顶有本领和经验的工人去排，一笔一画不苟的重抄的则大抵只好对不起交付初学的小伙计去了。这样说来，稿子写得清楚的人岂不是成为冤大头了么？那也未必然。稿子是照理应当写得清楚的，虽然所说的不是什么重要事情，既然写出来，总想叫人看得清，懂得自己的意思，倘若因了《十七帖》的关系，印刷所一时没有好手，竟而排糟了，那有如嘴里含了核桃说话，自己叫人听不懂，白费说话的气力了。

我从前写文章总先起草，再行誊清，不过自己的文章总嫌写得不满意，不愿意重看再抄，一面又要误了收稿的日期，于是来了一个改良的办法，在稿纸上一个个字的写下去，宁可多费点时间，慢慢的将起草与誊清并作一起，随时查看有无错字，这样一写完之后便不须再看，即可以交出去了。这是由于个人的便利，但对于排字的工友也不无好处，至少给徒弟们去做练习也是好的吧。

（一九五〇年二月二十日）

咬人的虫

虫咬人，笼统的说都是咬，但实在有个区别，有些如蜈蚣蜘蛛，它们有时咬人，为的是自卫，有些则是平常以咬人为事，专门吸血生活，如蚊子等，现在所说的是那第二种，它们的代表便是蚊子。它最多最活跃，最为大家所注意，蚊雷蚊市，古人用作诗料，有人咏它云，“饱去樱桃熟，飞来柳絮轻”，觉得很有意思。它的模样实在不错，假如它不叮的话，一匹豹脚蚊站在手背上，的确是很好看的。可是它要咬，不但吸去血液，而且还留下毒汁，叫人痒得难受，比别的任何虫子咬的更是利害，光着脊梁去替父母喂蚊子的人得入二十四孝，理由大概就在于此吧。及至新学发达，知道了它能传播疟疾，对于低头翘脚的蚊子发生警戒，幸而那专门管黄热病的一种不曾来，否则真是了不得了。

蚊子是阳性的，还有那些阴性的如臭虫跳蚤虱子，只在夜里出来，更难对付，虽然咬得比较不凶，也不会得那么发肿，可是在传染疾病这一层上也并不相上下。虱子能传斑疹伤寒和回归热，耽误了也容易送命。跳蚤身体虽小，却是利害得很，它不传染则已，一出手便是黑死病，是瘟疫中顶可怕的那一种。臭虫虽然名誉最坏，但在这方面至今还没有它的份儿，不能不算是它们中间最为纯良了。人为万物之灵，却给小虫弄得寝食不安，大概非先把世上的战争贩子消灭，大家将准备战争的精力移转过来，集中于学术，来对付那威胁人生的微生物，那时这才能扫除净尽吧。

（一九五〇年二月九日）

蠹鱼的变化

《随园诗话》中有句云，“生死书丛似蠹鱼”，这是咏书呆子式的生活的。文言中只说蠹鱼，其实[1]蛀书的虫另外还有一种，俗语便只称作蛀虫。这是一种蛾蝶类的幼虫，大小略有不同，在科学上该有分别的名称，我们却不知道。大抵蛀孔以直径一分为普通，有些自上直下，若干册的书都打一圆孔，有的在平面盘旋，往往做成西北的窗花模样，书的受害更大，有时竟无法修补。蠹鱼古人一名白鱼，形容得很妙，它在书帙间游来游去，并不打洞，只在卷口及书的上下啃吃，它的吃法大概是在纸上先吐出一点分泌物，使得纸质溶化了，然后吸食，有些旧书两头凹凸不平，或是面上书签残缺，都是它吃过的痕迹。

蠹鱼喜吃白连史纸的书，不大要竹纸的，若是蛀

【锺校】

①“实”原作“说”。

虫则别无选择，一样的蛀得七零八落。古书里说蠹鱼三食神仙字，化为脉望，状如黑橡皮圈，得来吃下去可以长生不老。有人称他的书室为脉望馆，很是典雅，又有人瓶内养蠹鱼，纸上写满了神仙二字，拿去饲它，希望变成脉望，但终于失望了，这也是当然的。为什么呢？在书中钻孔，能够吃到什么字的乃是蛆似的蛀虫，若蠹鱼只可啃点边皮，是吃不到神仙字的，所以即使世间真有脉望这东西，也总不是蠹鱼所变的了。神异的传说有时也很好玩，但必须与事实分别开来。假使单把这些全是空想的话抄集在一起，当作研究的资料，那也是有意思的事，大家看了也就不会再相信它是事实了。

（一九五〇年二月十日）

香烛店

听说上海的老城隍庙自解放以来很是萧条了，求神拜佛和游手好闲的人减少，香烛店骨牌店都已没有生意，只好停业，这也本是必然的事。但是我想香烛店还有出路，只须稍为改变一下，就可以大有办法。中国古时照明灯烛并用，大抵灯较普遍，蜡烛用于祭祀，平时唯富贵家用之，及风俗变更，上下皆点油灯，烛遂成为祭祀专用之物。现在来翻一转身，夺回照明的资格，材料反正是牛油柏油白蜡之类，制法改良一下，当与洋蜡不甚相远。香是奢侈用品，现今无甚用处，但蚊香岂不是还可以做么？北京旧有白蛉子香，像藏香一样的粗长，也有效用，只是气味凶恶，仿佛萧山的蚊虫药一样，很有点不好受。现代蚊香的成分主要是除虫菊，备好了原料，用做盘香的方法制成，这笔生意也很不小。

去年夏天在上海买了几盒猪牌蚊香，本来蚊子不多，因为怕生抖抖病，每晚总来点他一根，岂知一点没有药味，只是颜色绿得骇人，有一盒全点不着，连普通盘香也还做不周全，更可笑的猪牌是日本安住商店的商标，中国接办了上海的分工厂，却仍称作按住商店或安治商店，有似汪麻子旺麻子的办法，这大概也是国民党那一派接收做法之一斑吧。假使有人认真的做去，确有驱蚊的成分，做得好点，我想一定会有销路，可以胜过那些猪牌的东西。只要香店老板肯发愤，前途是大有希望的。做了香烛不再送给鬼神，却去为人民服务，这问题便简单地解决了。

（一九五〇年二月十一日）

章太炎的法律

章太炎先生是中国朴学家的最后的一个，他的弟子现在还有好些健在，但所传的多是他的一部分的学问，特别是文字学，至于整个得到他的传统的那是没有了。大家都很佩服他的汉学，他两次三番的被门人请出来讲学，可是他老先生并不高兴，曾对他们说，你们不知道我，我所长的是在谈政治。弟子们对于他这方面的著作，特别是发表在《民报》上的，都热心的读过，也没有什么反对，不过心里还是觉得老夫子的伟大第一是在于反满清，其二是有学问。

太炎对弟子讲到他的法律的意见，都很有意思，其中有关于小偷的一节，据他说旧刑律对于窃盗罪的判罪以[①]所偷多少为标准，这是很不公平的，因为这只是为富人的利益着想，于道理上也说不通。所以他

【锺校】

①“以”原作“的”。

主张论赃应当以失主的财产为比例，假如他只有一百块钱，被偷了五十便是损失百分之五十，但是有百万家财的被偷去一万元，那只是百分之一，比偷五十元的罪要轻得很多。大家听了这话觉得很有理，却不知道是否真是行得[①]通，因为这些都不是学政法的，所以不能赞一辞了。他后来写了一篇《五朝法律索隐》，举出好些古代法律的好处，大概这一节话也说在里边，仿佛哪一朝有过类似的规定，只是一时来不及查《章氏丛书》，现在不能确说了。

（一九四九年十二月二十九日）

【锺校】

①“得”原作“是”。

自袁至蒋

辛亥革命以来，中国政治上出现了不少的恶霸，但是像蒋二秃子那么凶的却是不曾有过。民初的袁世凯，很作过一番威福，前后四年就倒，中间段祺瑞、吴佩孚相继兴起，也差不多各自横行了四年左右，随后是张作霖，他在东北做土皇帝虽然很久，南北各省受其蹂躏者也只有两年，随即完结了。末了来的是蒋二秃子，北伐成功以后整整的训政训了二十年，这其间所做的好事大家知道，这张稿纸里说起来挂一漏万，不必多赘，这里所要说的只是他一味死干，要同中国人民反对到底，这是和以前的军阀很不相同的一点。

照旧军阀的做法，广州丢了的时候可以歇手了，他却不肯，到得重庆丢了，更来一个倒行逆施，大举的轰炸人民，这是军阀们所不曾做到的。抗战时他代表中国抵抗日本，现在又请了日美的兵来杀中国人，以前出席开罗等处会议，与斯大林、罗斯福分庭抗礼，现在却奔走朝鲜、安南，与李承晚、保大为伍，前后不过五六年，这个变化不能不说是太大了。一个人即使顽愚，何至如此呢？中国本部完了，还有台湾在，中国的人心失尽了，还有美国老板在，蒋二秃子之所以那么的做，固然一部分由于他个性的凶顽吧，大半的原因岂不在此一点么？打倒本国封建势力大功告成在即，目前只剩下这一点麻烦，完全由于帝国主义的支持，得以苟延时日，虽不久总是就要消灭，但中国人民吃秃子和美帝的亏实在已是不小了。

（一九四九年十二月三十一日）

谈报应

在旧社会里穷人受苦无处申诉，只好自解自叹，相信命运和报应说，聊自慰安。俗语有云，九斗九升命，凑得一石要生病。又如受了侮辱与损害，辄云，这是我前世欠了他的。在穷人这样的说，有如肚痛时吃乌烟，缓和了一时的痛，可是留下后患，麻痹了斗争的意思，养成忍从的习惯，于资产阶级大有好处。中国讲命，所凭的是空虚的干支与不正确的五行，原是毫无道理的，至于报应本是事实，可是不是那么说的，这只是因果必然的关系，并无什么神秘的分子在内。俗语所谓瓦罐不离井上破，也就是说的这个道理。小偷在电车上行窃，有受害人与探警与他对敌，迟早要被抓住，有如瓦罐汲水，终要碰破，并不是有判官在簿子上记明，某人偷某钱，该于某日抓去打板子也。

世俗讲果报，现世讲不通，讲到三世去，有时还说不圆，又生出劫数之说来，如说明末天上派魔神下凡杀人，便是张献忠之流，这种思想固然在《水浒传》楔子里就已有了，可是实在荒谬绝伦，于人心世道关系非浅。照他那么说，岂不是蒋介石可能是魔神转世，死在他的手里的多少万千人也是劫数应尽的么？这些思想不知现在还有若干存留，非得设法肃清不可，讲报应的正当说法还是如《旧约》所说的，以眼还眼，以牙还牙，孔子则云，以德报德，以直报怨，同是这一个意思，不过说得比较和缓得多了。

（一九五〇年二月十二日）

旧军阀的故事

关于旧军阀的故事听到过不少，大都是展转[①]传说，确实性不很多，有点近于徐文长的逸事了。现在只就比较可靠的来重述两则，其一是关于张怀芝的。据说有一个亲戚来投奔他，他留他吃了饭，随即写手谕派往军法处办事，可是去了之后如石沉大海，过了三天五天也不见他来谢委或是谈天，便着人到军法处去叫。不一会儿，那位亲戚来了，脚上钉了镣，面无人色，进来跪在前面。张大惊问道，这是怎么的，军法处的人回禀道，大帅发下这人来，没有问明是什么罪，所以还没有办。张说，我何曾叫你们办他，军法处呈上手谕，上边派字的三点水原来写了手旁，原文是某人抓往军法处。后文当然是亲解其缚，再送到军法处上任，却已经是狼狈不堪了。

【锺校】

①“展转”原作“转展”。

其二是关于孟恩远，他在东北做督军时，有一次大宴日本军政人员，关东军的干部都到，孟随后出来，同来宾一一殷勤的握手，口里说一声马鹿野郎，其容甚庄，其声甚诚，客人听了笑不得也生气不得，只好由他一个个的说过去。这个理由是很明了的，不知有谁捣乱，告诉他对日本人寒暄顶客气的话是马鹿野郎，他就如法炮制了而已。这个故事也有说是别人的，我所记的是依据友人所说，他是从坂西利八郎听来，说是孟恩远的事，或者有点事实的根据。

（一九四九年十二月三十日）

肥皂的今昔

我们平常使用肥皂，觉得极是平常，其实这乃是现代文明的产物，不是向来就有的。这在南方从前叫作洋肥皂，北方则至今还叫洋胰子，明显的表示出他的来源。中国古时候用的什么东西，我一时也说不出，书中有所谓澡豆，不知其详，只见《南史》齐明帝萧鸾用皂荚讫，授馀泺（这字不懂，是汁字意么?）与左右曰，此犹堪明日用，可知南朝皇帝是用皂荚的。宋人笔记名臣为相，宫人诉苦说，宫中用皂荚胭脂多，相公要说话，那么宋时宫里也还在用皂荚。乡下皂荚有两种，一有荚的名长肥皂，一圆如龙眼的名圆肥皂，即无患子，用盐卤浸存，随时取用，大概在四十年前都还用着。北方用皂荚的情形我不知道，他们的胰子却要漂亮得多了。

胰子虽是原训夹脊肉，普通却作脂膏讲，世间所用系用碱作团，中夹兽脂，可以说是粗制的脂皂。旧式老铺的长招牌上常有引见鹅胰字样，即是指此，大抵上等的是用鹅油的，前清时官员引见，用心化妆，这可以算是一种文献的证明。南方肥皂的名称似乎也含有脂膏的意义，但不曾见有那种胰子似的制品，或者因为皂荚树多，足够应用的缘故吧。洋肥皂本是从外国来的，现在却已普及，中国自己也能制造，“洋”字渐已消灭，这是吸收文明的一个好例，但是在荒僻地方皂荚亦不无用处，废除了也觉得是有点可惜的。

（一九五〇年二月二十一日）

《新青年》与北大

《新青年》本名《青年杂志》，是《中学生》一类的刊物，由陈仲甫编辑，偶然讲到文学改革，胡适之在美国，刘半农在上海，钱玄同在北京，次第参加讨论，渐渐热闹起来，结果成了文学革命的运动。其时蔡孑民做了北京大学校长，沈君默在校教书，因了他的推荐，找陈来担任文科学长，陈又去请了胡刘来北大做教授，于是《新青年》的干部看去差不多都是北大的人了。有一段[①]时间，《新青年》每卷定为由六个人轮流编辑，这个名单在刊物上当然发表过，手头一时查不出，大概是陈胡刘沈钱，此外一人是陶孟和，这个阵营更是摆得明白。不过二者关系只是如此而止，《新青年》的势力在北大并不深厚，陈仲甫不久被迫去职，刘半农因为没有博士学位，有时要受同

【锺校】

①“段”原作“个”。

人的白眼，发愤往英法留学，及至学成回来，不知怎的也终于外放，前后担任北平大学女子文理学院院[1]长和辅仁大学教务长，在北大大概只教点书而已。沈君默也休假留学，北伐后任河北教育厅长和北平大学校长。钱玄同虽然始终未曾脱离北大，但他是以师范大学为大本营的，在那边担任国文学系主任，北大只是兼课，有几次友人劝他来北大专任教授，他终于不曾答应。剩下来的还有陶孟和，他向来淡于荣利，只在有社会学系时做过主任吧，此外只教他的书和写文字，没有参加过北大的干部事务。只有胡适之一人，他是《新青年》的文学革命时期的说话人，在北大最有势力有影响，到了去年他才离开，有些附和《新青年》而成功的学生，大都追随着他，如傅斯年罗家伦之流是也。

（一九五〇年一月三日）

【锺校】

① 原无“院”字，今增。

梅兰竹菊

中国讲到花木，总说梅兰竹菊，这已经成为一种习惯，将这四者并列在一起，明朝有些画谱已有梅兰竹菊专出一集的了。据传说孔子称兰为王者之香，要算辈分最长，竹则有王徽之恭维为此君，陶渊明称秋菊有佳色，都在晋代，梅花因林逋才有名，虽然古时宫苑种梅原是普通的。四种东西性质大不相同，可是有一种特色，即是清淡简单，异于别种花卉的繁缛艳丽，这多少由于赏鉴者的隐逸性，固然无可讳言，却也正与中国民情相合，所以能得多数的赞成，正如大众所爱着的蓝布衫，牡丹芍药比起来乃是绸缎，若是西洋草花郁金香鹤子花之流，则当比于呢绒哔叽了吧。

梅竹至今尚无变化，兰菊到了后世，像养金鱼一样，竞尚变种，我觉得有点无聊。孔子当时所见，一定是野生的春兰，决不是什么梅瓣荷瓣，陶渊明种的也只是黄菊而已，他自己酒还不够吃，岂有馀钱雇花儿匠乎？

梅花还有香可闻，竹的趣味较难领解，但是这实在有意思，区区几竿细竹不能算数，如至大毛竹林中一看，景象委实可喜，至于笋之好吃，竹制器物之好用，那倒还在其次。所可惜者在中国因气候关系不能普及，即如北京，梅花只有盆栽，兰花珍贵希购，竹简直没有办法，冬日地冻尺许，南方常见的木犀山茶石榴以至漫山遍野的杜鹃花，都不能下地，冬天必须连盆搬进房内，芭蕉尚可入窖，竹则绝对不可能了。

（一九五〇年二月二十二日）

无暇看花

前回我们讲到梅兰竹菊，其实这也只是纸面上的话罢了，民间并不真是爱玩这些东西，虽然因了绘画雕刻装饰图案的关系，大家都知道这样的说。因为爱玩花木，固然与玩古董金玉不同，却也须得生活上有馀裕才行，中国人民都是终岁勤劳，说得好听是自食其力，但也即是西文所谓“自手至口”的生活，孟子很简要的称之曰“乐岁终身苦”，哪里有多馀的时间与精力，更不必说资财了。田野间诚然多有野花杂树，可以悦目怡神，可是在锄禾日当午，汗滴禾下土的时候，岂有闲工夫看野眼乎？及至工作告一段落，第一需要的还是在树阴下坐一会儿，吃一钟旱烟，更是实惠。

不过社会上既然有此传统，中国人对于花木的爱好之情本来是存在的，只须生活改进，便会对于自然之美与艺术之美一样的发生兴趣，不但那些赏玩的植物，就是满地的青草也生意可观，花园此后卖买将大发达，或者随地即是，不必买他的了也未可知。话是说得乐观，自然也须相当的时间。现在中国经蒋二秃子多年剥削损害之后，继之以使用美国军火轰炸毁坏，复兴事业很是重大。此后若干年正是中国人民应当吃苦耐劳，克复困难的时候，待得建设成功，才可再来喝甜茶说苦话，若是大众着力，希望这时期不会很远吧。

（一九五〇年二月二十四日）

徐伯荪在东湖

徐伯荪（锡麟）在安庆起事，击毙巡抚恩铭，在辛亥前五年，其始末今多知者，唯最初一节未有人道及，今依其至友田君所述记其梗概。

戊戌庚子以后，民族革命的空气大盛，徐田自均受其影响，唯据田云当时他们二人别无革命计划，只是一心想要造反，杀戮郡中满官，关起城门来搞一下，即使几天之后完全失败，也别无悔恨。但是造反要人，这可以去招集山里的英雄豪杰来，而招人则又要钱，那是个大问题，为得要解决这问题他们便决意先到东湖去。

东湖本名绕门山，因为取石材，凿去了大半座山，成了深潭，陶心云就山脚旧址建堤，堤上建屋，堤内一片水便号称东湖，堤上一带房屋作为学堂。徐田二君住在那里，说是办学，目的乃是练习摇船，准备起事。起事为什么要学摇船的呢？田君说明，当时他们觉得要筹经费，只有抢劫，他们知道城内各家钱庄照例在什么时日要派伙计坐小船解现款到外埠去的，在这里学会了摇船，便去照船火儿张横做那勾当，现在想来是截劫往宁波去的解款船的吧。

正在这时候来了到处结识好汉的陶焕卿，听了二人的计划大为反对，竭力主张联合各方，大举革命，他们听得有理，便参加合作，停止摇船，总算救了钱店伙计的一命。徐原是前清举人，田是秀才，却忽然想造起反来，田君说得也很有意思，他现在健在，所以这里不便说他的真姓名，但知道的人自当知道罢了。

（一九五〇年一月六日）

腌鱼腊肉

腌鱼腊肉是很好吃的东西，特别我们乡下人是十分珍重的。这里边自然也有珍品，有如火腿家乡肉之类，但大抵还以自制的为多，如酱鸭风鸡、糟鹅糟肉，在物力不很艰难的时光，大抵也比制备腌菜干菜差不了多少，因为家禽与白菜都可能自备，只有猪肉须得从店铺里去买来。

上边所说的腊味大都是冬季的制品，其用处在新年新岁，市场休息，买办不便的时候，可以供应客人，也可自吃，与鲞冻肉有同样的功用。至于腌鱼除青鱼干（但亦干而非腌）外多是店里的东西，我们在乡下所见的大概都来自宁波，其种类似乎要比在上海为多，南货店的物品差不多以此为一大宗，成斤成捆的卖出去，不比山珍海错，一年难得销出多少，所以称他为咸鲞店也实在名符其实。富人每日烹鲜击肥，一般人没有这份儿，咬腌鱼过日子，也是一种食贫，只是因为占了海滨的光，比吃素好一点儿，但是缺少维他命，所以实际上还是吃盐味而已，这里须要菜蔬来补他一下，可是恰巧这一方面又是腌菜为主，未免是一个缺点。唯一的救星只有豆腐，这总是到处都有，谁都吃得起的，一块咸鱼，一碗大蒜（叶）煎豆腐，不算什么好东西，却也已够好，在现今可以说是穷措大的盛馔了。

（一九五〇年二月二十三日）

国粹

平常听到人谈国粹，觉得仿佛也言之成理，及至细按下去，却又很有点渺茫。说是一国的最特殊的地方么，中国人的脸是黄的，与西方人迥殊，却也不听见有人说是国色，正如犹太人的鼻子虽然举世皆知，就是极端的锡恩派并不以此自夸。若是说文化上顶好顶有用的部分，那自然说的不错，不过这迟早成为世界公共文化的一分子，又经过各国人的通力合作，不能再算作一国所独有的了。

举一个最好的例是印刷术。古代各国都各自懂得刻石刻木，正面的刻出文字图像，也懂得刻印，印反而文正，进了一步了。但到唐朝用木刻佛像的戳子连续印一大张，这才具了印刷的初步，至五代遂有木板印书的发明，这说是中国的[1]光荣原无不可，现在却

【锺校】

① 原无“的”字，今增。

已变成世界的公产，技术之精致，事业之发达，为本国所不及，这光荣也就成了过去的了。这一件事尚且如此，别的可想而知。我们想要在家传旧古董中找出什么来，可以夸耀于世界，那大概是不可能的，第一，这样的东西难得，第二，有了也已世界化了，早已不是私家的所有了。

中国人现在要紧是努力于文化建设，同时供献于中国和世界，不要单挂念一国的荣誉，顶好顶有用的东西于人已没有界限，有如水与火，孟子云，民非水火不生活，昏夜叩人之门户，求水火，无勿与者，这个意思说得真好。

（一九五〇年二月二十五日）

中古的医院

一本讲世界医药史的书中，说及在欧洲中世，各国均在黑暗时代，只有亚剌伯继承了希腊罗马的文明，保持着学术的传统。那时他们办有许多医院，书中记述说，这共有四个院子，每院中间有一座井泉，还有好些讲义堂，隔离病室，外来病人的药室等。最新奇的设备之中计有一间堂屋，那里乐师日夜演奏着，又有一间，雇有说书的，给那失眠的病人讲故事。倾心宗教者可以去听念《可兰经》，那也在一定的房间内日夜不断的念着。病人治愈了病，退院的时候，每人都受到若干金钱，让他出去之后可以不必就去做剧烈的劳动。这一段话我读了觉得很甜美，也很有点渺茫，仿佛像是孟子告诉梁惠王的话似的，不过书中当作史实记着，那么这总不是乌托邦里的事了。

中国文化发达很早，神农尝药辨性的传说流为美谈，可是一直没有医院的设备，直至西洋医药进来之后，这才仿照举办，大概已是二十世纪，不能不说是落后了。其实照中国旧法治病，病院也无用处，试想病室中躺着一个病人，既不诊察，也不量温度，医生只来把一回脉，看看舌头，一天两次灌下一碗黑黄苦水去，此外更无事情，既然如此，病人不如在家安置为便，何必多此一举来住医院乎？但亚剌伯的医院总是理想的，大有社会主义的气味，在现代资本主义国家也还不能有也。

（一九五〇年二月二十六日）

理发店的标识

中国从前外科医生地位很低，称云疡医，大抵比牛医差不多少，又有挑痧郎中，则多以剃头匠兼任之。偶查西书，据说在西洋中世情形也是如此，依据大师伽伦之说，以外科为低级，遂多由理发匠充任，十三世纪初巴黎成立外科工会，规定分外科理发匠为两种，甲为长衫外科，教会中人属之，乙为短衫外科，平人属之，此种理发匠只许为人放血及医治普通创伤。其后理发匠所用红白条纹交缠的圆柱即是短衫外科的徽识，红代表血色，白则是绷带也。十四世纪中称为大理发匠与小理发匠，后者徒步，前者穿长袍骑马，带有白膏黄膏使徒膏等药。到了十五世纪，文艺复兴的风潮发动，学艺各方面都大有变革，这情形便大有不同。中国则直至西学东渐，新医学发达之后，外科郎中才得免与理发匠为伍。

书中又说及现代医生处方，起首必写一大写罗马字母阿耳，末带一撇，这起源还远在古代迦勒底民族，是木星的占星学上的符号，原本像是亚剌伯数字四字，起笔略卷一下。一世纪时罗马宜禄王反对基督教徒，那时医生克利那思提议，处方书上必须写此符号，表示服从罗马国教，并非基督徒，以后沿用直至现在。其实并非阿耳[1]，迦勒底立国远在中国以前，人民礼拜星辰，处方时祈星求助，其时不但罗马字，就是仓颉或者还未出世也未可知哩。

（一九五〇年二月二十一日）

【锺校】

① “阿耳” 原作 “爱耳”，改与上文一致。

扶乩的故事

中国的旧官僚旧军阀大都喜欢扶乩，大抵也真是相信。有些聚众结社的，曾经盛极一时，目的或者为得造成一分势力，但想要成道的大概也有，只是不多罢了。略通文墨的便与古人硬讲交情，做诗酬和，刊印出来夸示于人，江朝宗诗集这样的就有好几卷，只不知道所往来的是那些仙人，尤西堂的《艮斋杂说》中曾记有李太白苏东坡赠诗，大约今昔不甚相远，但多一些鸿钧老君之流吧。

最有意思的是吴佩孚，据说他家中挂着两副大对联，一副上款是子玉将军，下款关羽，本来演戏时出台来还自称吾乃关公是也的，这里可以说是真客气极了。又一副上款也是子玉将军，下款却没有这么客气，只简单的写了仲尼二字。这两副对联实在可以千古不朽了，可惜不曾问明是什么文句，什么字体，现今亲眼看来亲口说给我听的这人已归道山了，无从再去询问。

西洋也有这一类把戏，不过多是老太婆们的事，美国克拉伦司·戴在《我的妈妈》中有一章叫作“外公帮助扶乩”，说老太太们召亡魂拍桌答话，一下为是，二为否，某老太太问他的老伴在天堂么，答不，那么地狱么，是，好么，好得很，大家毛骨耸然，啼笑皆非。后来才明白外祖父在隔壁套房假装午睡，将一块板装在桌下，用线在那里拉呢。这个扶乩的故事我觉得别有意思，但看过已久不大记得，只是说个大略而已。

（一九五〇年一月十四日）

说龙

说也奇怪，中国古来传说的四灵，到现在只是乌龟健在，别的三个都早已消灭得无影无踪了。自从在非洲发见了长颈鹿，就是一称芝猎狐与驼豹的那东西，麒麟总算勉强有了着落。凤则本来便是鹏字，大概是一种大鸟，也还没有什么问题，馀下来的只有龙了，他还是神秘得很，捉摸不到他的真相。

最近讲到龙这问题的要算是章太炎先生，在《太炎文录续编》卷一中有杂说三篇，其一是说龙，大意以为龙是实有的，但亦是常物，形与蜥蜴同，是鼍鳄的一类，结论谓鼍螭字异而名同，鼍鳄名异而物同，鼍蛟物有小别而类同，是数者皆龙矣。据英国人《史前遗留的生物》文中说，一九一二年有采珠船在东印度列岛科摩陀岛上发见一种大蜥蜴，有九呎来长，吞吃鹿兔鸟类，认为即是现代尚存的龙。这与古生物中七八十呎长的恐龙比起来，未免是小巫见大巫了，但他总有了龙的资格，虽然没有角，但据太炎说，龙有蛟龙螭龙等均无角，其一种有角，此犹胡羊无角，山羊有角，其为羊一也，至于下雨原系神话里的话，不是他的事情了。

把龙拉下地来，当作一条大壁虎看，似乎未免辱没了他，其实也并不然，恐龙原语为台诺扫洛斯，意云可怕的蜥蜴，就是龙的原语特拉孔，正如梵语中的那伽一样，译经中称之曰天龙，实在还是说的大蛇，中国篆文的龙字右半也是一个爬虫而已。这样说来，可笑的乃是龙颜，这就是说壁虎相，至于龙准，则简直不知道是什么样子的东西了。

（一九五〇年三月二十二日）

印书的进步

印书的技术是中国所发明的，无论木版与活字，都是中国用得最早，这是大家所引为光荣的，但是现今的印刷法却是从外国学来，所谓逆输入是也。因为学自外国，用铅字排，机器转动，报纸两面印，硬纸面装钉的缘故吧，什么都生疏，从头学起，学了几十年，大概还没有很明白，所以印刷的成绩至今不大好，至少在我们用书的人看来很有些缺点。最大的毛病是不给读者谋便利。《康熙字典》木版的有四十册，当时分为子丑寅卯十二集，原是无怪的，近时新编的大的辞典是铅印洋装了，至多分订两册，后来还连续编合订为一了，可是也照样分十二集，在一册之中页页有十二个起头，查起来很是费事。我不懂为什么一字部必须是子集，或龙字部是亥集，即使必须如此，既然在一册里了，为什么页数不能打通，必须十二集分算的呢？

亡友金心异告诉我一件事，他的大世兄在北大读书，问他要一部《日知录》，他想孩子们何必要木版本，买一部铅印的好了，《万有文库》是王云五主编的有名的丛书，小本轻便，价亦不贵，便[1]买了来给他。及至回家把书打开再一翻检，大呼上当不置，原来《万有文库》的《日知录》只有本文，每页边照例有的卷数字样是没有的，看的人除非从头读到尾，可以不成问题，若想查检第几卷的某一条时，那就无从下手了。金君归道山已十年了，所以这也已是十年前事，近来久不买新书，或大有改变已不可知，但不久前[2]听人叹息没有索引，那么至少这一个缺点还是存在的。

（一九五〇年二月二十八日）

【锺校】

①“便”原作“还”。

②原无“前”字，今增。

鲁迅与周瘦鹃

关于鲁迅与周瘦鹃的事情，以前曾经有人在报上说及，因为周君所译的“欧美小说译丛”三册，由出版书店送往教育部审定登记，批复甚为赞许，其时鲁迅在社会教育司任科长，这事就是他所办的。批语当初见过，已记不清了，大意对于周君采译英美以外的大陆作家的小说一点最为称赏，只是可惜不多，那时大概是民国六年夏天，《域外小说集》早已失败，不意在此书中看出类似的倾向，当不胜有空谷足音之感吧。鲁迅原来很希望他继续译下去，给新文学增加些力量，不知怎的后来周君不再见有著作出来了，直至文学研究会接编了《小说月报》，翻译欧陆特别是弱小民族作品的风气这才大兴，有许多重要的名著都介绍来到中国，但这已在五六年之后了。鲁迅自己译了很不少，如《小约翰》与《死魂灵》都很费气力，但有两三种作品，为他所最珍重，多年说要想翻译的，如芬兰乞食诗人丕威林太的短篇集，匈牙利革命诗人斐象飞的唯一小说，名叫“绞吏之绳”的，都是德国勒克兰姆丛刊本，终于未曾译出，也可以说是他未完的心愿吧。（在《域外小说集》后面预告中似登有目录，哪一位有那两册初印本的可以一查。）这两种文字都不是欧语统系，实在太难了，中国如有人想读那些书的，也只好利用德文，英美对于弱小民族的文学不大注意，译本殆不可得。

（一九五〇年一月十三日）

河伯与龙王

中国民族初居于中原，同海没有什么接触，只有以黄河为主的那些水流有时为利，有时为害，印象很深，屈原《九歌》的河伯似乎已具个性，庄子说到海若，却是朦胧的一个名称罢了。河伯娶妇有过那么一件事情，经西门豹一治也就完了，其实这本是那老巫师们作的怪，可见河伯本来也是很安分的。秦汉统一中国，大家走到登莱海边，这才望洋兴叹，仿佛觉得海上有三神山，方士们便去骗皇帝求仙。随后佛教进来，从天神中特别挑出龙王来，替代了河伯的地位，他不但海底有龙宫，就是黄河之水也归他管理了。

龙王在黄河沿岸除喜欢看戏文外并不扰民，而且据唐代以来文人传说，他不但不到人间来娶妇，还相反的肯把他的小姐下嫁给穷秀才，这自然就是那文人自身的影子，其作假的情形与老巫没有多大不同，我想龙王自己对于这种谣言也未必知道。古来文人不明了印度的那伽实在是大蛇，虽然龙王很庄严，龙女很美艳，可是根本还是爬虫，金翅鸟要吃他，也还要受沙石小虫之苦，却将他认为“龙颜大悦”那一种的王，既肯礼贤下士，又有好女儿，龙宫里多多的珍宝，那真是理想的境界了。《太平广记》的《柳毅传》算是顶有名了，以后真《聊斋》假《聊斋》的作者大抵都不能忘情，多少要打龙王的念头，写出来的故事却似甘蔗渣加点糖精，知道的人不想再吮了。水里的鬼神如河伯龙王现今都不为害，只有溺鬼讨替代一种迷信，大概在民间还很普遍的存在而且当作故事谈吧。

（一九五〇年一月十九日）

弄潮

唐人有两句诗云，早知潮有信，嫁与弄潮儿，这诗是很有名的，因为《唐诗三百首》里有过，可是教生长北京的人读了，实在不大能够了解，长江下游住民可以懂得一半，只有住在浙江沿岸的才算全懂，这就是说潮是怎么弄法的。去年整个夏天我住在上海虹口区，在横浜的南岸，楼窗临水，不但与对面人家隔得很远，而且空气甚好，外边无处散步，便只站在晒台上看看流水，也很不错，还有好玩的是河水与黄浦相通，一日两回潮汐上下，看了可以知朔望，知时辰，水面上摊着一本历书，真是很有意思的事。

我颇怀疑阴历之称农历，农夫要查节气，岂不是阳历更方便么，只有江海上过日子的老大，这才要用阴历，因为他们是弄潮儿，准备要去和潮水打交道的。三十年前在乡下教书的时候，看过几次浙江潮，虽然不是海宁，潮头也相当的高，这时便看见有些蜑船在接潮头了。说来也很平常，只是在潮来之前把船放至江心，挂起风帆，向着潮水驶去，一与潮头碰着，船便直竖起来，这时望起颇为危险，可是只是一刹那间的事，卡上了潮头之后船立即平正，在水面上溶溶漾漾的十分写意，随即可以自由的来靠岸，停泊下去。其不去接潮头的船也可以停着不动，不过危险更大，我就看见一艘大概因为锚索放得不够，潮来时索被挣断，船在波浪上幌荡了两下，两枝桅竿立刻折断。世间常说迎接新潮流，要迎头赶上，我们参考事实，觉得这是十分确切的话。

（一九五〇年三月一日）

比目鱼

小时候看《尔雅图》，仿佛是看《对相杂字》，一个个都是切实的物事，只有“五方”那几个图却很特别，简直像是从《山海经》上取来的样子，可是实在《山海经》里也只有“一目一翼相得乃飞”的“蛮蛮”，别的都没有，虽然“比肩民”和“贰负之尸”差不多的奇怪，似乎应该记在一起的。两头蛇有叔孙敖的故事为证，我们知道蛇里边是有这一种蚯蚓似的头尾相像的东西。“比肩兽”的故事如要硬加解说，这倒可以说“蟨”即是袋鼠，而“邛邛距虚”乃是驼豹，现今动物园中的麒麟，问题只是更格卢出于澳洲，芝猎狐则在菲洲，这故事传到中国来很不容易，至于他们俩有否关系自然又是别一回事了。

剩下来的只有比目鱼，这却是实在有的，在交通便利一点的地方的人大抵曾经吃到过，可是拿来与《尔雅》比较，却又见得替周公编这部书的人也说得有点不尽不实了。本文云，东方有比目鱼焉，不比不行，其名谓之鲽，郭氏注云，一眼，两片相合乃得行，今水中所在有之。大家只要拿生的比目鱼来一看，便可以知道眼睛还是有两只，不过都挤在一边来罢了，口大的甲类以左侧作上边，口小的乙类以右侧作上边，下边贴着水底，用不着眼睛，所以移到上边这一面来，甲乙两类大小不同，不能相比，其实也不必相比，因为他横卧着游泳，与鲼鱼（俗名呼鱼）相同，拿一条活的来可以一试。比目的名称也并不错，只是两只眼比在头的一边，若比翼云云查无实据，只好留给古文家作典故用而已。

（一九五〇年三月二日）

成舍我与刘半农

北大出过两个报人，第一个是逃亡在外的成舍我，学籍上的名字是成平。办报的北大尽有，可是成平自有他的一套，最初在只有早报时代创办了《世界晚报》，稍有了根基，加添日报，又复灵机一动，注重教育界新闻，虽然也是道听途说（后来大卖骂，那是别一回事），每天大半张，得了学生教员的光顾，脚就站稳了。

我虽是认识他，这里所说微时的故事乃是根据疑古先生所讲，是他所亲眼看来的。疑古往访陈仲甫，进了文科学长室，见外间坐着一个青年，在写卷子，仲甫对客大表欢迎，说正要找你，外边一个投考旁听生的，国文卷请你一看，给他个六十分吧。之后他有一天到译学馆去看刘半农，那是北大第三院，刘君初来北大担任预科国文，单身住在那里，大概是民六七年之交吧，因为民七秋季刘君搬了家眷来了。主客正在闲谈之际，忽然进来一人，即是前回写卷子的那青年，说道，半农，可不可以再给点钱？主人勃然道，前天刚拿去两块，怎么就没有了？垂头丧气的答道，没有了嘛。主人不得已又拿出钱来，把他打发出去，那时用的是不兑现的交通票，说是两块，实在总是五块十块吧。这人后来成为《世界日报》的成舍我，刘半农留欧回来，得了博士，曾应成大老板之招，编辑过《世界日报副刊》，疑古那时便重述这故事，说想不到现在刘博士倒反做了伙计了。

成舍我自称皖人，与陈仲甫是同乡，同刘半农的关系则不大明白，大概是在上海时的朋友吧。

（一九五〇年一月二十二日）

孙伏园与副刊

北大出身的两个报人，一个是成舍我，一个便是孙伏园。他学籍上的名字是孙福源，也是北大旁听生出身，大概与成舍我是同班吧。不过成所办是大报，孙则以办副刊起家，比起来似稍有不如了。友人方六是他的老师，教过他英文，转任北大后得他来信，说在沪投考北大预科失败，方复信劝勉，等明年再考，岂知不到一星期本人倏已赶到，没有办法只好叫他在会馆住下，给他去找图书馆主任李守常，做一名书记，月薪八元，可够火食，又介绍旁听，到第二年秋季学年考试及格，与成平都改作正科生，上海考取的学生还在预科二年时，他们却已是本科二年了。这之后不久，章程修改了，旁听生不再能改入正科，假使他那年不突击北上，也就失掉了好机会，所以他的勇气与运气都是可佩服的。

文学革命运动发起，北大的学生成立新潮社，发刊书报，他便在社里出入，及五四运动爆发，报纸大见活跃，罗家伦钻入《国民新报》，拉他去帮忙，罗随即出去干别的事，留他在那里，此为他入报馆的开始。后《国民新报》停办，他转入晨报社，辞去图书馆职务，专任编辑，因有蒲伯英帮助，改第五版杂报栏为副镌，大见成功，一方面固是孙蒲办理得法，一方面也由于客观条件具备，新闻芜杂，杂志贫弱，大家要求一种中间读物，如有《旁观报》的那样东西，副刊正好来补了这个缺。

上边的话一半得自方君，一半则是大家知情的事情，算不得什么轶闻，但是末了有一件事值得报告的，孙伏园在图书馆的后任就是毛主席，这真是出于意外的一个极大光荣了。

（一九五〇年一月二十三日）

章太炎的弟子

章太炎先生的弟子很多，虽然传闻其间有门人、弟子、学生三种区别，但照他老先生的性格看来，恐怕未必是事实。大概有些正式磕过头的，或者以此自豪，而同门中以时代先后，分出东京北京苏州几个段落来的也未始没有，不过实际上并无此等阶级。曾见苏州印行的同门录，收录得很广。又在廿一年太炎北游之后，弟子们醵资精刊《章氏丛书续编》七种十七卷，参与的弟子都列名校勘，共有十四人，各时代各资格的都有，其中有任鸿隽黄子通，恐怕一般人也不大知道吧。

弟子们中自然当以黄季刚居首，太炎也很看重他，可是说到真是敬爱老师的还须以钱玄同为最，虽然太炎曾经戏封他为翼王，因为他“造过反”，即是反对古文与汉字。玄同对于汉字知道得太深了，他从文字上觉得楷字之不合理，所以结果到了两头极端的理论，即写篆文或废汉字，虽然事实上知道都难做到。经学方面太炎主张古文，玄同则是从崔适主张今文的，也是相反，可是他对于先生的尊敬三十馀年如一日，民报社讲学时期，钱粮胡同幽囚时期，不必说了，末次北游时期差不多每日随侍在侧，有一天到北大研究所来讲《广论语骈枝》，学生听不清南方话，临时由玄同翻译国语，这件小事也很有意思。爱真理时尽管造反，却仍是相当的爱吾师，这不是讲学问的人最好的态度么？

（一九五〇年一月二十六日）

钱玄同与《章氏丛书》

钱玄同从太炎先生听讲，最初是在东京大成中学的国学讲习会，后来在民报社特别听讲《说文》，有时便留下不走，与太炎“抵足而眠”，彻夜谈论文字问题，结果逼得先生承认写字非用篆字不可。太炎给学生的信，托便人带来的，封面上有写篆文的，但是江声老先生的旧办法到底也难实行，于是玄同提出依照小篆用楷字写之一法，写起来倒并不难看，虽然不大好认，圆笔变方了，反而面生，一也，须用本字，一见难认，如認之作仞，二也。经了苦心研究之后，终于写成了四卷《小学答问》，木刻精印，民国后收入《章氏丛书初编》内，但后印本究竟精彩差得多了。民国二十二年在北京编刊《丛书续编》，由玄同与吴检[1]斋主其事，每卷之后均有二人复校的署名，

【锺校】

①“检”原作“缄”。

可以算作记号。其中《新出三体石经考》一卷，也是玄同手书，写法却有点改变了，太炎跋云：

> 吴兴钱夏前为余写《小学答问》，字体依附正篆，裁别至严，胜于张力臣之写《音学五书》。忽忽二十馀岁，又为余书是考。时事迁蜕，今兹学者能识正篆者渐希，于是降从《开成石经》，去其泰甚，勒成一编，斯亦酌古准今，得其中道者矣。稿本尚有数事未谛，夏复为余考核，就稿更正，故喜而识之。夏今名玄同云。

续编系文楷斋镌刻，颇为精致，弟子们原意刻成后即举以奉赠，移送苏州，由吴检斋任其事，而迟迟久未办，南方乃另行影印，吴旋去世，原板不知尚存否，如有人得到初印有小像本，应知何如的珍重也。

（一九五〇年一月二十八日）

小孩的花草

敦崇著《燕京岁时记》云：

> 每至十月，市肆之间则有赤包儿斗姑娘等物，赤包儿蔓生，形如甜瓜而小，至初冬乃红，柔软可玩。斗姑娘形如小茄，赤如珊瑚，圆润光滑，小儿女多爱之，故曰斗姑娘。

案：赤包儿即栝楼，结实形如冬瓜，长约寸许，初青后转红赤，小儿采为玩具。斗姑娘今通称为豆腐粘，在书上则名曰酸浆，《尔雅》云寒浆，郭注今酸浆草，邢疏引《本[1]草》陶注云，处处人家多有，子作房，房中有子如梅李大，皆黄赤色。但是鲍山的《野菜博录》说得最为明白，云姑娘菜一名红灯笼儿，一名挂金灯，苗高尺馀，叶似天茄儿叶窄小，开白花，结房如囊，似野西瓜，子如撮口布袋，如樱桃大，赤黄

【锺校】

① 原无“本”字，今增。

色，味酸可食。总结起来，因为味酸，浆如豆汁，故名酸浆，名豆腐粘，房如灯笼，故名红灯笼儿[①]，名挂金灯，又一名鬼灯，为女儿所喜爱，故名斗姑娘，名姑娘菜。

这两种草中国大概到处都有，不知道为什么别处都不注意，只有北京的小孩拿来玩耍，而且摊上还有售卖的，叫儿童多与植物接近本是好事，只可惜流行得不普遍。小时候在南方吃过杜鹃花瓣和咸酸草菜，在北方却也少见。《野菜博录》中另有“酸浆草”一条，云《本草》名[②]酢浆草，一名鸠酸草，生田野及道傍，叶如初生小水萍，每茎丛生三叶，开黄花，结黑子，采嫩苗叶生食味酸。此草高只二三寸，常自生花盆中，结实如豆荚，长才二分，看了很好玩，至今还是记得。

（一九五〇年二月十三日）

【锺校】

① “儿”原作“见”。

【蒋校】

② 原无“名”字，今增。

章太炎与国民党

章太炎先生在前清因提倡排满坐过西牢，在日本因编辑《民报》受过压迫，但他不是国民党，不但是后来不曾入党，就是在同盟会中他与中山系的干部也是不合式的。太炎出狱东渡，《民报》交他去办，他们即不顾问，只是张溥泉仍旧挂名编辑者，实际上他也已跑往巴黎，和吴稚晖去搞《新世纪》去了。太炎因溥泉不在，叫陶焕卿替他，《民报》二十四期上将编辑人张继名义改了陶成章，岂知日本政府受了满清的请求，正要封闭《民报》，遂借口编辑易人不呈报，违反条例，将报社封门，还判了社长章炳麟罚金一百五十元。这一笔钱在穷学生看了着实不小，但是假如同盟会干部肯管，不难立即付给，可是他们不管，一直到了缴款期限的前一日，龚宝铨跑了一天没有着落，晚上走到许寿裳鲁迅的寓居，他们几个也是穷官费生，面面相觑，没有办法，但是明天如不把钱交去，后天他老先生将被请去作工，要一百五十天才能出来。时许寿裳忽然想到了一个折子，湖北留学生陈某替张之洞经手译印同文会的《支那经济全书》，毕业回去时尚未完了，托许代办，存折上有二三百元钱，现在为得救老夫子的急，只得把这钱暂时移用一下，事便这样办了，太炎得免于去作工，后来垫款也还了，可是知道的人对于中山系深致不满，许是身与其事的，自然更是愤慨。不料近年出了一本潘公展主编的什么丛书中的《章炳麟传》，是许寿裳写的，却恭维他是国民党二杰之一，其一即是孙中山，未免前后太不符了。太炎遗体在沦陷中浅厝于苏州锦帆路宅荒院内，顷见汪旭东君文，至今未曾改葬，胜利后国民党占据江南，前后五年，对太炎遗体毫未过问，即此可见事实如何，还不是同《民报》时代同一的态度么。

（一九五〇年一月二十五日）

【附录】 关于《章太炎与国民党》

鄙人前写《章太炎与国民党》一文，有云但他不是国民党，不但是后来不曾入党，就是在同盟会中他与中山系的干部也是不合式的。这里说得太简单一点，容易误解，应引伸为不但是后来民初成立国民党时不曾加入，就是在同盟会中，他与中山系的干部也是合不来的，因为同盟会乃是近来的民主同盟似的组织，太炎与陶焕卿等以光复会的资格加入，根本上与中山系未能融洽，至于他们光复会分子一面是同盟党员，原是别无问题的，民国以后太炎组织过别的政党，那是别一回，不在拙文范围之内了。

（一九五〇年二月十日）

关于身边琐事

批评家多反对文学作品中写身边琐事，这原是很有道理的。我们分析来看，第一是说身边，即是关于个人的，本来同一件事，说是自己或某乙某丙的都无不可，不过当作自己的事来说，自画自赞难得恰好，往往流入肉麻，大是缺点。第二是琐事，事太琐屑，不值得写，现在却拿来敷衍铺张，装模作样的当作文学请人赏鉴，又加上这是他个人的事，其无聊自不待言。

但是我想这也以文学作品为主，若是平常小文章，如笔记随笔之流，本与小说不同，不列在文艺之内，而且原以识小为职，固然有时也不妨大发议论，但其主要的还是在记述个人的见闻，不怕琐屑，只要真实，不人云亦云，他的价值就有了。这不是作品，只是资料，有如竹头木屑似的，用得着的挑去还可以造船，不用时放着也无害处。我相信古人的许多正经著作会得过时，将被废置，他们的笔记杂书却仍将留存，供后人的查考。章太炎在《菿汉闲话》（见《章氏丛书三编》）中云，余尝谓宋代小说最知名者莫如《容斋随笔》，时俗小说最知名者莫如《红楼梦》，二者不可得兼，能兼之者其惟《越缦堂日记》乎。太炎这里开玩笑，将李越缦比林黛玉，但说的亦是实话，日记中越缦堂最有名，便因为记得详细老实，把潇湘馆的性子都暴露出来了，还亏他的文字好，算救回了几分，却已禁不住读者的微笑了。

身边琐事之可写与不可写，在那里最是明了，这给与我们一个很好的参考。

（一九五〇年一月二十九日）

《聊斋志异》

听说苏联现在翻译中国旧文学，有陶渊明李白白居易等人的诗，这也是平常的事，但是我觉得特别有意思的，是说小说类中有《聊斋志异》。本来《聊斋志异》是中国旧说部中之佳作，与《阅微草堂笔记》并驾齐驱，代表古小说的两派，正如《阅微草堂》是近代化的志怪书，《聊斋》继承唐代的传奇文，集其大成，二百多年来他们在文坛上占着势力，那是并非偶然的。

英国人佳尔斯很早把《聊斋》译成英文，大概读者多觉得比李白杜甫更有兴味，难道洋人真只懂得稗[1]官野史的么？这当然不是的。大家都说《聊斋》专讲狐鬼，这正上了作者的大当，他写的故事里的狐鬼，除了忽然而至，欻然而灭之外，哪里有狐味鬼

【锺校】

①“稗”原作“裨”。

气？例如《青凤》与《连琐》两篇，可以算作代表，里边所有的还不只是普通痴男怨女，缠绵歌泣的事情么？他也可以当做人事来写，但是那么的讲室女偷情，寡妇夜奔，岂不违反礼教，《西厢记》便是前车，正人君子不及谋害王实甫，只好叫他下地狱，蒲留仙于此能无戒心？他之多替狐鬼讲恋爱，并非他懂得狐鬼的情状，实乃是礼教不准他写人的恋爱之故也。因此在这一点上很有价值，外国重视《聊斋》，与重视《西厢》相同，取其能言情，非取其言狐鬼，所以有人以为《聊斋》是民俗的材料，这也是不正确的，资料当然不是没有，但在其最好的几个长篇中则除了人物是超自然的以外别无什么特殊的东西。学《聊斋》最好的要算王韬的《淞隐漫录》，他喜写男女私情，但那时有妓女可作材料，所以他不必再去借助于狐鬼了。

（一九五〇年三月四日）

关于别号

地名如山川乡村街坊的名号，说起故典来还有点意思，人的名字和姓差不多都是无聊的，何况又是随便取的什么别号呢。庵堂斋馆大都是顺手拉来，暂时使用，有如出门走路穿上一双布草鞋，走过几程又复换了，不会得收拾在藤箱中背了走以作纪念的。

一九五〇年开始，我用了一个十山的别号，本来就是那么随便取定的，乃承黎明先生加以说明，说是越中有十座名山，因以为号，某乡兄来信又问起他府上的稷山是否在内，我觉得很是惶恐，不得不老实声明，这里不曾包括有贵稷山或他们的称山，关于越中二字也须稍加修改，因为这只说城中而已。古来传说府城中共有山八座，王梅溪在《会稽三赋》中便已说过："八山中藏，千峰周回，彭鲍名存，蛾马迹迷。"注言八山中今所存者惟种山即卧龙山，龟山即怪山，蕺山，火珠山，其馀鲍郎山彭山白马山蛾眉山，俱已湮灭，仅存其名。张宗子在《越山五佚记》中又提出华严寺后有黄琢山，加上让檐街的王山，一共计有十座，虽然末一座是土山，似乎可以略去，但是迹迷者尚有[1]名存，这纵只是一蒉，却实实存在，不好便尔抹杀，总起来取个成数也是很对的。我取了这两个字，原因之一是有那么的一句话，其次是笔画简单，写起来便当，若是当初不把王山算在里边，我也愿意叫作九山，至于八山则典故太古老了，小时候听祖父说过，曾祖曾有八山的别号，那么自然不好再用了。

（一九五〇年一月三十一日）

【锺校】

①“有”原作“是”。

鲁迅在S会馆

S会馆的名称始见于《呐喊》自序中。这本名山会邑馆，是山阴会稽两县人的会馆，在李越缦日记中常有提及，清末山会合并称为绍兴县，也就改名绍兴县馆。出宣武门一直往南，到了前清杀人的地方菜市口，迤西路南即是北半截胡同，在广和居门前分路，东南岔去是裤腿胡同，西南是南半截胡同，其实这也是一只裤腿，不知何以独承了半截的正统。离胡同北口不远即是会馆，坐西朝东，进了头门二门之后照例是一个大院子，正屋是历代乡贤的祠堂，从右侧弄堂往西去，后边一进平房，是鲁迅寄住过的地方。小小一个院落，南首有圆洞门通到东边，门内一棵大槐树，北首两间下房，正面一排四间，名为“补树书屋”，只因极北一间被下房挡住了阳光，所以关闭不用，鲁迅所用的就是那外边三间罢了。他大概从民二住起直至民八，这里所说只是末三年的情形，其时他睡在靠北的一间里，南头作为我的卧室及客室，中间房内放着一张破画桌和方桌，是洗脸吃饭的地方。他的卧榻设在窗口靠北的墙下，旁边是一张书桌和藤椅，此外几个书架和方桌都堆着已裱未裱的石刻拓本，各种印本的金石书史书等。下午四五点下班，回寓吃饭谈天，如无来客，在八九点时便回到房里做他的工作，那时辑书已终结，从民四起一直弄碑刻，从拓本上抄写本文与《金石萃编》等相校，看出许多错误来，这样校录至于半夜，有时或至一二点钟才睡。次晨九十点时起来，盥洗后不吃早餐便到部里去，虽然有人说他八点必到班，事实上北京的衙门没有八点就办公的，而且鲁迅的价值也并不在黾勉从公这一点上，这样的说倒有点像给在脸上抹点香粉，至少总是失却本色了吧。

（一九五〇年二月一日）

S会馆的来客

到S会馆来访问鲁迅的客并不多，因为白天主人不在寓，相识的友人大抵都在教育部里，依了认识的年代说来，如张燮和、陈师曾、许季茀、齐寿山、许季上等人，天天见面，别无登门拜访之必要。偶然有些旧学生，是浙五中或两级师范出身的，或同乡后辈，于星期日来访，主人往往到青云阁或琉璃厂去了。也难得遇见。其中只有一位疑古先生，即是《呐喊》序中之金心异，常来谈天，总在傍晚主人下班时走来，靠在唯一的藤躺椅上，古今中外的谈起来，照例去从有名的广和居叫蹩脚的菜来，炸丸子，木犀肉，酸辣汤之类，用猫饭碗似的器具盛了来，吃过了直谈至十一点钟，回到后孙公园的师大教员宿舍去。他原是“民报社”听讲的同学，一向很能谈话，在太炎讲了之后，他常常请益，虽然盘脚坐在席上，却有不觉膝前之势，鲁迅与许季茀曾给他起绰号叫作“爬来爬去”，他以这种气势向鲁迅进攻，鲁迅响应《新青年》运动，开始写小说，这在《呐喊》上边曾经说明，读者自当还都记得。疑古知道并记得的事情极多，都于中国文化有关，可惜不曾记录一点下来，如今已多半遗忘了。他往补树书屋谈天，大概继续有三年之久，至民八冬鲁迅迁出S会馆，这才中断。

（一九五〇年二月二日）

新历本

平常有人称旧历为农历或阴历，通用了也不觉得什么，但是仔细想起来是不对的，这里多少含有误解。旧历实在是阴阳合历，这阴阳合历的名称虽是偶然，却的确定得非常合适，因为他以月亮定月，以太阳定节气，分配在月内，主从关系很是明了，并不是单以月亮为主的。古代的人大概都以月亮定月，中国以外，希腊罗马以及西欧各国在文字上均留有这痕迹，但是从月亮只能看出月的圆缺和潮的上下，于拿舟航海的人有用，而四时节气的变化，与农夫更有关系的事情，乃是从太阳方面来的，所以后来阳历渐占势力，终于取阴历而代之。中国则还是以阴历为主，二十四节气与闰月原是根据阳历的，容纳在里边，显得有点七零八落，中国农民如要有节气的农历，那么阳历正是了，二分二至一定在该当月的二十二三日，比阴历要容易记得多，那只与月的圆缺与潮的上下相应[1]的阴历，实在单是船上人用的渔历罢了。

从前的新历不受民间欢迎，便因为西人不用节气所以兄弟也不用的哲学，全盘西化了的缘故，现在改变一下，于阳历中加入二十四节气，并注明朔望，成为一种阳阴合历，即是把旧历翻了一个身，就可以成为各方面适用的新历本了。新历的另一缺点，一半从理性一半从感情上看出来的，即是新元旦没有新春的感觉，这总在立春一个月之前，一九二九相唤不出手的元旦如不否认他是元旦，也总是极寂寞的。现今政府规定旧元旦为春节，放假三天，这是贤明的措置，可弥补上述缺陷了。

（一九五〇年二月六日）

【锺校】

① 原无“相应”二字，今增。

行孝的故事

金心异尝举其同学哈君家里二三小事，证明行孝可以使施者得名，而在受者却是一种苦难。哈氏亦名士，唯因事颇可笑，故隐其姓氏，姑以哈字代之。哈君父在清代为知府，老太太迎养在署，常亲视膳，饭毕必请加餐，老太太答以已饱，仍力请，不纳则长跪不起，老太太不得已勉进一勺，日久甚以为苦，乃求其媳妇曰：你劝劝老爷吧，不要再行孝，我实在受不了了。天朗气清之日，请老太太游后花园，辞以惮于行动，乃令雇驴来，以二仆妇挟老太太跨之行，遍游园内，老太太连一朵花都不曾看见，却已吓得半死了。

哈君不作官，无此排场，只具体而微而已。一日与二三友人便饭，厨子上鱼，隔帘问老太太曰：娘，有鱼否？老太太嗫嚅未即答，主人大怒，痛骂厨子不已，客逡巡退去。值老太太生日，约友人晚餐，且招说书人来献技，请老太太高坐与客共听之。客觉说书人技甚拙无足听，老太太坐狭板凳上久，甚为狼狈，乃进言谓老太太倦可请先退，以便各自走散，主人执不可，谓说书甚佳，娘喜听不为疲也。心异夜深得脱归，后以语人，犹叫苦不止。

这里是什么人都不关紧要，重要的是其事实，是很有意思也是有意义的。金君自称他对于世兄们的义方之训第一是切勿行孝，因为他怕生胃病。这事还在“五四”之前，所以可以说与《新青年》并无关系，不干陈独秀施存统的事。

（一九五〇年二月八日）

蛆的用处

蛆虫是大家都讨厌的东西，第一因为他的样子不好看，其二是常在粪秽中，其三是蝇之子。相貌不好是没有办法的，他所好的是腐肉，粪秽只是偶然，苍蝇实在可恶，但未变成蝇时没有什么责任，所以说到底还只是平常的一种幼虫，有如变胡蝶什么的青虫一样，就只是那么讨厌而已。可是说到他的本领，后来也就是用处，却非那些别的青虫们所及。据《昆虫记》的作者法勃耳试验，蛆从嘴里吐出些须消化素，能将各种蛋白质化为液体，随后吸入，别的生物吃了再消化，他是消化了再吃的，是很特别的事情。再拿化学专科学院从猪羊的胃制出的消化素来，作同样的试验，其消化力远不能及。法勃耳很幽默的说，假如可能，化学家应该去从蛆的胃里取得消化剂吧。

用蛆当药中国古已有之，称之曰五谷虫，但是那只可说是偶合，而且从粪缸中掏起来晒干应用，到底不足为训的。上海近来出了一种玻璃药膏，颇有效力，说明书中云内有蛆素，在世界大战时，有些伤兵因收容稍迟，以至伤口化脓生蛆，在军医方面认为是莫大的疏忽错误，但其结果则生蛆的创伤反比没有的好得快，因此研究出来蛆的分泌[1]物有一种“化腐生肌”的能力，经过科学的分析与综合，已可以用到药剂中来了。没来由替蛆说好话，这也何必呢，他的样子那么讨人嫌，总是一定的了，不过我所说的都是真话，可以对证古本的，列位不信，请自己去看玻璃药膏的仿单，自然我在这里也并不是替该药膏推销，要请原谅。

（一九五〇年三月六日）

【锺校】

①“泌”原作“秘”。

小孩的歌

中国向来对于儿童有好些误解，往往是两极端，因此很有点可笑，一方面看不起小孩子，以为他们的言动都是儿戏不足注意，一方面却又迷信童谣，以为有荧惑星下降，幻为红衣小儿，以歌词教群儿歌唱，后必有应验。我们查看史书上所记的童谣，有的显系伪作，有的是儿歌而被歪曲解释了的，但因此也记下了好些歌谣，可以供我们的参考。

童谣的价值现今看来是在别的方面，他不是谶纬[1]而是文艺，特别是儿童的诗，也即是诗的[2]祖宗。虽然在起初或中间有过成人的加笔，但是经过了多少代儿童的欣赏审定，全已变为他们自己的东西了。清初钱塘郑扶羲编有一卷《天籁集》，收录儿歌四十八

【锺校】

① “纬”原作“讳”。

② 原无“的”字，今增。

首，后有二集，收录二十三首，详细评注，叹为绝世奇文，这种圣叹式的笔法，夸张处殊不能免，唯其将儿歌当作文学作品去看，加以称赞，这意见却是对的。我们且来引用几首在这里，请大家一读。

一

石榴花，花簇簇，三个姐儿同床宿。

那个姐儿长，中间姐儿长，留下中间姐儿伴爹娘。

伴得爹娘头发白，

三对笼，四对箱，嫁与山村田舍郎。

咸鱼腊肉不见面，苦株[1]蚕豆当干粮。

一封书，上复爹，一封书，上复娘，

一封破书上复媒婆老花娘。

长竹枪，枪枪起，枪凸媒婆脚板底。

短竹枪，枪枪出，枪折媒婆背脊骨。

二

烟护烟，烟上天。红罗裙，系半边。

谁家女儿立门前，绣鞋儿，尖对尖。

土地公公不爱钱，

祷告你阴中保佑，与我做姻缘。

【锺校】

①“株”原作“珠”。

三

知了儿叫，石板儿跳，
倒灶郎中坐八轿。
郎中郎中，招牌当空。
爹爹有毛病，你就来送终。

从旧的那边说，岂不是很有《国风》《乐府》，杜子美白乐天之风么？从新的那边来看，新诗有没有这样的力量，也是值得我们考虑的。

（一九五〇年三月七日）

白日升天

看明朝人杂书，有讲汴京故事的，第一则异人便是陈抟。他的奇迹只是常闭门独卧至百馀日不起，别无什么怪异，宋太宗遣人问他玄默修养之道，他答说不知道修养之事，亦未尝习导引吐纳之术，无可传授者，假如白日升天，究亦何益于治理乎？这两句话说得很高明，可以算是有道之士，不是寻常道士所能及的了。

白日升天的缺点就只是于治理无关，有如财主在金库里藏着许多黄金白银，对于国家人民毫无益处。不过那理想却是颇有意思的，不但是成仙，而且还要就把这个身子驾在一朵云或是一只鹤上，笔直的飞上天去，好去永远的享福，这是够现实的了。中国人与古希腊相似，是最现实的民族，他们看重这现世与这肉体，便是成神仙也就这么整个的去了，不以单保全灵魂为满足，始祖黄帝就是那样的走的。

大抵求仙的有两种不同的动机，其一是皇帝，如秦始汉武，享尽现世的福，觉得太有趣了，想把他延长至于无尽；其二是不第秀才，如吕岩黄巢之辈，在现世不得意，须得来转变一下才能得有趣，假如不造反就只有求仙的一路了。这意思尽够荒唐，但比较希望灵魂得救，或下世享福，甘心放弃现世的，总要好一点，因所重是现实，若是知道白日升天是不可能，或飞升也没有多大意思，那么把这现实思想转过向来，着力于现社会的改进，那便很有意义，亦即是大有益于治道的事了。

（一九五〇年三月八日）

神仙的无聊

前回我讲陈抟的故事，说过一句飞升也没有多大意思，有朋友问我这话有根据么？自然，的确的证据是没有，却也并非毫无根据，虽这都是推测得来的。

其一是神仙的寿命不长。神仙是不死的，论理没有什么寿命问题，但时间的计算总不能无，据山中方七日世上已千年的标准，仙人一年要抵当凡人的五万二千一百四十馀年，假使他经过了一百万年，这比“北京人”的年纪还要多了，可是实在只有十九岁七个月而已，这[①]个世界再能支持一百万年么？谁也不能保证，即使如此，也不过加了一倍，才是四十岁。

其二是神仙太老。仙人延年，却似乎不一定驻颜，我看见过一部《列仙图赞》，那些神仙大都老得不成样子，特别是赤松子广成子老子木公东王公，全

【锺校】

① 原无“这”字，今增。

如古人画石，具备瘦皱丑三德，真不愧为山泽之癯，但是这样算下去，挨到百万年后将成什么样子了呢？

还有一层，仙人的生活似乎也很无聊。烂柯山树下的，以及橘子里的那些仙人，多在那里下棋，一下就是几十年，在仙家原只是顷刻，但下棋总是消遣的事，可见他们也是闲得气闷，要找事情来排解一下。综结起来看，他们的生活只是有时古怪得好玩，正好给人做故事的资料，在本人未必怎么真有意思，不值得那么去苦心修炼，何况如陈抟老祖说过，他又本不会得导引吐纳那一套法术么。我只觉得不离现世而求幸福的思想是好的，现今有发菩提心的人，应当投身入世，从有益于人的点滴的事做起。

（一九五〇年三月十一日）

看年画

有朋友拿几张年画给我看，我的朋友是个艺术家，这是他的朋友所画的，我却是大外行，叫我看了怎么说好呢。假使这是美术的画，那么我除了说敬观以外简直什么都不能说，现在既是年画，自然也是艺术品，不过这是要卖给外行人去看的，我便以看客的资格可以来说几句话，不管对不对，总之也是舆论的一点滴吧。

老实说，我看了觉得不好。什么地方不好呢？主要的是有些地方不合理。我从前看见上海大书局出版的小学教科书，画着一家四个孩子放学回家，对着母亲鞠躬，四个都是一样高矮，像是同年岁的，这就是不合理的例。年画上有一块田地，以牛的比例看来并不大，却画出五六头牛排着各自耕地，假如甲牛耕完了这一直行，他非得歇工不可，因为隔邻的一直行同时也将由乙牛耕好了。又有一张画农夫锄地，头上一个架子，挂着好几个壶卢，时节当然是夏末秋初，却不明白预备种些什么。照道理讲，中国各地大概没有那么样的耕田的，豆棚瓜架下恐怕种不了什么东西，手中的农具似乎只是削草用的，也不适于掘土。这些地方觉得缺少写实味，即使艺术上有价值，在民间不易得到欣赏，因为老百姓是最讲实事求是的。

还有一点，我个人的意见，以为年画是木刻线画的好，西洋式的新手法，或是古来文人画的写意风格，都不大能够懂得。这种外行人的看法，我相信也可以代表老百姓的大部分，附在末后以供参考。

（一九五〇年三月五日）

鳄鱼

读过古文的人大抵记得韩愈的那篇《祭鳄鱼文》，一则因为那文章里装腔作势的好玩，二则知道唐朝广东有鳄鱼，是一件新奇的事。驱的那一段虽然不大靠得住，但是有鳄鱼总归是可靠的，古人笔下纵使马虎，也还不至看错了穿山甲吧。据《岭表录异》上说，潮州恶溪有鳄鱼，其大如船，其形如鼍，喙长半身，牙如锯齿，尾有三钩极利，说的很是精确，俨然是尼罗河鳄鱼的样子，非耳食之谈可比，可知是实有其物的。但是后来怎么会得不见的呢，这个解释如不是说韩知府至诚格天，他们真是等因奉此的走了，那或者因为气候水土的变化，觉得有点凉意，迁回热带的老家去了吧。长江流域在安徽地方至今还有鳄鱼，大概是美洲的那一种，即是鼍，俗名猪婆龙，却并不吃人，也不搬走，不知道为什么缘故。

总之那恶溪的鳄鱼走了是很好的事。他实在是一个丑恶的怪物，比老虎与蛇还要可怕。他遇见水牛那么大件固然也咬了吃，平常总是直吞，而且消化得极快，假如吞下一个河边汲水的埃及女人，下半刚装进胃里的时候，上半已经只剩了一把头发和一个项圈了。菲洲土人恨他入骨，种种设法报复，最凶的是用一个弹簧带着索子，装在小兽的死体内，等他吞下消化了，弹簧便即在他肚里张开，随后慢慢的拉着索子牵到岸上来，用长矛戳死。鳄鱼的肉土人也吃，皮则可做各种器物，很是有用。中国古书上说鼍鱼肉至美，白如鸡，又说那编《千字文》的周兴嗣常食其肉，可见猪婆龙也是可以吃的，但不知现今江淮之间还有人吃否。

（一九五〇年三月十四日）

孟姜女

同朋友谈民间传说，可以拿来改写成有现代意义的东西，加上图像，印刷出来，廉价推销，是很好的事情。但是有些流传久远，势力很大的故事，大都有点硬化了，不大容易改作，明显的例如孟姜女就是。这故事的中心在于哭倒长城，迷信的话当然不能保留，改变呢又怎么样办，这有如堂屋的大柱，抽换是很不容易的。还有那造长城，向来算作秦始皇的一件恶政，专制君主不顾民力，强征硬派，而且还把范杞良（这是说故事的凭了孟子的一句话替孟姜女的丈夫取的姓名）的尸骨筑在城基里，确是暴虐的行为，但是从整个历史上看来，长城这东西与运河有点相似，不是完全于人民无益的，在国防上一时也有他的意义，与埃及的金字塔等到底不是一样的。所以如把造长城这事说得怎样不好，似乎也不十分妥当。

据我的意见，这类旧传说正如古生物的化石的骨骼，只好搁在那里，当作参考资料，另外却去从新构造，运用意匠，造作出新的形象来，较为适用，或者还可以事半而功倍。具体的说，就是自己来编造故事，编造云者即无中生有，东拉西扯之谓，在古今中外故事堆中挑取材料，把合用的来凑在一起，只要做得有意义有趣味就好，加上一个或虚或实的人地名，许多童话传说向来便都是这么的编成的，不过现今化非意识的为意识的罢了。问题虽是知易行难，但是会者不难，若是由有经验的编者去做，大概也不见得是什么难事吧。

（一九五〇年三月十二日）

冬天的麻雀

我们住房的前面是一个院子，窗外东边是一株半枯的丁香和一丛黄刺梅，西边稍远是一棵槐树，虽在初春还是光光的树枝，同冬天一个样子，显得很是寂寞。院子里养着两只鸡，原是一公一母，可是母的是油鸡，公的却是来杭鸡，因为当初本有十几只小鸡，内有来杭鸡与油鸡两种，经野猫与家猫的侵略，逐渐减少，等到把家猫送了人，野猫赶走了的时候，剩下来的小鸡也就只有这两只了。他们宿在院子西北隅的一个柳条篓内，白天在阶下啄食，每到相当时候如不给撒点红高粱之类，公鸡便会飞上窗沿来，看里边的人为什么那么怠惰。还有一群揩油的麻雀，常停在黄刺梅丛中等候，这时也有一两只飞近门来，碰着玻璃发出声响。公鸡平常见了猫和小孩子要追了去啄或是脚踢，对于麻雀却并不排斥，让他们一同吃着，有人开门出去，麻雀才成阵的逃去，但仍旧坐在黄刺梅枝上，看人也颇信任似的，大概谅解主人们是无机心的吧。那些麻雀似乎相当肥胖，想必每天要分去好些鸡的口粮，乡下有俗语云，“只要年成熟，麻鸟吃得几颗谷”，虽是旧思想，也说得不无理由。麻雀吃了些食料，既不会生蛋，我们也不想吃他的肉，自然是白吃算了，可是他们平时分别在檐前树上或飞或坐，任意鸣叫，即即足足的虽然不成腔调，却也好听，特别是在这时候仿佛觉得春天已经来了，比笼养着名贵的鸣禽听了更有意思。

我前年在上海居于横浜河畔，自冬徂夏有半年多，却不曾见到几只麻雀，即此一端，我也觉得北京要比上海为好了。

（一九五〇年三月十三日）

《螺蛳经》

中国自从有了佛经以后，便发生了许多仿造的经，除老子的《道德经》系追赠不算外，道教的经典都是，详见白云霁的《道藏目录注》，今不赘说。我这里要谈的只是民间通行的土货，其一是《高王经》，故事起于六朝时，经文不知何时所作。其二是《太阳经》，是纪念崇祯皇帝的，太阳三月十九生，即指煤山殉国的日子，大概与浙江崇祀朱天君相关联的。其三是《螺蛳经》，这经做得很好，文章也不长，所以把他全抄在下面。

螺蛳经，念把众人听。

日里沿沙走，夜里宿沙村。

撞着村里人，缚手缚脚捉我们。

九十九个亲生子，连娘一百落汤锅。

捉我肉，把针戳。

捉我壳，丢在壁角落。

鸡爬爬，响碌碌。

玉皇大帝亲看，眼泪纷纷落。

这篇东西收在清康熙初年所编的一本童谣集内，虽然唱的是儿童，但这显然是大人们所做的，却也做的不错，可以说是要言不烦。原本有批语云，写得螺蛳俱有性灵，写得螺蛳壳俱有性灵，真是慈悲文字，说得很对，因为这经的本意原在劝人护生戒杀，但是写得好所以并不讨厌，可以说是一小件文学作品。他不但写出螺蛳的受苦，又拿出螺蛳壳来搬弄一番，文章便不枯窘，却更显得有力量。故友烨斋常说，曾记画作店中挂火腿，一猪走过门外，题曰我的腿，辄笑应之曰，可不是你的腿么。这里便是一个例，同是一样用意而说得没有力，且易讨人厌也。

（一九五〇年三月十九日）

俟堂与陈师曾

鲁迅在教育部的同事中有几个熟朋友，以时代先后为序是张燮和、陈师曾，其次是许季茀。他于清戊戌（一八九八）年考入江南陆师学堂附设的矿路学堂，同宿舍的便是张邦华，字燮和，还有芮体乾，毕业后改名顾琅，字石臣。陆师学堂的总办最初是钱德培，后来换了俞明震，陈师曾是俞家的近亲，那时便住在学堂里，虽然原是读书人，与矿路学生一样的只穿着便服，不知怎的为他们所歧视，送他一个徽号叫作“官亲”。及至矿路班毕业，选送日本留学，师曾也一同自费出去，这个歧视才算解除，在高等师范肄业，已与鲁迅开始交往，若干年后在教育部重逢，那时师曾的书画篆刻已大成就，很为鲁迅所重，二人的交谊也就更深一层了。洪宪发作以前，北京空气恶劣，知识阶级多已预感危险，鲁迅那时自号俟堂，本来也就是古人的待死堂的意思，或者要引经传，说出于“君子居易以俟命”亦无不可，实在却没有那样曲折，只是说“我等着，任凭什么都请来吧”。后来在《新青年》上面发表东西，小说署名鲁迅，系用从前在《河南》杂志寄稿时的笔名迅行，冠上了一个姓，诗与杂感则署唐俟，即是俟堂二字的倒置，唐像是姓，又照古文上“功不唐捐”的用例，可作空虚的意思讲，也就是说空等，这可以表明他那时候的思想的一面。师曾给鲁迅刻过好几块印章，其中刻“俟堂”二字的白文石章最佳，也有几张画，大家都想慢慢的再揩他的油，却不料他因看护老太爷的病传染了伤寒，忽然去世了。

（一九五〇年二月二十二日）

陈师曾的风俗画

陈师曾的画世上已有定评，我们外行没有什么意见可说，在时间上他的画是上承吴昌硕，下接齐白石，却比二人似乎要高一等，因为是有书卷气，这话虽旧，我倒是同意的，或者就算是外行人的代表意见吧。手边适值有师曾的《北京风俗图》影印本二册，翻阅一过，深觉得这里有社会的意义，学问与艺术的价值，不是一般画师所能到的。画上有各人题句，是民国五六年所书，大略可以知道作画的年代，其时鲁迅在教育部，时常邀集二三友人到绒线胡同西口路南的回教馆楼上吃牛肉面，从东铁匠胡同斜穿马路过去，路没多远，有一次适有结婚仪仗经过，师曾离开大家，独自跟着花轿看，几乎与执事相撞，友人们便挖苦他，说师曾心不老，看花轿看迷了，随后知道他在画风俗图，才明白他追花轿的意思，图中有吹鼓手打执事，都是属于这一类的。印本题曰“菉猗室京俗词题陈朽画”，前后各十七阕，姚茫父自书所作词，朽道人即师曾画北京风俗共三十四幅，有陈孝起程穆庵何芷舲等人题句，淳菁阁印行，早已绝板。其第十九图送香火，画作老妪蓬首垢面，敝衣小脚，右执布帚，左持香炷，逐洋车乞钱，程穆庵题曰：

> 予观师曾所画《北京风俗》，尤极重视此幅，盖着笔处均极能曲尽贫民情状，昔东坡赠杨耆诗，尝自序云，“女无美恶富者妍，士无贤不肖贫者鄙”，然则师曾此作用心亦良苦矣。

其实这三十几幅多是如此，除旗妆仕女及喇嘛外皆是无告者也，其意义与《流民图》何异，只可惜朽道人死后此种漫画作风遂成了《广陵散》了。

（一九五〇年二月二十三日）

新妇子

借了大半部《太平广记》来看，多是神鬼妖怪部分，是志异的一个大结集，究竟是六朝唐人的著作，都有点新鲜气，因为他不讲报应，便不讨厌，即使你全不相信，也仍不妨姑妄听之。卷三六八[1]《精怪一》引《广异记》，说唐京兆韦训家学中，有绯裙妇人长三丈逾墙而入，先生被捽发出门，家人追呼救之，其鬼走入大粪堆中，先生遍身已蓝靛色，舌出长尺馀，家人扶至学中，久之方苏。率村人掘粪堆中深数尺，乃得一绯裙白衫破帛新妇子。案：此数卷俱言杂器用成精怪者，所说颇多好玩的故事，如后引《酉阳杂俎》记国子监学生周乙尝夜习书，见一小儿鬅鬙头长二尺馀，满颈碎光如星荧荧可恶，因擒得之，乃是一敝木杓，其上粘粟百馀粒。我这里引韦训事，却

【蒋校】

①“八”原作“九”。

并不重在故事，只为的那成精怪的是一个破帛新妇子，又有“卢赞善”一则，同出于《广异记》，亦言有瓷新妇子作怪，由此可知新妇子乃是唐时俗语，即现今的洋娃娃，因为做成女人的形体，故称之为新妇子，是很有意思的一个名称，只可惜后世不曾流传，而且假如不是《太平广记》中无意的采录此故事，这句话也将湮没不传了。绍兴的烂泥菩萨粗劣本不足道，无锡的泥人精美得多了，不知何以也没有较好的名称，这类东西本来是土木形骸，但称之曰泥人儿，虽是真实却也未免杀风景了。

这不论是破布烂泥所做，在玩弄的小孩看去乃是一个好娃娃或新妇子，大人们似乎终未能了解这意思，这样去给他们制作玩具，诚恐不免而事倍功半[①]也。

（一九五〇年三月十五日）

【锺校】

①“事倍功半”原作“半事倍功”。

祭祖的商榷

阴历新年已经过去了，有些与过年相关的旧风俗，或者尚在留存，或者已渐改变，总之到这时候也已不成问题了，现在我想来对于祭祖这一件事说几句话。这里的意思本来是我向来所有的，在年内说了不免近似一种主张，这本亦无妨，不过我原无主张的意思，所以改在此刻来说一下。

我以为祭祖不是宗教仪式，不是迷信，这只是对于父母的敬意的延长，所用的方式虽与祀神相似而意义实不一样。平常人家对于父母怎么的敬礼全是随便，在生日和新年，有的叩头，有的三鞠躬，无所不可，大家都看惯了毫不为奇，在父母死后，有些子女遇到生忌讳忌，或岁时变换的时候，感慕存殁，情不自已，继续的表示敬礼，道理原是一样，虽然情形稍有不同，即是一死一生也。既不是有所希求的祈祷，也不是有所畏惧的禳解，与祀神的心理不相同，只是无目的的一种[1]感情的表示而已，所以我觉得这尽可以保留得，至于形式也是随意，无论香花灯烛，或茶饭酒肴，都无不可，我的意见以为宁实毋虚，明知死者无知，而羹饭罗列，虽是矛盾，却尚本于人情，比较闭目俯首，作默祷状，犹为无宗教气，似更为可取也。不过这里关于祖先该有一点界限，大抵应该限于父祖两代，若是不及看见的先代，无从直接感到恩情，只凭名分来说，殊嫌空虚，也即是虚伪，不如老实的从略为是了。

（一九五〇年三月三日）

【锺校】

①“的一种”原作“一的种”。

街树

《日知录·卷十二·官树》一则中云：

> 古人于官道之旁必皆种树，以记里至，以荫行旅，是以南土之棠，召伯所茇，道周之杜，君子来游，固已宣美风谣，流恩后嗣。子路治蒲，树木甚茂，子产相郑，桃李垂街，下至隋唐之代，而官槐官柳，亦多见之诗篇，犹是人存政举之效。

大抵古时列树以表道，每一里夹道种一树，以代记里之土堠，至都市中始种六街树，原书注引《中朝故事》云，天街两畔槐木，俗号为槐衙，曲江池畔多柳，亦号为柳衙，以其成行排立也。

近时开辟马路，道旁皆种树。就北京而言，西郊通西山的道路，两侧种槐树，绿阴相连接，不至如顾氏所谓周道如砥若彼濯濯。城内则悉是槐树，亦有槐衙的意味，特别是故宫左右的南北池子和南北长街，比中间走电车的大街树阴长得更好，盛暑时行人可以休息，喝碗冰水或吃香瓜，正是很好的地方。住家大小有个院子，除枣树外大概总有槐树几株，给街树作陪衬，所以如登景山或高楼一望，市中一片绿色，是极好的一幅油画。人家都说北京好，其理由自然很多，但这大抵总是其一吧。

我前年在上海住过些时，关于街树却不曾留心得，只在居停主人后门外河边见有一株树，像是野桑树，夏天长出叶子来，挡住了视线，站在晒台上也望不见横浜桥上的行人，至今还是记得。至于街上的树木，说也奇怪，我真记不起来，平时出去只是一心的管走路，怕碰了人或电柱子，没有工夫看野眼，所以竟没看见。乡下人上城里，真真可笑得很。

（一九五〇年三月十七日）

《耕织图》

中国向来称重农之国，可是农家的书少得很，大概在《四库书目》中只占一卷吧。南北朝时的《齐民要术》是古典书了，自然是可贵，却也只是古罢了，元朝的《农书》与明朝的《农政全书》平常不容易得到，手头只有一册《天工开物》，是上海翻印本，图是石印的，所以也还可以看得。第一卷《乃粒》，第二卷《乃服》，是分讲农桑两事的，虽然叙述简单，却喜图还不少，关于农功有大小十六图，蚕桑包括棉花，有二十五图，第四[1]卷《粹精》，继续讲打稻脱壳，又有图二十二，总得六十三图，虽不精工，但尚近真实，如南方的风车，北方的石碾，皆非亲见实物的人不能画得出来。清康熙时敕绘《耕织图》，绘者焦秉贞乃是钦天监一小官，其画法据说有

【蒋校】

①“四”原作“三”。

郎世宁的传授，郎系义大利人，自长于西洋画，焦所作则仍是中国画，但布置整齐，比例匀称，无文人画臃肿倒塌的神气，看去觉得细腻可喜，此虽是应制之作，却可算得这一类中的佳作了。

《耕织图》在很久以前看过，记的不很清楚了，但看《天工开物》，觉得有些乃是从此中脱胎，如簸扬一图，与焦氏作极相似，又砻与春臼亦然，若取两者比较一下，即可知端的。在都市里的文化人要知道农家情状，最好自然是下乡去，其次是看图画，现代尚无好资料时，则此种旧书还不妨利用，比较的可靠。《天工开物》自序末云，“丐大业文人弃掷案头，此书于功名进取毫不相关也”，此公文章与意思都有点乖僻，但现在看来，这实在是很有意思的书，只是于功名之士没有关系而已。

（一九五〇年三月十八日）

朱天君

乡间流传《太阳经》，起首有一句云，太阳明明朱光佛，又云，太阳三月十九生，由此可以推定这是为崇祯皇帝而作的，因为三月十九是煤山上吊的日子，又明显的说出明和朱来，所以这推测可以说是十分确实的了。

同这相关连的还有民间所崇奉的朱天君，其起源不知是在何时，民国初年我在乡下才注意到，在有应天塔的怪山上的庙里看见神像，披发赤足，一手高举持一圈，说者谓披发赤足皆纪实，圈即象征缢索。大概此像流传有自，必非民间随意塑造，当由吴越遗老神道设教，寄其种族之思，经虽传播，像则隐秘，或混入众多天君之列，置于庙隅，及光复后乃始公开，亦未可知。我因此想起旧时所谓邪教，多是民间真诚感情的表示，因其反抗现秩序，多少有叛逆气，遂被弹压而潜入地下，意义渐晦，世间听官方宣传，乃以为真是邪教，冤枉甚矣。

曾见道光时官书，名曰《辟邪汇编》（记不的确，大意如此，有续编），多引邪教经文，虽仅系断句，却还可看出他的要旨来，乃知此实是封建压迫下民众绝望的呼声，很有政治的与文艺的价值。大旨谓世人悉一母所出，是名无生老母，众子女离母日远，受诸苦厄，渴欲回返母所而不可得，老母念诸子女，亦切望其归还，盖因绝望现世，呼号求脱之词，与《刘香宝卷》等正是一例，可为民众生活的好资料。经中设为母子互相恋慕，失散求聚之词，粗鄙而亦诚实亦悲哀，当时读之颇为感伤，曾写了一篇《无生老母的消息》以纪念之，只可惜此各经文原本不可得见，不然倒是真正的一种民间文学也。

（一九五〇年三月二十日）

头发的问题

人类是从猴子进化来的，但那是几百万年前的猴子，与现今吱吱喳喳在树林子里叫着的已是远的本家了。人与猴子已经有许多不同，人能直立，说话，手拿器具，身上无毛而有头发，这与胡须爪甲都会生长，这一点特别与别的生物不一样，是很有点奇怪的。我们不曾在周口店找到“北京人”的长胡子和头发，但推想他该是有的，到了现在北京的市民也一直是如此。照理讲，这在古时候一定是很不方便，还不如大猩猩那么好，嘴边只有猫须的那么些，头上长短适中，倒好像刚从理发馆出来似的。

有了头发老是生长，处分很是费事，非洲黑人把他做成几个小辫，涂上黄泥和牛粪，拖在头上的前后左右，此其一。如中国古时头顶盘髻，戴上道士冠，此其二。女真满蒙四周剃光，只留顶搭，编为长辫，此其三。这第三种最为奇特，实在要比非洲人更为野蛮，他们用牛粪，只是当粘发的香膏用而已，若是有好香膏，自然也舍彼而取此了，半边和尚是何所取义呢。辛亥革命别的没有什么成就，至少将这猪尾巴去掉，总是够好的事情吧。这之后就好办了，只要像剪庭园的草皮似的时时剪平，便可了事，古代髡是刑罚，所以忌讳断发，到现在这个忌讳也已克服了。馀留着的只一个问题，这便是女人的头发怎么办，其实本不是什么例外的事，如同男子的合并办理也并无不可以吧。

（一九五〇年三月二十一日）

大脚仙

《江南好词》一百首，上元张汝南作，小引署丙辰，即清咸丰六年（一八五六），其时南京为太平军所据，张氏避难江北，乃作是词以寄感慨。引言中云，“庶几名蓝古刹，俾空中现出昙花；旧市新廛，似海上幻成蜃气”。卷中十九皆咏名胜，词亦寻常，末十首杂记市井闲事，较为可取。但是我觉得最有意思的乃是第九十九首，其词云：

江南好，

大脚果如仙，

衫布裙绸腰帕翠，

环银钗玉鬓花偏，

一溜走如烟。

注云：“大脚妇女其美者皆呼为大脚仙，其妆饰如此，见过者能知之。谚云，大脚仙，头绾白玉簪，脸像米粉团，惯走街边，走起来一溜烟。”第一百首为《报恩塔》，注有云："蒙尝谓江南有三绝，报恩塔，大脚仙，瓢儿菜，皆天下所无，兹故同咏于末。"张君已是百年前人，却能那么明达，不以天足为非，很是难得。于今塔虽不见，大脚仙则与瓢儿菜长是健在，也可以满意了吧。《天籁集》卷二钱塘悟痴生批童谣后有云：

> 吴下风俗，乡间妇女十九不缠足，以其操作辛苦，便于起居，且田中诸事妇女往往代夫之劳，烈日如火，田泥欲坼，赤足坐横木上，踏桔槔取水，其男子则提儿抱女，与村人团坐茶寮，纵谈豆棚闲话，日夕则归炊以待妇至。然非田忙时，则妇亦倩[1]妆卖俏，自有一种搔首弄姿态度，诚如跟跻蒲鞋日照伞二句之写生者。

这虽然是三百年前的话了，意见却也不旧。次章歌词云：

> 红鞋子，绿鞋拔，
> 新堵田塍滑，
> 走一步，滑一滑，
> 退一步，拔一拔。

批语中对于缠足大加攻击，至云身体发肤不敢毁伤，奈何作女子身而罹此惨毒，则更义正而词严了。

（一九五〇年三月二十三日）

【锺校】

①"倩"原作"清"。

盐茶

中国吃茶的风俗大概在汉时已有，王子渊的《僮[①]约》中有武[②]都买茶的话，可以知道，只是吃法不详。唐人煎茶多用姜盐，薛能诗云，盐损添常戒，姜宜着更夸，苏东坡说，茶之中等用姜煎信佳，盐则不可，意思相像，可见至宋时还是如此。废去团饼的制法，改用整片的叶茶，开水冲了吃，这大概盛于明朝，其时不但不用盐姜了，就是香花也[③]渐不用，田艺蘅[④]在《煮泉小品》中说，人有以梅花菊花茉莉花荐茶者，虽风韵可赏，亦损茶味，如有佳茶，亦无事此。古时的末茶现已无有，团饼只有普洱茶还是那么

【锺校】

①"僮"原作"童"。

③"也"原作"已"。

【蒋校】

②"武"原作"五"。

④"蘅"原作"衡"。

做，此外红绿茶都是整片芽叶，好的也不用花了。

但是礼失而求诸野，古代的风俗往往留存在民间，据《广东海丰过新年》一篇文章里，那里新年款客还是用盐茶的。据说喝盐茶是海丰人的一种嗜好，尤其是妇女们，每天早饭后过两点钟，就弄盐茶喝，有的到下午三点钟的时候，还要喝一次。盐茶做法是用茶叶放在乳钵内研成细末，加些食盐，用开水一冲就得。盐茶里和些炒熟的芝麻的，叫做油麻茶，平时有客来也请吃盐茶，大抵加上一点芝麻，如果是款待比较亲敬的客人，那时芝麻就多加一些，所以《海丰竹枝词》里有两句道，厚薄人情何处看，看他多少下油麻。这一段记事给予我们不少的知识，我们想像古人吃加盐的茶的情形大概亦是如此，也就想试他一下子看，不知究竟风味如何。

（一九五〇年三月二十四日）

瓜子鸡

人民政府顺应了民众的意思，规定阴历元旦为春节，放假三天，所以这回新年似乎在民间过得特别有兴致，大家写的文章也很不少。从旧书堆里找出一本《中国新年食俗志》来，乃是民国二十一年所刊行，早已绝版了，所收有叙述二十二篇，序文四篇，插图六幅，编者是一位乡兄，所以头一篇记本地乡下的风俗特别详细，我看了很觉得有趣，有些还是我所几乎忘记了的事情，如图上的瓜子鸡。下文在玩艺中有这一项，说明道：

> 母亲抱着孩子在桌旁吃瓜子，她的手和口替孩子剥瓜子吃以外，还给孩子用瓜子作玩具，即瓜子鸡，是用五粒瓜子夹起来而成一只鸡。孩子一边在玩着鸡，一边在两手杀鸡，一只只的拆散，一粒粒的吃去，不久鸡群都被吃到小肚子里面去了。

经他这么一说，我就记了起来，假如有瓜子在手里，也会得做成了。此外各地的记录，详略不同，也都很有意思。序文从学术理论，社会实际，说明新年风俗之理应保存，顾颉刚最说得好，他说这种节令的意义是在把个人的安慰扩充为群众的安慰，尤有重大的关系。民众劳顿的工作了一年，该得休息一下，尽力快乐一下，然后再整顿精神作第二年的事。这快乐当然不是赌钱或是嫖院，我们要掉龙灯，跳狮子，放烟火，点花灯，让大家一齐快乐，使得大家好提起精神，增进这一年中的生产的效能。这虽然是十八九年前的旧话，岂不是还可通用于现今，作为新年的解说么？

（一九五〇年三月九日）

儿童诗与补遗

东郭生做有儿童诗若干首，预备托《亦报》发表，抄了先给孺牛齐甘诸公一看，齐公觉得儿童游戏部分遗漏太多，开出一个单子来主张添补，孺公则以为过年这时节还有许多事可记，特别有趣味的是看灯头戏，此外又举出一首儿歌云：

二十夜，连夜夜，
点得红灯做绣鞋，绣鞋做起拜爷爷。

此歌本身很有诗意，遗漏了的确也是可惜。我也记起唐人的几首小诗，都可以补入《儿童故事诗》里，如云：

幼女才六岁，未知巧与拙，
向夜东堂前，学人拜新月。

×

小娃撑小艇，偷采白莲回，
未解藏踪迹，浮萍一道开。

×

牧童见客拜，山果怀中落，

昼日驱牛归，前溪风雨恶。

但是东郭生有他自己的辩解，他说做诗很苦，情动于中而形于言，永言嗟叹，以至手舞足蹈，有如擦火柴，必须热到某种程度，才会发出光焰来，可是这一来火柴也烧光了。古来诗人多苦吟，是很不卫生的事，我们看画像上刘随州柳柳州等都很瘦，李长吉贾浪仙更不必说了，好吃猪肉胖得[①]很喜睡觉的韩退之他本是官僚，同样好吃猪肉的苏东坡也有点胖，他的诗算不得怎么好，应当别论。《儿童诗》近于打油，可是打油并不一定容易，而且同样要有兴趣才行，不然也做不出来。没有诗情诗兴而硬要写，这情形似乎有点像吃春药。我便折衷的说，有这些材料，用散文写下来也好[②]，文化建设的高潮中，民俗学自然也占一个地位，这种资料都是必要的而且有价值的。

（一九五〇年三月十日）

【锺校】

①“得”原作“很”。

②“也好”原作“好也”。

《伊索寓言》

《伊索寓言》世界各国都有译本，中国译得很迟，大概已是二十世纪了吧，因为是用古文译的，小孩看不懂，大人们看不起，所以流行不广。但这以前有过另一译本，名曰《意拾蒙引》，英汉对照，共四十则，一八四〇年出版，四十年前在外国图书馆里看过一回，忘记何处印刷，其时香港上海都还未开辟，或者是在澳门吧。年代早了，内容的古老是必然的，不会得比后来的好，但是关于这书有一种传说，倒是很有趣的。

据摩利思在《英国现代评论》上说，当时《意拾蒙引》出版之后，中国官吏非常爱读，后来有一个大官说道，这显然是在说咱们，于是命令把这书列为禁书云。这故事说得很有意思，只可惜是太不合事实，第一是中国官僚不会看这种书，第二照时间讲，其时正是鸦片战争，一八三九年英人犯广州，后攻取江浙各地，至四二年南京条约成，五口通商，香港割让，在这时候官吏读洋书是不可能的事。至于大官说，这显然是在说咱们，却是形容得好，中国向来多文字的禁忌，所以假如读了《伊索寓言》，那一定会立即感觉到的。

我们猜想那一篇顶犯忌讳，这自然不容易说，大概那《有两个妾的男人》总是其一吧。年青的女人拔他的白头发，年老的一个又拔黑的，不久那男人就成了秃子。这故事老爷们听了便要很生气，他们不怕说是贪污无能，却只恨私事被人知道，读《孟子》里齐人一章已经有点心虚，哪能更忍得外国书里的挖苦呢？摩利思的故事不可靠，但其揣摩清朝大官心理的话却是十分有道理的。

（一九五〇年三月二十五日）

无意义的古迹

上面所说，花园别墅，僧寺道观，古迹等，平常都认为点缀风景的必须品，我却全看作白布上点点蝇恶，非铲去不可。首先把那片野生森林整齐一下，恶木悉数伐去，良木排得有条有理，教他平均地发展，欣欣然而向荣。再把坟墓古迹毁灭，寺观别墅之类改作养老院幼稚园和学校，利用水力建设工厂，城市中栽植森林。因为交通便利，深山里造起许多村落，人在平野都市工作，晚上可以回到山里去娱乐宿息。

这是民国十八年出版的《〈水经注〉写景文抄》序文的一节，读者一定要觉得奇怪，这与书的内容岂不正相矛盾么？其实也并不然，他在末后说明："在没有走入这个大乐园以前，我们止好在垃圾堆里找些《水经注》文章解闷，因为见了真山真水反生气。"

我们再看这做序的人是谁，更不感觉什么奇怪了，因为他乃是范文澜，即今华北大学的副校长。他这二十年前的设计不知道有若干改变，我对于那白日来做城市工作，晚上回山里住宿的办法非常表示赞成，这真是十分理想的生活。他主张除去坟墓，不但为经济方面着想，而且从审美上说，漫山遍野大小馒头，譬如人身上长着无数疙瘩，何等难受。

在反对古迹项下，他又说，譬如说姜太公在这石头上钓过鱼，我们知道了有什么意义？天下事说穿了多是可笑，姜太公拿着杏黄旗骑过四不相，所以大家更觉得可笑，其实便是严子陵也何尝不是一样呢。可是话得说回来，确实的史迹自应纪念，如秋瑾被害的轩亭口，若是方孝孺的血迹石那便是假古董了。

（一九五〇年三月二十六日）

咏臭象棋

有人在国民党匪官住过的地方拣到几册旧书，有一册是抄本的《怪吟杂录》，书面上留有美国制皮鞋底的泥印。卷末有邹存淦的印记和跋，他即是给哈同广仓学窘编《艺术丛编》的邹安的先德，这书就是他手抄的。据跋里说，是书与郭雪帆《捧腹集》后先称同调，滑稽玩世，有东方曼倩之风，似出寒山拾得上，嘉庆甲子刊行，经乱烧失，光绪壬午借抄，卷尾已缺，今乃复出现，计百五十年中已历劫两次了。作者蔡藕船，自称土桥一怪，自序云，诗有打油腔，歌有随嘴调，年来嚼五嚼十，积成一册，凡应规合矩者概弗登焉，其怪性可见一斑。大抵乾嘉间在江浙一带滑稽诗文很见流行，后世总集如《文章游戏》《天花乱坠》等可为证明，专集流传甚少，《怪吟杂录》是其一例，则幸而得存者也。除了是清季滑稽文学的资料之外，有些诗歌在现今看去也还仍有意思，可以抄了来当作现代的打油诗发表，上卷有咏臭象棋诗两首，其一是五律云：

卒未过河死，炮先临阵亡。
将军离本位，士相散他方。
逼马跳边界，驱车入弄堂。
照时常闷杀，教客没商量。

又七律云：

象棋易学最难精，市井消闲往往争。
两次三番称败将，七零八落布残兵。
车因偷吃常相夺，士到临危没处撑。
蛮兑不知人马折，旁观早已定输赢。

这两首诗假如是今人所作，岂不是讽刺国民党伪政府的很好的打油诗么？

（一九五〇年三月二十七日）

典故的用法

三十年前胡适之提倡文学革命，提出八不主义，风靡一时，大家奉为写白话文的圭臬，但是后来也渐有人讨论，觉得其中不用典故一条，大有可以修改的馀地，典故的可用不可用，全要看用得怎么样，不能有什么硬性的规定。

当时反对用典故的动机，完全在于反对所谓选学妖孽的那种无聊的骈文，若是散文中偶然用一两个典故，由于修辞达意的方便上来的，那本无可反对的地方，有如说唇亡齿寒，掩耳盗铃，亡羊补牢，原是典故，现在却只作成语用，就是矛盾、要领、规矩这些名词，讲到底又何尝不是一种典故呢？再说口头俗语，如只许州官放火，不准百姓点灯，这本是田登的故事，见于《老学庵笔记》，现今已到处通用，又如逼上梁山，出于《水浒》，歇后语中的猪八戒吃人参果，程咬金耍斧头，周瑜打黄盖，白娘娘斗法海，也都是小说里的典故，却比较有表现的力量，所以多被采用了。环境有必要，自身有力量，这样就可以用而且很有效率，否则乃是“反穿皮袍子”在装羊，即是做假骈文那一路，于今大可不必。

尝见斯大林演说中说共产党不离开人民永不会失败，引用希腊神话里的安泰阿思，近时维辛斯基在会场上说英国要与中国人民政府缔交，一面支持蒋伪政府的代表，引用罗马神话里的两面神耶奴斯，这两件原是西洋的典故，你只看他用得多么适当而有力，就可以知道典故的用法是应当怎么的了。

（一九五〇年三月二十八日）

看姣姣[①]

关于“正月灯二月鹞”的一首儿歌，柳絮先生说他所知道的一本，第二句乃是三月上坟船里吃饺饺，歌词的传闻异辞是常有的，说起来也是很有趣味的事。但是据我所听到的，这末一句也是看姣姣，而且发了一点考据癖，对证古本一下，都是那么的说，其一是光绪四年编成的范啸风的《越谚》，其二是民国二十年出版的娄子匡的《越歌百曲》，二书前后相距有五十多年，所说却是一样，所不同的范本题作游荡子轻薄谣，乃是正经读书人的看法，娄本则底下还有两句云，四月车水戴箬帽，五月太阳地下捉噶蚤，说的又是农夫的生活了。

我小时候是把这歌看作说儿童生活的，至今还保留这个成见，这里边没有多大轻薄成分，说农夫呢，

【锺校】

① 刊于《亦报》时题名《看姣姣的来源》。

到市镇去看灯头，蹲在田塍上看女人固然也可以，但放鹞却没有工夫，单是看看是没什么趣味的，所以我仍是维持我的意见。姣姣这字虽然不是真正方言，但因弹词中的美多姣，以及戏文里公子与帮闲的说白中常有姣姣的话，在民间也是很通行的了，我想或者正因为这里有花脸公子的气味，故被范君列为游荡子的歌谣也未可知。但是这个时代不久也怕要过去了，从前两性平时隔绝，只在扫墓时候可以望见胭脂点得血红，水粉拓得雪白的面孔，配上头上的珠花，脚下的绣鞋，大家觉得这是一个难得的机会，现在布袄椎髻，到处可以遇见，何必要等三月，更无论扫墓的旧风俗也不大会得保存下去了。

（一九五〇年三月十六日）

猩猩的血

哲安乡兄新编知识连环图画《动物园》，先就哺乳动物十类，绘图列说，很是明了，开头是几个类人猿，我特别觉得有意思。大猩猩从前用音译称戈力拉，非洲语云野人，黑猩猩称青明子，语意未详，猩猩称阿郎乌丹，马来语云山人，狒狒则是巴本，所谓狗面猴子，类人的程度就较差了。中国古时所说狒狒似乎都指戈力拉，说他吃人原是靠不住的话，笑辄上吻掩额，也说得夸张，但于他的厚嘴唇还有点关系，至于猩猩指的是青明子或阿郎乌丹，未能明白，但从地域来推测，或者当是后者吧。

我们认识猩猩很早，《礼记》上已说猩猩能言，这话一直传到现今，事实上自然是不确的，但在小说上留下不少好玩的故事，如《独异志》云：

汉黄霸为封溪令，部人陈廉携酒并猩猩以献，霸问曰，何物，人未及应，囊中语曰，斗酒并仆耳。霸以其物有灵，开囊放之，猩猩悲啼而去。

古时盛称猩唇好吃，因为未曾吃过不能确说，只就熊掌来比，却实在只比得火腿皮的味道，所以我想《吕氏春秋》的话不见得还[1]比《孟子》更可靠。又相传其血可以染赤，至今称猩红热，还是用的这个故典，其实那病各斯卡拉帖那原是指的朱色，猩红即是绛，有朱红与大红之别。用血染色，恐怕也不是事实，查看明人的《天工开物》，卷三系讲染色的事，列见各色所用的染料，自大红至水红色均只用红花为质，加减而成，没有说到用什么动物的血。中国古来关于动物的好玩的故事很多，可为观止了，讲动物生活的真实的故事却是太少，这只能希望将来会得渐渐有人来做这工作。

（一九五〇年三月二十九日）

【锺校】

① 此处原衍“得”字，已删。

怎么唱喏

看旧小说如《水浒传》，常见其中有唱喏字样，或云唱一个肥喏或无礼喏，大抵是一种行礼打招呼吧，也就不求甚解的看过去算了。后见陆放翁《老学庵笔记》卷八云：

古所谓揖，但举手而已。今所谓喏，乃始于江左诸王，方其时唯王氏子弟为之，故支道林入东见王子猷兄弟还，人问诸王何如，答曰，见一群白项乌，但闻唤哑哑声，即今喏也。

又卷二云：

先君言，旧制朝参，拜舞而已，政和以后增以喏，然绍兴中予造朝，已不复喏矣，淳熙末还朝，则迎驾起居阖门亦喝唱喏，然未尝出声也。

乃知唱喏即是作揖，只是口里边说一声，这说的是什么却不明白，难道就是说这个喏字么？古人答应说唯或喏，这也不知道是怎么说的，与《书经》的俞与都是同样的疑问了。宁波还有唱喏这名称，但不知如何唱法，又叫作相唤，也即是作揖，《越谚》中“九九消寒谣”第一句云，头九二九，相唤弗出手，范啸风注云，越呼揖人为相唤，弗出手者，冷也。当初相见作揖，想必要叫一声，乡下习惯见长辈时必须称名号招呼，或即其遗风，又戏文上二人见礼，也必说见礼有礼，岂非礼失而求诸野之一例乎？唱喏即是作揖，那么肥喏当是拱揖，把两只臂膊拱得圆圆的一恭，无礼喏则只是捧着两个拳头拱了一下而已。小时候把喏读得同诺一样，据马君说则现读作若上声，查字典云《集韵》音惹，敬言，或者等于北京俗语里的喳，假如放翁的推测不错，这大概总与乌鸦的叫声相去不远吧。

（一九五〇年三月三十日）

借水

雪窗先生前曾说某年大寒，自来水管冰漏而关水门，白天向邻居借水，言明加倍奉还，而邻人拒不与，竟连门也弗肯开。雪兄的愤慨是无怪的，然而贵邻人的态度却也未可厚非。范定先生说得好，以前我们是一个不许大家多事的社会，这固然没有明文规定，但是谁去多事就要吃亏，乃是封建社会长久的经验，大家都是明了的。

清初石天基编的《传家宝》共有四集，每集十册，收录的书有数十种之多，传授持身涉世之要道，于谨守传统，顺从权威两大纲外，关于家居外出各种注意，无不详细指示，总之是要时时警戒，以免上当，其原则是认定人都是贼，所以不可相信，并且不能说实话，假如姓马，在旅行中有人问你，应说姓牛，年四十岁，可打个九折说三十六，往芜湖去，当加长说安庆或缩短说南京，最好或是含胡其词云就在那里。三百年前的事不说也罢，我的祖父辈的人也还是这样意见，路上怎么用心防闷香，解迷子，不相信人家的话，自己也别说真话，我小时候都曾受过这种教训的。

现在且说借水，我们须得假定邻人是石天基的徒弟，恪守不多事的教条，他怕这借水会于他有什么不利，你既没有铺保作证，他怎能相信借时不是去看“脚埭”（即是贼的路线），即使给你提了水出来，还来的水里焉知不放有迷药呢？总之他是绝对不相信，生怕要有害于他，这在以前的社会里你怎么能怪他。我们的愿望，是在现今或将来，去借水时人家肯借给你。

（一九五〇年三月三十一日）

记念寿石工

寿石工于去年冬天翘了辫子了。我这样说，并不是对于石工有什么不敬之意，实在反是记念他，因为他便是那么喜欢说玩话的。以前所写笔记中曾讲到周栎园的著作，有一节云：

《印人传》卷一，书许有介自用印章后云，君大腹，无一茎须，望之类乳媪，面横而肥，不似文人，字画诗文恒多逸致，见其手笔者拟其貌若美好妇人，亦异事也。又云，缁诸印章，如见君鼓大腹，以巨觥合面上时。此与印章或无甚关系，唯描写极妙，读之真觉得此中有人，呼之欲出矣。

我下笔当时心中便想着石工，因为他正是那么样，一丝都不差，这几句话可以一字不改的拿过来送他，天下事真有这样的巧合的。我们同他生疏一点的，看见时还是相当客气，若是遇到了老朋友，便嘲讽笑骂，一齐都来，不但是市井的“油口罐”，就是不登大雅之堂的话也无不出来了。

在这一方面他的敌手是一个同乡的画家兼印人陈半丁。有一回在同乡处遇见他们，两人见面便说道，“你也来骗饭”，这算是打招呼。我同石工攀谈，知道他不曾到过故乡，我说何妨几时去走一趟，半丁拦道说，“你不要劝他去，要吃人命官司的，绍兴人看见他，要吃一惊，说这是什么东西，快赶下河去，岂不把他淹死了”。这不过比他为乌龟，没有什么道理，即此却已可见他们酬对之一斑，至于石工自然也不肯默受，这样一来话就多了，若是不知道的人听来，恐怕要当他们是说相声的，只可惜这些话没有能够记了下来。

（一九五〇年三月十八日）

寿石工刻印

讲起寿石工来，势必要说到他的刻印，因为他以此出名。他单名一个鉨字，号石工，也取义于此。我们外行人没有什么可说，只可请教于内行，现在且以现任故宫博物院长马衡为例。他也不曾正式批评过，只是听见人去找齐白石刻印时，常说为什么不找王福庵寿石工而要去找他呢。有一回我同钱疑古托人去找齐白石各刻了一方名印，叔平知道了，据疑古说，他特地坐了汽车赶到疑古宿舍，对他说道：你就是有钱多馀，也何必那样的花。其实那时我们钱也并不多花，因为齐白石刻印虽贵，但是由疑古的好友黎君拿去，便宜得很多，因为他们是同乡有世谊，齐白石自称木人，据说从前在黎府上做过活，以上均根据疑古所说，如有出入容当改正。

齐白石的刻印，我只有朱文白字各一方，老实说也并不十分喜欢，陈师曾的也有两方，似乎同样是受吴缶庐影响的，我却觉得很好，这大概是我的一种成见也未可知。石工的印我有好几方，大抵是托他的学生转求来的。他有几个学生我不知道，我只认识其一，名叫金彝斋，也曾请他刻了好些，都很有意思。金君又善刻印钮，能刻成种种①鸟兽鱼贝之属，颇极精巧，去年苏联艺术代表团来华，他曾受命刻制数十个。不用汉字的国家用不着中国式的印章，但是在青田寿山石上刻成种种物象，很可爱玩，也是一种艺术品，所以也为识者所珍赏吧。

（一九五〇年三月十九日）

【锺校】

①“种种”原作“种”。

于非闇的笔记

有一个时期，在北京《实报》上发现好些小文章，专写市井间风俗，细腻有致，其中养鸟钓鱼部分，记得曾出过小册子，作者题名曰闲人。又有一个时期，在某文化机关里常遇到一个职员，衣服质朴，言谈很有风趣，往往聊天大半日，到了中午我才急忙走了出来，这人姓于，官名忘却了，因为我只记得他的号。在这之间，有时画家开什么会展览，在那里有几幅特殊的画，好像是宋朝院画一派的工笔的花鸟草虫，着色特别鲜艳，据说用的是前清旧有的颜料，写着宋徽宗的瘦金体的字，人家一望就知道是于非闇画的。这三个人原来就只是一个，通称于非闇，我知道他很早，不但是在胜利前抗战前，而且还在北伐前，算起来已有二十多年，近来看见报上有他的广告，仍在作画刻印，虽然不曾去看过他，却很觉得高兴。

于君在北京是以字画和印出名的，但是在我的意见上最推重的乃是闲人的文章，因为这个我还比较的知道一点，对于书画实在是个外行。闲人的那些市井小品真是自有他的一功，松脆隽永，没有人能及，说句俏皮话，颇有他家奕正之风，可以与《帝京景物略》的有些描写竞爽吧。他早已中止写作，这是很可惜的，虽然艺术的成就也一样的有价值。说也奇怪，在艺术家中我与于君最是相熟，可是没有他的一幅画和一颗印章，这理由是很简单的，因为熟识，所以白要也不好，算钱也不好，便那么的搁下了。

（一九五〇年三月二十日）

小儿的哭声

古人有言，人家里有儿啼声，读书声，织布声，是好气象。呱呱的儿啼是自然的表现，原是好的，若是哭乃是表示悲苦，与凡哭一样，听了就不是好玩的了。听哭声总是难过，但也有个差别。男子轻易不哭，听的应有同情心；女人哭得凄惋，听者该敬而远之。女人在封建社会是无告者，理应更予以同情，为什么照鬼神看待的呢？中国圣人说，寡妇不夜哭，贤人注释云，为嫌其思人道也。这句话翻不好白话，但是这种礼教的邪心也就足使旁人胆怯，不敢多管闲事了。

小孩子更是无告的了，妇女还有革命的能力与机会，小孩却是先天无力，他的愿望不能满足，或者被大人所薄待，就只好哭。古语云，疾痛则呼父母，现在如父母不见理会，那么这正是世间最可悲的事了。有人说过，上街走过一家“小人家”前面，看见一个一两岁的小儿高高坐在凳子上，正在哭哩。他的为娘的却跪在地上尽拜，嘴里说道，爹呀，你饶了我吧，为啥还不死呢！她是在诅咒，照迷信说这种诅咒是很可怕的。那小儿未必知道这个意思，总觉得情形异常，便像是火着了似的哭得更凶。那人自己也未必是怎么一个慈父，对于此事却是非常愤慨，我便听他讲过两三遍。可是我们又岂能单独责备那位母亲，《诗经》有云，民之失德，干糇以愆，事实上岂不是因为生活困难以致天然的慈爱也变了态么？俗语云，虎毒不食儿，那便因为老虎是没有生活困难呀。

我们要说孝，说慈，说各样道德，如不把生活问题算在里边，总是不能说得对的。

（一九五〇年四月一日）

重译书

普通所谓重译，是说甲国话先译为乙国的，再从乙国译成国话，这是传统的说法。现在用的是另一意义，乃是说同一种外国书的第二次以上的翻译，往往因为对于以前的译本感觉不满，所以从新译过，多少带点自信，要比旧本总好一点，因此重译书之多少与文化发达是成正比例的。

可是在中国，这种重译书却是十分稀少，这个原因大概可以说是三方面的。译者的责任比较最少，他即使有这个志愿，但他不过是个卖力气的，如得不到雇主收买他的劳力，他还只是一个失业的工人，只好袖手在孵太阳。读者方面是多半看书看故事，有如读《水浒》，只看宋江李逵怎么的上梁山，不管是李卓吾或金圣叹本，反正是那故事就得了，并不想找别一个本子来看，其实便是说书，也因说书人不同而有好坏呀。末了是出版者，照理讲他也是文化工作者，于文化有理解，对于读者该有点带头作用，一面赚他们一点钱，一面也该给他们一点帮助与利益。但是事实上是商人占了十九的成分，至多十分之一的文化气沉淀在底下不发生什么作用，不但是自家出版的书不愿改译，就是别家的出版也不肯再来出重译本，并不是尊重人家的利益，乃是怕自己的无利益，虽然明知道这后译本要好得多。

中国的译书事业至少已有五十年的历史了，成绩却并不佳，主要的原因是，出书的目的是商业的，不当作文化品看，却是当作货物计算，其结果如此，正是不足怪了。

（一九五〇年四月二日）

洗三的咒语

买到两本旧书，名曰《北京的市民》，是日本文的，罗信耀著，式场隆三郎译，一九四一至四二年出版。原本是英文所写，名曰《吴的阅历》，注云北京人的一生[1]，叙述一个旧家里小孩产生，渐以长大，以至结婚，中间经过祖父的生日，生病死丧，将旧时风俗习惯仔细描写，并及岁时风物，琐屑有致，没有小说的结构，迤逦读去却有引人入胜的地方，比随笔散记为有趣味。例如关于小儿洗三，大部的《北平风俗类征》只在卷十二中引《燕都杂咏》注云，生子三朝洗浴，谓之洗三，亲眷送添盆钱，稳婆以吉语致祝，再也不见别的话了，在这里洗三一章的译文却占了十六页，有些稳婆的祝词也很有意思，大概还是未见著录的。用五色丝线、生鸡蛋、纸制石榴花、铁秤

【锺校】

① 此处原衍“涯”字，已删。

锤、铜锁、生葱、梳子做过种种把戏之后，祭祀床公床母，把他们送走的时候，口唱咒语云：

床母床母本姓李，

吴家的小孩交给你，

摔了碰了不依你。

从前东坡奉命作祭床公床母文，不知道怎么写好，未免为老婆子所笑了。据译序说罗氏那时年三十馀岁，原是对外的珠宝商，给北京英文《时事日报》写稿，后来分出两册，有自作的木板插图，也很画得不错。看他文笔颇好，旧学也有，为什么不用中文写呢，我想大概也只因为大家对于本国民俗没有兴趣，写了不大有人读，也不大容易出版的缘故吧。

（一九五〇年四月五日）

古诗里的儿童

在友人处看到些英日文的图书，有《文学上的儿童生活》《歌咏儿童的文学》这一类书名，借一二册来看都很有意思。古希腊诗人荷马在史诗中记英雄赫克多耳出征前与妻子诀别，双手举起小儿子来颠播，小孩见了他父亲盔上摆动的羽毛害怕，赶快逃去躲在母亲的衣裙背后。这描写看似寻常，却是写在基督纪元前八百五十年顷，那时中国正是周初，将要周召共和的时代，这与埃及古坟里出来的象牙小娃娃可以比古了。近代的如斯蒂文生的《儿童的诗花园》，各种版本都有许多插画，真是各有胜场，虽是[①]年老的人看了也不禁歆羡而且有点妒意，好像小时候在新年看见邻家孩子穿了新衣服似的。

中国文化很古，可是在这一点上稍有逊色，就是

【锺校】

①“是”原作“有”。

《国风》中也未说及儿童，新文学年月不多，还未见此趋向，可以说是难怪的。只是在这中间有过一点儿，《玉台新咏》中左思的《娇女诗》，《宾退录》中路德延的《孩儿诗》，那是难得的佳作，手头无原书，本文不能具举，总之在这几十句诗中活现出一个顽皮乖巧的小儿女，在别国作品中大概也少有其比。假使费点工夫，把这些收集起来，还有些诗词，如“稚子敲针作钓钩”“闲看儿童捉柳花”之类，也一并分时代列入，即使不十分丰富，总可以成一册子吧。古来诗人多喜欢说酒和女人，现在可以看看他们对于儿童的情趣如何，也是儿童生活的史料有意思的一部分[①]，与儿歌童话同样有[②]价值。

（一九五〇年四月六日）

【锺校】

① “有意思的一部分”，原作“一部的有意思□分”。

② 原无“有”字，今增。

美国小说

同乡友人翻译了一本美国萨罗央的小说《人间喜剧》，送给一家大书店去看，回答说是已有人译过了，是别的书店出版的。我不看美国小说，但这一册是看过的，因为作者原是亚耳美尼亚人，那朋友便将他的译本和已出版的别本都借给我，让我比较一下。译文的达与雅且不谈，单说信这一点，后译的乙本是完全的，先出的甲本只有三分之二，而且把作者发挥他的理想的地方都给删掉了。萨罗央虽是当过兵，但他是反战的，只是不好说明，他的祖国是亚耳美尼亚，历来受难，那里原始的基督教又有一种东方的神秘空气，所以他说“他跟我们是一体”，又云“世界的人是等于一个人”，这诚然难免有点过于空灵，但是在战争贩子当路的美国社会里有似一阵清风，总是好的。现在把他借了主要的人物的嘴里说出来的这些话全部削去，大有买椟还珠的意味，而且又将有些很好玩的场面，例如荷马遇见从前养过兔的老人，由利斯跟了小孩们去偷杏子，也整个节省了，这真是很可惜的事。听说这书里的故事曾编作电影，假如有人看了电影再去读这译[1]本，一定要觉得更可惜吧。

萨罗[2]央的别一本小说集，由吕叔湘君译出，名为《石榴树》，那是译得很好的，很可一读，里边的人物也很特别，不知是不是亚耳美尼亚的特色，但总之与美国人不一样。杨潮所译克拉伦斯·戴的《我的爸爸》也很好，那老头子很有意思，可是那还是美国人罢了。

（一九五〇年四月七日）

【锺校】

①“译”原作“课”。

②“罗”原作“马”。

八珍之一

中国古时所谓八珍只是八种烹调法，用的材料还是牛羊犬豕之类而已，后世务为奢侈夸大，大概也受了道教的影响，辄言龙肝凤髓，根本就是空话，猩唇驼峰可以实有，但照熊掌的例看来，无非是干肉皮煮汤的味道，还远不及火腿皮哩。

其中最为奇怪的是一味鸮炙。庄子说过“见弹而求鸮炙”，可见这历史是很长久的了。这是用什么材料做的呢？读书人坐在书房里闭目一想，这总该是猫头鹰吧，如《格物总论》云：“枭声恶，当盛午目不见物，夜则飞行入人家捕鼠，古人重其炙肥而美。”可是这事很使得世间的鸟学家和乡下卖鸟肉的有点儿惶惑，猫头鹰是这样好吃的么？日本的川口氏在《飞驒之鸟》卷一中便说及这事，以为要吃那只有一丁点儿，几乎全是纤维，而且还有一种臊气的肉，这有什么好呢。我在乡下养活过猫头鹰，的确知道他是轻而且瘦，从卖鸟肉的老妪的搭连里也见到拔了毛的，只有小鸡那么样，更显得头大得出奇，据说生痨病的买去做药吃。陆[1]玑《诗疏》云，鸮大如斑鸠，绿色，恶声之鸟也，入人家凶，其肉甚美，可为羹臛，又可为炙，汉供御物各随其时，惟鸮冬夏常施之，以其美故也。这么说来，他既非圆头大目，有毛角，当然不会是猫头鹰，至于这似斑鸠而绿色的什么鸟，现在似乎没有人认识，或者已经不见了，大概味道也不一定怎么好，否则人们不会把他放过，在野味店头，总会出现的。

（一九五〇年四月八日）

【锺校】

①“陆”原作“陈”。

垃圾书

德国有名的性学者勃洛赫在所著《我们时代的性生活》中，论诲淫的书画一章里，讲到抵制的唯一方法云：

> 这是在于发达真正的人民文化，增加受教育的机会，和减低书籍的价格。有如赖曼的那种事业，出版他的《德意志小丛书》，每本一角半，搜集精选的作品，不但是最好的小说，还有许多科学大家所写的通俗科学书和文人的随笔，单是这样一个事业，在禁止垃圾文学上要比所有进德联合会的努力更为有效。

原书于一九〇七年出版，所以至少也已是四十年以前的话了，在现今却还是有意义。他所说的垃圾文学并不单指淫书，包括那些滑稽、犯罪各样黄色出版物，这在资本主义社会串同低级电影，教唆强盗杀人和变[①]态的性欲更为有害，解放未久的中国也一样的受

【锺校】

①“变”原作“恋”。

着这害，抵制的方法正是极其重要的。普通禁止只是治标，单从“供”这一边着想，假如“求”那一边存在，禁亦无用，而且禁止可以成为一种广告，有如前清同治年间江苏巡抚丁日昌的应禁书目一样，至今还供搜书者的参考。最好的方法是供应别一批东西，来替代他，这从根本下手，那些垃圾书便再不能生存了。这里有三部工作，勃洛赫已经说明了，我所觉得最有意思的却是在末一节，人民文化与普及教育固极重要，若是书价太高，也是等于叫饥民吃肉粥，还是无用的。这须得由政府来出手，像从前赈饥似的，尽量将价廉物美的书发下乡去，在现今人民政府的时代，这大概不是什么难事。

（一九五〇年四月三日）

活的迷信

中国近五十年来语言文字上增添了不少的新名词，我们现在常用的字眼，如宗教、信仰、神话等，用惯了不觉得，其实都是外来语，或是自译或是从日本拿来，在以前的中国话里是没有的。这些名词既是新的，其解释自然也该如是，即是照世间普通的说法，这是当然的事，不过这里稍有一点问题，特别是关于上边所说的这几个字。

近代西洋各国都是基督教的，所以说到宗教总只有基督教是正宗，别的说得客气一点都是异教，实在乃是邪教，中国向来没有这种意见，原是很好的，假如学了他们的态度倒反糟了。

我们常说这是迷信，可是这有什么标准来决定呢，实在说不出。为什么叫做迷信，那么一定有什么正信存在，可以做个标准吧？这在基督教国自然是如此的，可是我们总不能那么办，不但是不该做尾巴，实在也不知道正信是怎样，何从看出迷不迷来。

我们应该有一个标准，这便是科学，凡是不合科学的关于超自然的信仰都是迷信。迷信又有两种，一是死的，一是活的。死的迷信是古代或外国的，在现时现地已不相信，只存在故事图书里，已成了神话。活的迷信是现存于民间的，这也可以分为两种，一是无害的，如天狗吞月亮之类，一是有害的，如因信人肉可医病而割股或吃人肉，信鬼而不医病等。活的迷信有待于文化建设来加以改变，若是其有害的部分，那就属于应用行政力量来纠正的部门，不能宽心等待下去的了。

（一九五〇年四月四日）

稿里的简字

简字是古已有之的东西，其实大篆变小篆，小篆变隶书，也都是一种简化，只是约定俗成，这才可以通用，若是草书便太简化了，有时候如不加注就看不懂，所以行不通，只供文人的雅玩而已。

从草书而转为简笔字，便是将圆笔势变方，再写成楷书式样的，却也不少，最普通的是“盡”字写作尺字下两点，宋朝有“尺二秀才”的故事，可见那时已有，而且还有用之于考试文字的。日本把“反”字作“段”字用，如布一匹曰一段，写作“一反”，仍读若“旦”，又人旁反字作“假”字用，也都是从草书里来的，虽然与“尽”字一样的有来历，中国则未见有人用过。简字的大多数是民间发生的，见于唱本弹词的刻本，现今通行的大抵以此项为多。

我写简字为的自己便利，但我知道简字只是写来简，看来却并没有什么简，稿纸又是要请人去排字的，总须得认得出，所以也简到适可而止。尺二的“尽”字我是写的，“与”“礼”“艸”三字可写简笔古体，“難”“觀”写又字旁，但“歎”“歡”又要相混，所以不能写，“齊”“劉”“關”“辦”“學”“變”“還”“歸”等字也一定从简，只要“戴”字不写十八，“錢”字不用药方字，此外有许多难写的字没有办法，还只好忍气吞声的照写，如“生薑”可以“生姜”代之，“新疆”就不能简，连那小“土”字也不能省。有些只有一部分人通用的，如唐朝和尚抄经，“菩萨[1]”以两个艸头代之，现代留学过日本的人写“衛”字，以假名工字上画带一钩之字代之，虽是自己不妨用，但如要写出来给大众看时，也总还以不用为宜耳。

（一九五〇年四月十一日）

【锺校】

①“菩萨”原作“萨菩”。

学堂生活

从一九〇一年到〇六年，在南京住过五年多的日子，名称是当水师学生，本家说坏话的长辈说这是兵，可见那时好人家的子弟是不会来的，可是那生活却也着实不错，不但是公费供给，便是宿舍也住得很舒服的。大概二百四十平方尺的一间房里住两个人，各有一个板床，桌子，书架，箱架，面盆架，凳子一两个，油灯一盏，大概可以点到半夜，也可改点洋灯，只须贴两角钱给听差就行。宿舍两排，中间一个大院子，前窗和门开在这面，后窗外是一大片空地，体操场和桅竿都在那里，这所说的是管轮班的情形，驾驶班宿舍还隔一段路，也是大同小异。学堂里有一个打更的老头子，夜中常在后窗外经过，夏夜迟睡，常打招呼，忘其姓，年约六十馀，自言系都司职，盖太平军战役旧将也。

一日中功课不多，兵操打靶也没有陆师那么严重，晚饭后便很自由，买几两白干与花生米或牛驴肉，招同学共饮，或看违禁书报，作革命运动，亦无不可，其时政府专制，但尚无特务，这是与蒋二秃子时代很不相同的。忽忽百年已将过了一半，这种学堂生活不但早已成为陈迹，而且也将不大有人知道了，前作打油诗五言排律一首，题曰《夏日怀旧》，今录于下，算作有诗为证吧。

昔日南京住，匆匆过五年，
炎威虽可畏，风趣却堪传。
喜得空庭寂，难销永日闲。
举杯倾白酒，买肉费青钱。
记日无馀事，翻书尽一编。
夕凉坐廊下，夜雨溺门前。
板榻不觉热[1]，油灯徒自煎。
时逢击柝叟，隔牖问安眠。

（一九五〇年四月四日）

【锺校】

①“热”原作“熟”。

周玉山的印象

我们在学堂里住了五年，从副额（即三班改称）升到头班，快要毕业，得到把总头衔的时候，清廷忽然要派人出洋留学，召集各处水师学生在北京练兵处会考，这是光绪乙巳（一九〇五）年冬天的事。我们同班三十馀人一榜及第，只有我同一位河南吴君因系近视没有被派出去，仍回学堂住在鱼雷堂空屋里，与关帝庙里的老更夫做邻居。我们两人催请学堂设法，却也没有法子，觉得很是烦闷。

有一天大概是次年二三月光景，学堂派人来叫去见制台去。其时两江总督是周馥，有事到城北，顺便来看学堂，又记起留校的两个学生，要叫来一看。周玉山站在体操场上，穿了棉袍马褂，棉鞋也很朴素，像是一个教书先生模样，看见我们便问什么代数几何三角都学过了么，答说学过了，又问了些话之后，即云那很好，回过头去吩咐道：给他们一个局子办吧。

在他后边跟着好些官，大概是藩臬府县之类吧，却都答应道："是！"吴君同我回答说不愿去办局子，请大帅还是派我们出去改学别的东西，他略一思索，便道："那么去学造房子也好。"我们谢了他的好意，实在那一天他给予我们一个很好的印象，可以说在五十年中所见新旧官吏中没有一个人及得他来的，并不因为他叫我们办局子，乃是为了他的朴素诚恳的态度，不忘记我们两个留校的学生，这在刘坤一张之洞魏光焘大概是不会得有的。

（一九五〇年四月五日）

外交家的打牌

前清嘉庆中有人编了一部《谈史述奇》，序文说曾见二三少年共谈史事，甚有兴致，听之则皆是三国隋唐等演义中事，其实正史中奇异可喜的故事也并不少，大可谈得，为什么要相信那么无稽之谈呢，于是同了友人编成此书，其中如汉哀帝要禅位给董贤，明正德自称威武大将军，朱粲吃人肉，张献忠杀人等，的确比普通小说（《封神》《西游》除外）更为希奇古怪。有些关于近人的故事也很有意思，觉得东坡的《艾子杂说》等反而[①]有点造作。

现在就以心公的事为例，这是我从一位说广东话的同乡听来的[②]。心公也是他的同乡，前清时在外交界很久，同那说话人是多年的老朋友，现在却都已归

【锺校】

①“而”原作“也”。

② 原无“的”字，今增。

了道山了。心公好打牌，可是不高明得出奇，不知是糊里糊涂，还是年老眼花的缘故呢，这个我也不明白。据说有一回，他的下家有白板四张暗磕，大家低头只顾打牌，及至算账时，心公牌内有白板一对，下家门前则剩了两张，其他的两张都被心公摸了去了。又有一回，对面还有二万四张暗磕，可是心公是听着嵌二万，末了终于自摸和倒了。大家惊疑，去看对方的二万，原来四张之中有一张是三万。

我们听这故事的人都不肯相信，但说话的人竭力坚持，说毫无折扣，他本是银行家，或者这不至于很靠不住吧。

（一九五〇年四月六日）

旅馆怪客

说话人又讲过一件故事，是关于民国时的政客的。曹锟失败，安福派的政客逃散，有的溜到了外国。这之后不久，说话人大概为了银行的事往欧洲去，到得德国，在一家旅馆住下，老板一见大悦，说来得正好，我们这里来了贵国一位怪客，正在没有办法，现在可以请你去查一下子。据说此人来后就躲在房里，只是时时放一张纸条在门外，要饭要水，送去时也只放在外边，让他于无人时偷偷拿进去，行踪如此诡秘，可不是逃亡的大盗么？说话人听了也得觉得奇怪，前去访问，可是很出他的意外，原来此人非别，乃是他的贵华宗，是一个安福大政客，原来他因为不懂洋话，只预先请人写了几张字条，随时使用，连房门都不敢出。

说话人觉得他这种生活太苦，便带他到中国使馆去，托熟识的馆员招呼他，减少些他的不便，自己先回旅馆里来了。随后馆员要送他回去的时候，却发生了一个大问题，因为那华宗不知道那旅馆和街道的名称，只记得旅馆名的头一个字是皮字。馆员没有办法，只好调查全市的旅馆凡是头一个字是皮字的都去询问，你们这里是不是有这一个客人，答说没有，末后到了一家，也说没有，馆员正极懊丧的将要出来的时候，旅馆的一个女仆恰巧出来，见了叫道，这可不是我们的那怪客么！原来旅馆中只有这个女仆因为送饭送水，看见过一面半面，所以还认识，真是巧极了，假如她不出来，失之交臂，则茫茫大海，更从哪里去找到皮字旅馆乎？

（一九五〇年四月七日）

看戏的经验

我的看戏经验实在不足道，但究竟也是经验，所以值得一说。在乡下的时候自然看的只是社戏，即是民间敬神的戏，原是白看的，台上即使不是紫云班，反正好不到那里去，热闹时满台烟尘抖乱，大翻跟斗，冷静起来一个老旦坐着叹气唱上一二十分钟，我们的注意反而是在台下，因为摊上有些吃食可买，如山东饼萝卜丝饼虾饼等，都是平时没有的东西。后来跑到外边，在上海南京汉口郑州才看了茶园的戏，清末光绪三十一年来到北京，虽然不过住了一个多月，却也看了不少回的戏，有一回看了小叫天，实在却又没有看见，但不能不算是看了。这话怎讲？那时是阴历十一月，正是昼短夜长的时节，我们去看白天戏，不到五点就天色昏黄了，而照例白天戏是没有灯的，因此到末了一场，望上去只见有一个[1]穿红袍的人在

【锺校】

① 此处原衍“个”字，今删。

晃荡，却看不清眼睛鼻子了，这就是小叫天，在专门听戏的是无所谓，不过我们外行便觉得很扫兴了。

民国以后常在北京，却一直不看戏，不但是戏，连电影也不曾看，并无什么理由，就只是懒。有一回一个湖北朋友请客，在座上见到了余叔岩和程砚秋，这已是十多年前的事，余君后来不久就归道山了。至于梅博士我还没有看见过他，因为清末我在北京看戏时他尚未登台，等到他大大有名时我又不看戏了，说起来真有冯唐之感，报上的照相自然看到，不过那不能算。说也好笑，题目是看戏的经验，写下来时却成了不看戏的经验了。

（一九五〇年四月九日）

枕上看书

欧阳永叔在《归田录》中说钱思公手不释卷，坐读经史，卧读小说，上厕时阅小词，又说自己平生作文章更在“三上”，乃马上枕上厕上，盖惟此尤可属思耳。后来因了他这句话，“三上”便成了故典，其实这只是他个人的习惯，不是人人所能做到的，即如我就没法子照办。欧阳是做官的，公事烦忙，只好在这些时候偷闲构思，别人也何必如此呢。况且他的文集有百十卷，这许多诗文单靠这样的去做，哪里来得及，还不只是那么说罢了。

我不骑马，上厕的时间不长，要想只有在将睡未睡时，这时候多少可以有若干分钟，但是我的经验这大概也是大家的经验，假如躺着多思想一会儿，便会兴奋起来，小时候听大人们叫作劳神，这一劳了神之后就要睡不着觉，这一夜睡眠不足，第二天这一天里精神不好，什么事都做不成，反不如把这事移到白天去想，至多半天也就够了。我倒觉得钱思公的办法很不错，特别是卧读小说这一点，和我的意见是很相合的。我没有晚上用功的习惯，无论是写文章或查书，都是在白天的，到了吃过晚饭，以后便是闲空工夫，只等候睡觉，可是这其间总有两小时，便拿来实行枕上看书，久之也成了一种日课了。

这里为难的是书的问题，照钱思公的例最好是小说，可是洋书太重，不便也太累，只有用线装旧书，而新书笔记少有好的，又不经看（经或者应写作禁），还是旧说部书可以炒冷饭，近来正在看贯华堂本《水浒传》，一天看二三回，有一个月光景可看。

（一九五〇年四月十日）

改良衣服

中国现今的衣服穿了也很舒服，当做人民家常服也是好的，只是长袍很不方便，特别是在走路做事的时候。改良衣服的话早早已有了，许地山制有一种自己设计的衣服，可是没人见他穿过，朋友问他时，他笑说，只要有个人陪他穿，他就穿了。许君去世已有十多年了，他的设计恐已无可考，这是很可惜的事，以他的学问见识，这一定是大有可取的。

全盘西化的主张用西装，那自然是很好的事，就只是有如吃肉糜，难以做到，照人民的生活习惯经济状况来说，实行殆不可能。若是要顾念中国现时现地的情形，那么还只好用本国短装，稍加改变，如上衣略加长，改右衽为对襟，裤子虽不大好看，要改西式也有困难，不能普及，我觉得旧式亦不妨，但不太臃肿就好了。要紧的是人有精神，衣服简便干净，破旧补缀别无妨碍，就可以站得出在人前，担当得事情。

虽有顶漂亮的巴黎服装，穿在白华身上，可有什么光彩。我想现今的中国服还是明朝底子，只是斜领改圆，大袖改小，至于满洲骑射用的马蹄袖开衩袍均未通行，就是马褂也只在士大夫中才有，所以用现今服装不必以胡服为疑，而且只要便利适用，就是胡服也有什么不可用呢。

改用西装，目下就只是条件不够，不能实行，假如若干年后，各种建设成功，工业手艺均极发达，人民有力量了，那时就可以改，这也就是时间问题而已。

（一九五〇年四月十二日）

拜年看游记

小时候往亲戚家拜年，往往要费好几天工夫，例如祖母家，母亲家，姑婆一家，姑母两家，都在乡下，去时须坐船，总有五七十里的水程，早去晚归，白天短的时节已是漆黑，要拿了灯笼下船步来了。有时便开夜船，早上到一家，只吃点心，中午又到一家，吃了饭下船，次早再往别家去，可以从容地回家来。无论怎样走法，反正至少是一整天，本来千岩竞秀，万壑争流的风景也可以看得，不过看惯了没有什么，而且那是平水一带的情形，在别处也只是一般江南水乡的景色罢了。坐在船舱里听橹声没有多大意思，唯一的办法是带书去看，拜年照例要戴胡人的红缨帽，装在皮帽盒里，这里正可以放点书籍。我们常带的是一部《徐霞客游记》，是图书集成局本，铅字竹纸，订四厚册，字虽细密，却很便于携带。

这徐霞客是明末一个奇人，他许多年在国内旅行，东南之外在云南最久，那时北边东有满清，西有李自成，京都危在旦夕，他在那边却不受影响，游记写得很细密，文笔亦好，乾隆时始为人所知，刊板行世。这部书虽然屡次带在船里，实际上也看不了多少，除江浙的短篇以外，关于云贵的接连几卷的大文几乎不曾着手。民国以后大为丁在君所赏识，有他的新编校本，自然更好了。可是不知为什么缘故，书店把他印成很大的本子，要摆在书桌上恭恭敬敬地才能看，未免很不方便，当初出版时买了一部，但没有多大用处，不久也就丢掉了。

（一九五〇年四月十三日）

打油诗的文字狱

清朝的文字狱是中国历史上有名的事件，故宫博物院汇集档案，分期刊行，出至十集，可惜以后不再出，前出的也已绝板不易得了。士大夫给皇帝作帮闲，平素只知咬文嚼字，患得患失，一心要讨好或报怨，因此附会文字，兴起大狱，古已有之，但是最厉害的要算是前清康熙雍正乾隆三朝，明洪武时也有过一阵子，但他是自己来找岔子，不借手于臣下，办法很不一样。

这些案件之中，只有胡中藻的《坚摩生诗》中，咏紫牡丹诗云“夺朱非正色，异种亦称王”，还勉强可以说是诽谤，若是徐述夔的《一柱楼诗》云“明朝期振翮，一举去清都”，以至蔡显的“风雨从所好，南北杳难分”，说是逆词，又云隐约怨诽情罪甚重，以大逆不道结案，真正是深文周纳了。

还有汪景祺一案，因查抄年羹尧，找到废纸中一册稿本，题曰《读书堂西征随笔》，中多“悖逆”语，作者汪景祺以大不敬罪斩立决，妻子为奴，兄弟及侄戍宁古塔。《西征随笔》今有刊本，首叶雍正题曰，“悖谬狂乱至于此极，惜见此之晚，留以待他日，弗使此种得漏网也”，唯此书今只存上卷，所云讥议康熙谥法，雍正年号，均不可得见，仅在诙谐之语一条中，记康熙南巡，杜诏献诗，赐以御书，则云淡[1]风轻四句也，作诗咏之曰：

皇帝挥毫不值钱，献诗杜诏赐绫笺，
千家诗句从头写，云淡风轻近午天。

这是一首好打油诗，只是轻薄了些，又说着了皇帝，乃至闹成大逆案件，这在文字狱中倒还是一件新鲜事情吧。

（一九五〇年四月十四日）

【锺校】

①“淡”原作“谈”。

弓足

汪景祺著《西征随笔》妇女缠足条下云：

> 弓足言其形弯断如弓也，秦晋燕赵间女子二三岁即缠足，天然纤小，并不似弓形，其弓形者嗤为鹅头脚。余见秦晋燕赵女子，足小者以尺度之，仅二寸七八而已，足底平。呼足为弓，真是门外汉语。

俞理初在《癸巳类稿》中有《书〈旧唐书舆服志〉后》一文，有四千二百馀字，论妇女缠足始末最为详尽，其结论云：

> 弓足出舞利屣。大足利屣则屣前锐利，有鼻而弓，古弓靴履而不弓足。南唐弓足，束指就屣鼻利处，而纤向上，宋理宗朝纤直，后乃纤向下。

这里说得很明白，纤向下者即鹅头脚，脚背断折，纤直者即汪君所佩服的二寸七八，大抵从二三岁时便筋骨不长了，至于南唐式的纤向上者，从前民间多有，束指令尖，实与大脚相差无几，鞋尖向上，俗名舵齿头鞋，只记其音，不详何义，如俞君言则南唐窅娘尚即着此种舵齿头鞋者也。此外跳舞用的利屣，大脚可着，只是鞋尖向上，又男子武靴亦弓而锐，盖取其便于骑乘，欧洲中古骑士据画图上亦是如此。《北梦琐言》云，王迪车辙辗靴鼻逾寸而不伤脚指，可以想见靴尖长得可以。现今朝鲜印度亚剌伯各地方的鞋都有这种形状的，大概是东方通行的形式（日本古装的漆履亦然）。孝堂山石刻汉画男女足皆前锐，在中国这历史也可以算是很久了。

（一九五〇年四月十五日）

吃饭与筷子

我们平常拿起笔来写文章，讲到正式进餐，就是西洋人，也总说是吃饭，虽然想改换也换不出什么来，因为说吃面包到底在文章上是不大顺口的。其实中国习俗各地不同，何尝都是吃大米呢，馒头原也与面包差不多，可是向来称作吃饭，并没有别的说法，可见吃饭这句话在中国是统一的名称，所吃的是什么是没有关系的了。

我想吃饭的特别的地方是在于用筷子，与吃面包一派的用刀叉不同，馒头与面包虽是一类，而吃时不用刀叉，所以应该归在吃饭这一类的。讲起谱系来叉与筷子也是本家亲戚，都是从手指头变化出来的，不过前者是三个指头，而后者只是两个，两个的比较三个似乎文雅一点，使用上亦较困难，可是也有便利的地方，叉必须金属制，筷子竹木均可，没有的时候就是折两根树枝来也可以代用。刀叉与筷子也不好说在文化上有什么高下，总之有这异同。用筷与用笔有密切的关系，正如拿钢笔的手势出于拿叉一样。朝鲜琉球日本安南缅甸各国之能写汉字，固然由于过去汉文化之熏习，一部分由于吃饭拿筷子的习惯，使得他们容易拿笔，我想这是可能的。

中国人的吃食将来尽有许多变化，不但是欧美的面包，就是菲澳各洲的东西只要适合都可加入，但吃法还可仍旧，只用一双竹筷就够了，固无须跟欧人去拿刀叉，也不必学印度用一只手专抓食吃，一只手专去擦屁股也。

（一九五〇年四月十六日）

爱竹的缘故

有友人别号竹庵，我觉得很好，因为我是喜欢竹的。引些故典来说竹是怎么雅，那是很容易的事，不过我喜欢竹的缘故并不在此，所以这些故典都用不着。我喜欢竹，便因为他好看，而且有用。树木中好看的，特别是我主观的规定的，也并不少，有如杨柳、梧桐、棕榈等皆是，只是用处较差，柳与桐的木材与棕皮都是有用的东西，可是比起竹来还相形见绌，他们不能吃，就是没有竹笋。竹这植物据说分布在非洲澳洲南美一部分以及亚洲，共有四十三属，五百五十四种，在日本只有十二属一百二十种，中国大概也差不多吧。欧洲向来没有，所以欧语中的竹字都是近代新从南洋方面输入，不像中国见于《禹贡》，总有四千年以上的历史了吧。

竹的种类虽然有那么多，我们所看到以至认识的也实在只有几种，如斑竹寿星竹，只好做笔管烟筒拄杖，用处不大，也难得种植。我们平常能够随处欣赏(北方较少这个机会)，各式器具可做，四时有笋可吃的，其实也只是毛竹和淡竹两种而已。竹庵生长会稽，现住江南，其爱竹是很当然的，但是问他有那么一个庵么？他在故乡可以有，在他乡我便不能替他答复。昔者金心异自号急就庼，请章太炎先生写一小额，太炎题识数语，末云，至其庼盖未必有也。我这朋友因爱竹而称庵，有如金君之与《急就章》有缘而号庼，其实在有否原不成什么问题的，这总比实有庵而并不喜竹的好多了。

(一九五〇年四月十八日)

佩服老戏文

自从民国以来我差不多没有看过戏，这缘由一半可以说是懒，但是还有一半却是怎么说好呢。从事实上看来，这些年间大抵是住在北京，所以根据这一点说是不要看京戏，似乎也说得通，而且多少有点可靠。因为我对于唱戏是外行，对于京戏说不上反对或赞成，根本上是不懂。北京照例叫听戏，我们乡下人向来只知道看戏文，听得台上呀呀的叫，完全不晓得其好处何在，看不到什么，自然就扫兴，不想再化钱去做魇子了。

从前我只觉得不爱看戏，为什么理由自己也莫名其妙，近来读了齐甘乡兄的《抢姣姣讨饶》一文，忽然若有所悟。为什么呢？这《五美图》的戏文是我小时候所常看的，虽然名目不记得了，可是那一个场面，即是一个小花脸的公子与二花脸的帮闲被吊在台角里，打过一顿之后写伏辩，这与大师爷吃萝卜汤一样的记得清清楚楚，因此引起我对于旧戏的好感，觉得那些戏文的确有可喜的地方，同时也找到了我后来不看京戏的理由。我看戏文是同老百姓一样的在看情节，伶人一面做，一面唱也即是说明，所以我们是懂的，若是昆腔皮黄，唱工发达了，太是专门，不是平常人所能懂得，又加上了懒，结果便有三四十年不看了。

唱工自然是一种技术，但因此也就须得有程度资格的才能赏鉴，若为一般像我们这些乡下人计，重在做而不专是唱的老戏文或者更为合适也未可知，不知江东老乡中有同意此说者否。

（一九五〇年四月十九日）

士大夫的习气

中国老笑话里有“包袱[1]、雨伞、和尚、我”的故事，可见向来出门人必要带包袱，至于雨伞乃是江南风景，因为说笑话的原是南方人的关系，如《三侠五义》里的人走路便不带什么伞，遇着小雨多被淋得像落汤鸡，可以为证。现今在心理建设的时期，有丢掉包袱的号召，这比喻倒真是十分切贴的。但是这包袱的内容是什么呢？我们只说知识阶级，这自然是知识阶级意识，换一句话是士大夫的习气吧。

中国的读书人本来多自民间出来的，但是士大夫有一个传统，即是一人之下万人之上的理想，说得好听是致君泽民，实在是皇帝高兴时帮闲，皇帝发怒时则帮凶罢了，即使自己没有权位，也总先有那一副架子，自视甚高，把自己的利益看得与统治者的一致，

【锺校】

①“袱”原作“裹”。

这样就与民众脱离，形成别一阶级了。这种习气是从封建社会出来的，现在社会背景已经改变，这习气没有地方长根，拔去也不是什么大难事。但是现代活人的习气只要努力也改得过来，过去死人的习气在书本上留存下去，有如微生物一样，却还是有毒素，如韩退之这类人的文章可为代表。从前大家读八大家文，不大有人感觉到这一点，却不免要多少中点炭酸瓦斯的毒，现今总须得说明警惕，不要再让人吸入，说到这里，整理古书这事实在最为紧要，总须这工作做得有点头绪，这才正本清源，使得以后的读书人不至于再有旧士大夫的习气了。

（一九五〇年四月二十二日）

麻沸汤的成分

美国人拉瓦耳的药学史中说及华佗[①]的麻醉剂，史书上称作麻沸散，据云后来传到亚剌伯人的手里，西历十三世纪中曾经应用过，其成分则为乌头、菲沃斯与风茄云。这三味药之中只有乌头我们是认识的，至少这是中国名字，虽然不曾见过实物，其他两种则连字面也很陌生了。

鲁迅译的《小约翰》后边有一篇动植物译名小记，其中说到中国唯一的《植物学大辞典》，有一节云：

> 但那大辞典上的名目虽然都是中国字，有许多其实乃是日本名。日本的书上确也常用中国的旧名，而大多数还是他们的话，无非写成了汉字。倘若照样搬来，结果即等于没有，我以为是

【锺校】

①“佗”原作“陀”。

不大妥当的。

上边的两种就是这一类，菲沃斯乃是拉丁名许阿斯屈亚木斯的节译，风茄日文原为气违茄，气违即是风狂，所以风茄是汉文的意译，不过字典上没有更好的译语，大家只好沿用了。

近日偶然翻着日本药学家所写的一小册《华北的药草》，忽然发见了在第一五三莨菪条下云，现今中国朝鲜所用的莨菪子即是菲沃斯属植物的种子，又第一六四曼陀罗华条下云，此即达土拉的花部，用作气喘咳嗽的药，又称为羊金花云。这样看来，那药名已完全了，即是乌头，莨菪，曼陀罗华也是译音，那么称羊金花或闹阳花均无不可。我当然并不是调查清楚了想去制造麻沸汤或是迷子，不过给那陌生的两种植物找到了较为熟习的名字，也觉得是一件可喜的事。

（一九五〇年四月二十一日）

说到粪缸

偶阅唐朝和尚义净所著《南海寄归内法传》，他在印度留学多年，翻译许多戒律，又著此书，说明佛教印度的礼俗，其价值可以与玄奘的《大唐西域记》相比。这书里有好些处说起中国的事情作比较，觉得最有意思，如云，西方僧众将食之时，必须人人净洗手足，各各别踞小床，高可七寸，方才一尺，藤绳织内，脚圆且轻，卑幼之流，小枯随事，双足踏地，前置盘盂。后又云，西国讲堂食堂之内元来不置大床，多设木枯并小床子，听讲食时用将踞坐，凡是坐者皆脚踏地，曾无帖膝之法也。中国古时席地而坐，两膝着席，全身坐在脚上，后来有了床榻，也是那么坐法。梁武帝时侯景僭位，因为他是胡人，不惯中国生活，始垂脚而坐，史有记载，甚以为奇。今观上文，可知唐时还是如此，佛教徒虽然不再跪坐了，可是仍在大床上趺跏而坐，吃食时也是这样，据义净说这是不合法，还应垂脚而坐才对。

又讲到食器云，西方食法，唯用右手，必有病故，开听畜匙，其箸则五天所不闻，四部亦未见，而独东夏共有斯事。印度饭时用右手抓吃，称曰净手，左手则曰触手，用以洗身，即是于大小便后用水土洗净，此手不可作别用。第十八便利之事一节中详说其事，末了有云，江淮地下，瓮厕者多，不可于斯，即为洗净，所谓瓮厕难道就是后世的粪缸么？讲到这些臭事情，高雅的人或将掩鼻而过，但下水岂非也是社会的大问题，而满路粪缸一方面也与施肥问题有关，都不是可以眼不见为净者也。

（一九五〇年四月二十二日）

看花书

小时候爱看花书，但是现在不忘记的只有一部《毛诗品物图考》。说起花书来，那时并没有连环图画这一类的书，要看只好找小说弹词绣像来“看菩萨”，通俗用书中有《对相杂字》，与《看图识字》的编法相像，就只是品类太杂，图也太小。高等的有《尔雅图》与《山海经图》，《本草》里图也不少，但那是大部书，不容易碰到。《诗经》里的草木虫鸟很多，给他画出图来的只有乾隆时徐鼎的《毛诗名物图说》，一七七一年出版，一八〇八年日本有翻刻，此外又接连出了两部书，即一七七八年渊在宽的《陆氏诗疏图解》，一七八四年冈元凤的《毛诗品物图考》。这三种书现在都不很好找了。

但是碰巧在六十年前的时候，上海有一家书局把这图考拿来石印，虽然缩小，却还印得不错，白纸两册，只要二百文钱便可买到。渊冈二人都是世代医官，于本草学有根柢，他们的书比徐鼎更为切实，但渊徐二人的图都是小块，不及图考整幅大图，画的很是精良，书局特别选中，原是不为无见的。其中如谁谓雀无牙、流离之子、五月鸣蜩诸图，至今看了还觉得好，草木一部分尤为逼真，如苤苡、匏、蒲柳、竹、笋等，此外好些植物看图也就认识，可是在乡下时没有记得俗名，见了书上的古名也还是合不起来。卷七的鼍差不多已解作鳄鱼了，图形也比徐渊二书为佳，可是叫他蟠了身子，装在大口玻璃瓶，上面包了一块布，未免有点滑稽，鳄鱼即使能够屈身，这瓶也非有六七尺高不可了。鳢本是乌鱼，图中画[①]作鳜鱼，要说缺点，也就是这一两处吧。

（一九五〇年四月二十三日）

【锺校】

①“画”原作“图”。

小鬼

前几年看美国人斯诺等人讲陕北事情的书，以及孔厥的小说，常看见有“小鬼”出现，都是很有意思的孩子，但后来不再听见说起，江南解放以来也没有见到这种人。这大概是地方的名称，与小把戏差不多，不过小把戏似是起源于北方，即是长江以北，虽然别处也通行，到底是外来语，语感不甚亲切，小鬼则各地都有此语，只是那专属的用法是陕北特别的罢了。我们乡下俗语称小孩为小鬼，鬼读若据，意思是半笑半骂，有时还作亲爱之称。我有一位乡兄，夫妇均大学出身，二十多年前寄寓舍间结婚，后来避难南下，及至重来儿女成行，有小囡不曾见过，问什么名字，细声答道“我叫小据”，这位小姐现在也早已大学毕业了吧。英文中译“小鬼”为小魔鬼，本来是别无办法，而且转变的意义也多少相近，但中国是无正宗宗教的国，所以这里仍不免有些距离。

中国说鬼大概有两种，其一是人死为鬼，其二是神所差遣的鬼。前者样式与人一般，后者则蓬发历齿，腰围虎皮，如城隍庙中所塑，二者虽有点怕人，但是向来没有与人为敌的魔鬼，这是很明朗的一件事。从前翻佛经只译音曰摩罗，梁武帝始改写从鬼（只凭记忆，有错当查），所以魔字在《说文》里是没有的，这个观念也终未成立，虽然说起妖魔来似乎比鬼更[1]凶，而且更是邪气了。有些钟馗画里被捉或是给他挑担的小鬼，简直有点可爱，这使得我们对于他增加好感，也未可知，在英国民俗中这大约该当于呃耳夫而不是魔鬼之儿的印泼吧。

（一九五〇年四月十七日）

【锺校】

①“更”原作“而”。

养猪

在鸡犬豕，马牛羊这六畜之中，猪要算最是堕落的了。本来生于忧患，死于安乐，是世间一定的道理，不过鸡犬马牛羊五者虽然改变，究竟与野生的同族还相去不很远，唯有他却特别发福了，这一来绿林里的精悍之气完全消灭，成了一个富翁的样子。英国拔登在《猪与他的族类》一文中揭载西洋家猪的一个照相，注云："这可以说，舒服把猪弄坏了。在这图上，我们找不出这种族所特有的那凶猛的力气与刚强。在那小眼睛里露出那狡猾而不是勇敢，过度享受印在粗俗的容貌上，我们所能得到的，不是什么性格，而只是腊肉！"

这话说得很挖苦，实际却也是如此，只是有一点，说到享受，大概在外国还可以这么说，中国恐怕很不一样。听说金华方面养猪用米饭，所以火腿有名，那只是例外，别处都不能那么优待，大抵过的是讨饭生活，在垃圾堆上找到什么就吃什么罢了。我从前到过定州，就是以马云龙眼药著名的地方，那里的便所很特别，是方丈的一个深坑，有台阶可以下去，垃圾粪便放在那里，人蹲在边沿出恭，有点险凛凛的，而坑里还不时有哼哼之声，原来是猪在那里呢。这种办法，我只听说琉球也有，难道因为都是中山的关系么？孙伏园在定县做平民教育会的工作，有一天同客吃饭，有一碗猪肚，孙大世兄那时十多岁，忽然说道："我们是在吃马桶。"主客憬然不能再下箸。猪把獠牙缩进，跟着人走，却终于走进毛厕里去，实在也真是倒霉极了。

（一九五〇年四月二十四日）

太戈尔的生日

“五四”以后，所谓新文化运动正在进行，有一个时期盛行讲学，聘请欧美学者，来北京公开讲演。最初记得是杜威，因为是胡适博士的老师，所以颇有号召的力量，讲演时大概是座上常满，讲演录笔记下来出单行本，似乎也销得不少。其次来的是罗素，他的专门是数理哲学，无法通俗，但是他爱谈社会问题，又对于中国事情很有兴趣，这一方面的话大家都还爱听，讲演的成绩很是不错。随后的一个是杜理舒，在我们旁观的看去，有点近于强弩之末了，或者由于听讲演的兴趣已经下火，或者由于哲学问题的难懂，均未可知。

可是这时[①]斜刺里出来一个脚色，想不到的收了效果，此人非别，即是印度诗人太戈尔。这些时候我

【锺校】

①“时”原作“里”。

都在北京，可是实在懒惰得很，这些学者诗人的尊容我都没有拜见过，只听见说太翁的道貌非常清高，又有诗哲戴了印度帽，配得更是好看。（徐志摩也是我的故友之一，他的早死真是最可惋惜的。）顶有名的一回是太戈尔的生日吧，大家给他演短剧《契忒拉》，徐志摩与林徽因都是重要的演员。那时梁任公主席，胡适之英语致词，说密司忒梁启超云云，座中有人私下批评，说胡适之英文到底不够格，他说梁启超（国音）而不是梁启翘。胡博士知道中国人姓名应读国音，那些把威妥玛式的罗马字拼音照英文念的乃是洋泾浜的学风，该博士之英文比别人较胜一筹者，其亦正以此故欤。

（一九五〇年四月十六日）

讲义风潮

蔡孑民于民国五年冬来北大，在最初这几年里，用了他古今中外的主义，的确做了不少难得的事，如主张文理科打通，各派人都用，废止洋文讲义，推倒英文独尊，设立德法俄文各系，添世界语等皆是。世界语本有一位无锡姓孙的讲师，民国十年夏爱罗先珂由日本被逐来上海，蔡君也把他请来教世界语，在北京大概有两个年头，十二年春间回到俄国去了。他教出来的学生不少，以北大和法政为多，大部分当时我都认识，但现在也渐已忘记，只有冯省三还是记得。

他是北大法文系的学生，对于世界语却比法文还要热心，不久居然能写能说，是老师的得意弟子。他是山东人，个子很大，性情很直爽，一点事便嚷起来，可是几句话说服了，又会得哭出来，爱罗先珂常大声说：唉唉，省三这大孩子真是没法子。大概在民国十四年吧，我在北大做讲师，有一回在上第四小时的课，看见省三也混在那里偷听，十一时五十分下课回家，次晨翻看《北大日刊》来看，说昨日学生闹讲义风潮，为头的是冯省三，开除学籍。原来有些学生因为征收讲义费事，准备抗争，与事务主任和校长争论甚烈，省三下课走去看热闹，参加说话，后来大家看看形势不佳，陆续退后，只剩他在最前线，成了为头的了。我觉得这事很冤枉，与教务长谈及，他也同意，但是那时他确是挤在前头，学校只能认他为首。不久广州中山大学要请世界语教员，我荐他前去，他也很愿意，可惜去了不到一年，就生猩红热死在那里了。

（一九五〇年四月十八日）

定县车站

蒋二秃子的侄儿蒋孝先所带的宪兵第三团驻在华北的时候，不记得哪一年，我同一个朋友往保定去，我们是难得出北平的，索性再走一程，到定县去一看孙伏园吧。我们在他那有养猪的便所的家里住了两夜(猪自然是那房东的)，看了牛村等几个村子，觉得颇有所得。那村子是平民教育会选定的，算是最为富庶，而定县又是河北的好县分，可是看情形还是很苦，会中管教育的科长与医院长都是熟人，很得些便利，据他们所说，小学全免费，对门的学生也不能来，因为他有家庭生活一部分的担负，科员有过一句警句，说叫学童来读书，须得出钱赎他出来才行。医院免费教接生，产婆并没有这项职业，谁都不愿意学。我们看了平民教育会的努力，觉得也可佩服，但同时省悟到中国改造非彻底不可，假如不把社会制度变过，人民翻转身来，能够好好生活，只在外边涂上些文化设施去，是没有用处的。

在定县只停留了三天，所得的教训却并不小。末了的一天，去拜访中山靖王的坟后，便去车站候北上的火车。等了一会儿之后，忽然有一个在站上踱着的宪兵过来问道，你是十山先生么？上北平去么？我心里想，完了，今天总走不成了，你沾着了宪兵第三团，岂是简单能了的么？我答说是的，又回问你怎么知道我，他指我的手提包，原来上边插着我的名片。这件事，后来想起来有点可笑，但在宪兵团威震华北的时代，这也是难怪了。

（一九五〇年四月二十五日）

精神病问题

精神病患者我看见过不少，大概以迫害狂或夸大狂为最多，也最是不好办，别的妄想掘藏或得到美女的，那只算是有点变态，平常不归入发狂之类了。

对于发狂的人的办法，古来很不一致，大概有四样的对付法，与文化程度相应。其一是以风狂为神灵附体，狂人是神圣的，他的言语行为都是代表神意，据说非洲某部落村中被狂人放火烧房，土人只远远看着嚷着，不敢去救火或阻止他。其二是以风狂为恶鬼附体，唯一的方法是捆缚起来拷打，用水灌或火薰，要逼迫那鬼出去，《福[①]音书》中记耶稣治风颠就用这原则，不过他有神力，所以不用打也成了。其三是以风狂为反社会的，这与罪相近，虽然承认这是病，结果是收容在名为病院的监狱里，锁链吊打仍不能

【锺校】

①“福”原作“神”。

免，这是近代的办法，恐怕现今有些地方还是如此。其四是完全以风狂为病，设法想治愈他，如治愈梅毒一样，不夹杂有宗教道德的观念，这是现代科学时代的开始，虽然还没有治好的把握，但认定风狂只是脑病，狂人还是病人，这就很够好了。从前只认识猛烈的精神病，现今知道那些变态的怪脾气，以及低能也都是病，那么许多反法律反道德的行为也归到病理范围里去，这结果一方面如治疗有效，可以防止多少罪与恶，一方面将使社会对于罪与恶的观念不能不有所修正，其影响很不算小。关于色情狂，这问题虽然重大，却容易涉及黄色，所以不谈了。

（一九五〇年四月二十六日）

花柳病问题

花柳病这名称就先不妥当，英法文原意云威奴思病，更其不对，说性病太是晦涩，泌尿科病又是专门了不通行，现在姑且沿用俗称，其实这还是应当分称杨梅疮、横痃与白浊的。

向来社会上有一种偏见，不论中外都是一样，虽然许多人传染着这种病，却都觉得这是活该，谁叫你去胡闹的。这里用了道德的或宗教的眼光去看，使得病人不敢去医，医生要敲竹杠，结果反于国民保健问题上发生了严重的影响。有如现代医学所证明，梅毒传染并不限于两性关系，直接间接的接触都有传染的可能，差不多与肺病相似，就只不能空气传染而已，如接吻，用同一茶杯、手帕、手巾、被褥、烟斗、口琴类、牙刷、牙签、剃刀，舔铅笔尖和邮票等，皆是，据说在文化落后的区域，统计梅毒有百分之五六十不是从性交来的。梅毒到处带走，鼻子掉落还是顶好的，骨头脏腑、神经血管均受其害，比方[①]年青人的中风，四支不仁，中风性狂乱，都是梅毒性的，至于祸延妻孥，更是厉害。

现代科学只以梅毒为一种病，从保健的见地来看这是对于民族前途的一大威胁，病人隐匿不治倒是不道德的，与以前的意见正是相反了。卷发菌已经发见，六零六砒剂也已制成，只要病人坦白的去求治，国家免费予以治疗，那就好了。虽然这要在社会主义的时代才能实行，但这问题是这么解决，那总是没有问题的吧。

（一九五〇年四月二十八日）

【锺校】

①“方”原作“仿”。

美妇人

中国民间或民间文学上相传的美妇人是谁？我们退一步，从历史和小说上来找着，有了几个，却是都不幸，也即是坏人，倾了人家的国，也送了自己的命。如妲[①]己被武王所斩，西施为越王所沉，虞姬自杀，貂蝉挨[②]了关老爷一大刀，张丽华、杨太真、花蕊夫人都死于非命，乌有的潘金莲、阎婆惜、潘巧云也是如此，只是林黛玉夭死，算是顶有福的了。斯巴达王后海伦跟了忒路亚王子逃走，演成古代的世界大战，多少英雄与妇孺牺牲在这里，后来却仍破镜重圆，因了荷马的诗名闻天下，就是爱尔兰荒村的老婆子也知道有那希腊的美妇人，这种运气在中国的姊妹是得不到的。民间有豆腐西施的绰号，因戏文而知道

【锺校】

①“妲”原作“坦”。

②“挨”原作“换”。

貂蝉、杨贵妃的名字，妓女有叫林黛玉的，或者可以把这几个作为有名的美人，但是仔细一看，那也都是士流的把戏，民众只是随声附和，他们哪有工夫读《红楼梦》，又何尝有想嫖林颦卿的野心呢？

真是民众呼声的歌谣故事里的女人虽然也是一样的不幸，但并不怎么有名，只是受着生活、家庭与婚姻的压迫，无力反抗，反抗时就身败名裂，成了礼教的牺牲。将上边的名单来比较，倒是《水浒》的几个女人乃是这一路的，只可惜都被“施耐庵”写坏了。女人的生活以后是改好了，婆婆和丈夫不再能够压迫，就只是婚姻问题还有困难，因为男子中心的封建思想遗留在多数男人的心里，他们总是同情武大的，这思想的改变还要好一点时间吧。

（一九五〇年四月二十九日）

捕蛇者说

我在小时候见过不少文言所谓捕蛇者，乡下只说他是讨饭，却是以捕蛇为事，并不沿门叫化，有时捉得大蛇，向大街店铺去要钱，意思是要赏钱吧，对于住户人家他们是不光顾的。我同他们只[①]是萍水相逢的遇见几次罢了，但是我很佩服他的技术，公平的说起来，这可以列为一种正经的职业，决不比猎户屠夫容易，不应当与乞丐一律看待。

有一回，树林中有一条蛇蟠着，大家围观不敢动它，忽然一个捉蛇的跑了来，仿佛蛇感觉形势不好，起身要走，刚一游[②]动，一枝猫竹的潮烟管就抽在它项颈上，蛇赶紧回身去缠紧那烟管，那人提起烟管来，一手捏住蛇头往下一捽，蛇身笔直的挂下，他将

【锺校】

①“只”原作“真”。

②“游”原作“流”。

它捋了两捋，装到腰间的竹篓里去了。

又有一回，看见一人蹲在路旁，在那里展览他的货色，少毒的翠花蛇乌梢蛇让它在石板路上爬着，稍为走远一点时便拉了尾巴扯回来，若是有毒的蝮蛇，如雉鸡蝮狗尿蝮之类，虽然身材短小，却防范得很严密，这方法是将头颈折叠一下，用稻草壳之类缚住，它就转运不灵，不能乱走了。这里奇怪的是，蛇的身子很滑，我们用了麻绳也缚不住，他却拿稻草壳一扎就行，这正与那潮烟管拄项颈相同，都是独有的技术，恐怕不经过师父的三年传授是做不到的。笔记小说里，记有好些神奇的捕蛇法，我也姑妄听之，还不敢轻信，但是只就上文这几点来说，觉得已经足够佩服的了。

（一九五〇年四月三十日）

妻代夫死

有旧友送给我一本他所译的希腊悲剧，名曰《阿尔刻提斯》，这里第一令人注意的是著者的年代，攸里辟得斯生于基督前四百八十年，正是西狩获麟的次年，比屈原差不多要早二百年，却写了许多戏曲，这一本是基督前四三八年所写的。戏里用的是神话故事，说菲赖王阿墨托斯命尽当终，但神允许他可以不死，只要有亲人替代，可是他老父母都不肯，子女又太小，他的妻子阿尔刻提斯自愿替他，就死去了。英雄赫剌克勒斯路过，极承款待，打听出这件事，跑到墓场去和死神争斗，终于把阿尔刻提斯抢了回来，还给阿墨托斯。

在古代希腊人[1]看去，阿尔刻提斯的忠诚与义侠是不成问题的，但是女人无甚价值，替代得一个当权

【锺校】

① 此处原衍“的”字，已删。

的男子正是很好，老人无用，却不肯死，也是无聊。在这剧里可不是这样，阿墨托斯显得庸碌懦怯因而不免卑鄙，自己怕死，断送了自己的妻子，却也落得了一个孤独悲哀的生活。在父子对骂的一场里，老人说，你也曾厚着脸皮力求不死，你害死了她，躲过了那注定的命运才能够活着，你发现了一个很聪明的办法可以长生不死，只要你劝得你每个时期内的妻子都替你受死。又云，多结几次婚，好有更多的女人来替死。这把做男子的私心都说出了。“你自己高兴着阳光，你以为当父亲的就不高兴着吗?”这也是老年人的好辩解。别的理由且不必说，那时能够替女人说话，违反了传统的意见，可以说是难得的了，而文词明白，至今还容易读得懂，这也是[1]中国骚赋所不及的。

（一九五〇年五月三日）

【锺校】

① 原无“是”字，今增。

自然界的男性

在自然界里，男性是没有什么价值的。小时候养纺织娘叫蝈蝈，不客气地摘南瓜丝瓜的淡花来给他们吃，可以说是很合理的。在有些鱼类中，那公鱼退化成一丁点儿，就寄生在母鱼的身上。虫类中蜘蛛恋爱最是冒险，他偷偷的去袭击母蜘蛛，事成之后赶快一缕丝直往地下挂，迟一步便有被刺杀当食料的危险。无用的公蜂整批的被工蜂处决，更是周知的事实。蝎子在结婚的前夕搀着手跳舞，可是在早晨那公的只剩得大钳和尾巴了。螳螂在交尾时往往就被从头吃起，吃到肚皮了事，据说这于产妇大概是很滋补的。到得鸟类卵生须要孵化，雄鸟合作成为必要，于是生物乃有夫妇，父子亦才见面。及类人猿男性因体力强大，占有欲亦强，渐成为多妻制的团体，人类继承了这传统，却又加上了礼教的教条，在事实与理论上都成为男子中心的世界了。

本来不是对于种族最负责任的分子，来主持家国的事，自不免有越轨的行为，例如美帝的战争贩子，不顾人民和平的要求，总想闹事，说是为了宗教或文化，一样的是空虚，即是不为人民实在利益的证据。在社会上，一个男子如不争权夺利养女人，只是赚钱养家，这还是能尽生物的本分，是很好的。古人所谓为儿孙作马牛，原来不是一件坏事，或者倒是好事的始基，如能推而广之，幼吾幼以及人之幼，则由为己而进于为人，与现代思潮可以接得上了。

（一九五〇年五月四日）

吃酒的本领

我的平生恨事之一是不曾进过大酒缸。大酒缸原是在那里，要进去就可以进去，可是我没有这个资格，进去了不能喝酒，或者喝不上一两白酒，就变成了一个大红脸，自己头痛不打紧，还惹得堂官的笑话。照道理讲，那么可以算了，但是我有一个成见，以为吃酒是好的，吃烟倒全不在乎，酒不能吃自己总觉得是个缺恨。

先君是很能吃酒的，我又看乡下的劳苦民众几乎无不能吃酒，实在他们也无所谓能不能，大概吃酒吃茶的本领不大有什么区别，平常难得遇到，有的时候呷上两大“三炉碗”，男女老少都不算什么，大概总可能有一斤之谱吧。我的成见即是从这里发生的，也可以说是对于酒的好意，这不但是赞成别人，而且自己也想迎头赶上去，可惜才力不及，努力多少年却仍无进步，深感到孔子的话不错，上智与下愚不移，我的吃酒的资质可以由此证明是下愚无疑了。我真羡慕有几位乡兄，他们一坐下，推销两三斤老酒，或是八两的白干，是没有问题的，假如交给我喝，一升瓶的黄酒我总可以吃上二十天，在立夏以后这酒不但出气而且也要酸了。

平常烟酒与茶大家看得不一样，茶被列入开门七件事之中，酒与烟却排斥在外。烟是后起的东西，或者难怪，酒则不应当除外的。或云，茶字为的押韵，如云柴米盐油酱醋酒，那就不成诗了，这话的确也说的有几分理由。

（一九五〇年五月五日）

酒的起源

在朝鲜流传着一个故事，是说酒的起源的，篇名曰麦酒。据说有一个孝子的父亲患病，医生说要吃三个人脑子才能有救，虽然人命至重，可是父亲更是要紧，孝子乃扮作路劫，在荒野等着单身路过的人。最[1]初来了一个两班，这就是做官的，孝子一棍子打倒了，取了脑子，随后来的乃是戏子与狂人，也都照样办了，把尸首埋在路旁。他医好了父亲之后，再到那里去看，只见生着一种草，即是麦子，他拿来酿了酒，喝下去的时候，起初规规矩矩像那做官的，随后戏子似的乱说乱跳，末了便简直成了疯子了。这挖苦醉汉很是简单深刻，虽然对于孝子也随便不敬了一下，不过比中国割叫化子的股的笑话要差一等了。

佛教戒饮酒，《梵网戒》云，酒生过失无量，若

【锺校】

①“最”原作“晨”。

自身手过酒器，与人饮酒者，五百世无手，何况自饮。注谓饮酒者迷心乱性，败国亡家，丧身失命，种种过恶，无所不至。这在西洋外国原是如此，但中国至少是近代似不相同，查历史上无论家国以至个人的事，因酒贻误的几乎不见，在社会上，也没有沿路“嬉倒醉”或醉卧路上的人，可见中国人喝酒虽醉，只到戏子程度，是不会变成狂人的。《书经》中有一篇酒诰，谆谆告诫，大概是殷人有点洋气，“荒腆于酒”，很坏了些事。于今三千年来，人民经了长久的训练，到了惟酒无量不及乱的程度，不会再酒精中毒了吧。我这话虽是乐观一点，但是我希望乡兄们肯给我附议的。

（一九五〇年五月六日）

汉文难学

汉文难学，这句话说的人很多，大概总是不错的了，虽然来源与理由也有分别。其一是外国人说的，印欧语统系的西洋人觉得汉文没有希腊拉丁式的文法，汉字不用罗马式的字母，所以不行，这在他们的立场是说得对的，不过现在谈的不是他们的问题，所以暂且按下不表。

其二是本国人说的，中国人学一个个的汉字并不怎么难，难的只是应用，写封白话信不成问题，要去看整本的书作整篇的文章时，便很不容易了。这原因是中国的现代文不曾成立，一部廿四史要从三皇五帝开始，文章也是一样，《尚书》除外了说，自从孔夫子以来整整二千五百年，没有划出段落，大家读的写的都是这一大堆里的东西，那真是够伤脑筋的事。

西洋各国也各有其历史，可是文艺复兴以后划了一个时代，因了民族的自觉，各自成立了国语，四五百年中文艺旺盛，现代语文得到了充分的长成。中国便苦于没有这么一个文艺复兴，至少做到文言一致，使得现代文发达起来与古文分了家，不但写的有所遵循，看的也有充足的新书可用，旧的名著有了译本，尽可不必再去啃古文了。“五四”前后的文学革命的确是有了做起讲之意，可是成绩不大，著作稀少，国语不发达，这是连带的，同时古文和旧书自然就还有势力，这病至今没有医好，大家须得注意这点。我相信中国如成立了现代语文，与古文和旧书隔离一点，那时在一般中国人学去一定是不会难的。

（一九五〇年五月七日）

作文的故事

我不知道自己究竟是学什么的，但是以前同两个朋友参与一个学校的事，三人瓜分高中的国文，这样就做了国文教员，以后在北伐成功之后还教过几年大学国文，我现在所要说的便是那时候的事情。

我曾担任过一年级的作文，前后三年，略为有点经验。我的国文本来只受过书房里的教育，说到作文，先生就完全不教，这也难怪先生，因为那时还没有现在的作文，要有那就是做八股文章了，这个我也没有从先生学过。我后来写文章是怎么学的呢？其实并不曾学，懒得连《古文析义》也不要读，只是看闲书，随意乱写，把想要说的意思写得出多少，那便算了。自己不学，怎么教人，我却就是那么教的，而且自信也不无成绩，至少不至误人子女，这在我觉得是可以记阴功的。

我第一是不出题目，文白均可，但有一个限制，即是不要议论文，除说理外叙事记[1]景物抒情都可以。这一来那些读《古文观止》做赋得文的人便发了慌，他们的本领无可使用，有的慢慢转了向，这就上了大路了，本来会写的，自然没有什么问题。其次是改，这也是一种懒的办法，只在好的和坏的地方批一下，让他们自己再去修改。这结果是，半年下来，成绩好的计有两成，进步很快，坏的两成没有改变，中间的约六成，有进步也不多，而好的中间却常有从旧的转过来的人。这是二十年前的老话了，后来也未必适用，现在只是当做故事讲讲罢了。

（一九五〇年五月八日）

【锺校】

①“记”原作“叙”。

献九鼎

刘半农于民六进北大，“五四”时任北大教联会的干事，出了许多力，民九由学校资送英法留学，说起来已是三十年前的事了。当时他很怕不懂外国情形，出去丢丑，请教过好些人，只据我所看见的就有两个。一个是吴稚晖，由刘君竭诚请到寓所里，吃过饭之后正式请教，吴老头子照例口若悬河，可是愈说愈远，终于离题万里了，好容易才收了回来，讲到本题，却是简单的几句道：船到了马赛，预先电约学生会，代买车票，送你上车，哺的一声火车开了，就到巴黎了。

还有一个是朱家骅，他本在奥国学开矿，欧战时逃回来，由湖州同学介绍来北大，在预科教德文。刘君在教员休息室里见到他，便请问在到欧洲以前，路上要穿的衣服须在中国做了去，至少要花多少钱才行。朱沉吟了一会，说道：五百块钱也就行了吧。刘君听了大吃一惊，其实说的人已经很费了一番斟酌，心想这些穷措大那里备得起高等华人的服装，着实给他折扣一下吧，那里晓得这在刘君还是一个晴天霹雳呢。

朱在学校大家只当他是花花公子，派他胡乱教点德文，可见蔡校长用人还不错，岂知他后来施展手段，在天安门领导学生，乃以学生运动起家，成为国民党的教育特务大家，在当时是没有预想得到的。在重庆的时候，朱家骅还发起献九鼎，九个大鼎，上刻颂词，篆文嵌金，正选好若干女人，要抬了去献给蒋二秃子，却给他臭骂一顿，鼎又抬去毁了。可惜关于九鼎不知其详，但就是这一点故事我已经觉得够好玩的了。

（一九五〇年四月二十三日）

谁写秃子外传

鲁迅的《阿Q正传》已是古典作品了，这小说在中国文学上可以说是空前的，阿Q这人也随之不朽了。有人说他足以代表流落在封建城市里的农民，在乡村的农民的代表要算闰[1]土，就只是未曾充分的描写。

这话自然也有若干道理，中国社会上封建势力与帝国主义混在一起，各地方因了这分量的不同，而有不同的社会与人物，都是小说的好材料。这中间最有价值的是一个蒋二秃子，生长于深山之中，混迹于洋场之上，集山寨大王与租界流氓的本领于一身，而手执大权，独裁中国历二十年之久，与阿Q等人相比，真是大巫了。可惜没有人给他做一本外传，因为本传有了陈伯达的一本，现在所要的是叙录他的琐事，于

【锺校】

①“闰”原作“运”。

琐屑之中却可看出他的性格来的，即使文笔差一点，内容的奇妙一定不下于阿Q吧。

冯玉祥的一本有几段很有意思，全书不能相称，有点儿单调。史迪威笔记原书没有见到，只见外国杂志中有些摘录，那时他在重庆，帮助中国抗日，对于蒋却是十分看不起，以至憎恶，文中称蒋多用浑名，如“落花生”，美国俗语是骂人的话，私生子，风子等。记宋美龄对他诉苦的话，结婚一个月后因知道蒋有梅毒，想要离婚，以及平常不和等事，又记在什么仪式上，办得不周备，蒋在台上狂人似地发怒，大呼枪毙不已。这在冯书中似亦有记载，现在却也记不清了。

（一九五〇年四月二十七日）

买笔

好久没有出门，前日因为毛笔都破了，出去在近地买了几枝。好的笔店都在琉璃厂，相去有十里之遥，远远赶去，不但花车钱，也太费时间，所以只在近地找一下，共走了三处，两家是做笔的小店，一家是南纸铺，带卖[①]笔墨。我用的是兼毫，去年买过是两枝五千，这回一枝要六七千了，据一家笔工说，现在笔头南边不来，兼毫都是假的了，所以问他买了一枝狼毫，那纸店的兼毫还可以用，又一笔店的写下去软丁八当，很不中写，大概是假的吧，但即是用猫尾巴做，也何至于此呢。有人说，用毛笔和竹纸很费，何不改用钢笔呢？笔似乎贵一点，纸却是有些旧存的，暂时可以不买，还是十多年前[②]所印的稿纸，一

【锺校】

①“卖”原作“买”。

②“前”原作“的”。

千张才值一石米，照时价也不过二百五一张而已。

竹纸笔墨好写，而且分量不重，更是他的好处，写了稿是要往外寄出的，写上五六张，足有三千多字，用薄皮纸封套，包管在二十公分内，封口一千，开口八百元就行了。日前《高唐散记》里要同齐甘算账，因为他的信三封有两封是欠资，不足一千就要罚二千，而据我所知，齐公三天一发信，里边就只有三篇大文，可是分量如不是三十也总是二十五公分了吧。为什么呢？就只为的是齐公是用自来水笔写在洋纸上的。假如我学他的样，新买钢笔洋纸来写，为免得欠资起见，三天发信贴上二千元，那么一个月之内就要多花①一万元，拿来买毛笔也就够了，反正一个月也用不到一枝半的毛笔的。

（一九五〇年四月二十七日）

【锺校】

①“花”原作“化”。

买书

今年只买了一本书，还是揩了朋友的油的。这是《阿剌伯文学丛书》之一，名曰《童年的回忆》，埃及太浩虚生著，三十六年商务出版，定价三元。当初我托在上海的一位乡兄代买，心想敲他三斤小米也罢，大概书价是售千二百倍吧，可是实在却花了四斤多，算来似乎是一千六百几十倍了。

太浩虚生是个盲人，留学法国，得文学博士，为埃及大学的院长。据译者序文上说，他的境遇像爱罗先珂，思想像胡适，文名像太戈尔，现代埃及有这样的一个名人，我们是很愿意接近的。这回忆里写家庭、书房、学校里的情形都很有意思，但是我读过最不能忘记的却是第十八章的首段，记念他亡妹的文章。这下半写的很好，是写小孩的难得的文字，不免来做一回文抄公吧：

孩子有一个小妹妹，家里的人要算她的年龄

最小，只有四岁，但她的动作敏捷，口才流利，想像丰富，言语甜蜜，家里的人都爱和她在一块儿游戏。有时她会单独把很长的时间消磨了，她有的时候自言自语地对墙壁说话，正是母亲对客人所说的一切客气话。她对前面摆设的各种玩具，认这个是妇人，那一个是男子，那一个是青年，那一个是小女。小妹妹不时来往这些摆好的人物之间，很有趣地伴着他们玩，忽然又动怒发愁，一会儿又心平气和。家里人都看着她玩，莫不引得捧腹大笑，但是她毫不理会在旁参观者的举止或批评。

（一九五〇年五月十一日）

啄木鸟及其他

从旧书堆里找出几本外国的小丛书，其中之一是《高山的鸟》，又一册是《高山的植物》，每册除序言及说明外，各有六十四页，每页一图也有两图的，都是颇鲜明的照相板。我拿起鸟那一册来翻阅了一遍，细想起来，实在惶恐得很，这六十种左右的鸟类中间，我所认识的只有一种啄木鸟，这名字固然熟习，实物也曾见过的，此外如夜莺、雷鸟等，那只是书上看来，不能算是认得。虽然说是高山上的鸟类，比较上少见一点，但是也何至于孤陋寡闻如此，考试成绩只得两分呢？我想这个测验也决不能算不公平，譬如换了平地的鸟，我想也必不能够成绩好到怎么样，就是由我们自由的举出来，知道有多少种呢？猫头鹰、乌老鸦、喜鹊、麻雀、燕子、雉鸡等，加上鸡鸭鹅，大概还凑不满两打，而小时候熟识的张飞鸟、清水鸟和拆书之类，却又于书上无考，这又有点像预备好的几课，考试时用不着，也是很扫兴的事。

清朝有一个学者说过，看书中名字，不知道是什么形状，见了那东西的时候，又不晓得他是什么名字，这话真说穿了我们的生物知识的一部分缺陷。至于认识的鸟里边，如啄木鸟、猫头鹰、乌老鸦又有各种分别，我们却又不知道了，若是学一句《水浒》的口气来说，真是晓得甚鸟。对于文化学习，真是应当努力，不过看书本不难，真要看见实物，认得名字的主人，我们在都市里的人却是不大容易了。

（一九五〇年五月十二日）

中国气味

中国人究竟是国家观念强，还是乡土观念强呢，这恐怕有种种说法，我是倾向于前者的。省界是明显的现象，但，浙江人便并不团结，绍兴自居于越东，见了宁波人时说一声阿拉宁绍同乡，对于钱塘江对岸的下三府是视若吴人的，可是只有山阴会稽自称绍兴，往来杭州必须经过的萧山就不算在内，至于山会两县是不是真是团结，互相帮助的呢？那也未必然。他们有一句俗谚云，麻鸟豆腐绍兴人，谓“此三者不论异域殊方皆有”，大概因为这个缘故，乡谊也就淡薄了吧。

我只举所知的事为例，别的地方大约也是大同小异，地方界限说得有是有，说他没有时其实也原是很渺茫的。从前德国有一个大性学家，因为是犹太籍，被希忒拉赶了出来，于刘瑞恒做卫生部长时来过中国考察，到远东近东走了一转，写了一部游记，说及中国与印度比较，改革要容易得多，因为他没有那种宗教上及社会上固定的阶级，障害就少得多了。现今过了二十年，这话大部分兑了现，中国已解放了，印度分为两部，不免落在分而治之的陷坑里，离一统很是辽远。

中国人不曾受到外国的国家学说的影响，他只在心里各自有我是中国人的观念，不论种族地方，信仰学问，职业家世如何，彼此都是，仿佛有一种中国气味，自然可以辨别，互相连系，这种情形的确是很好的。现在真心跟着蒋二秃子跑的我想也只是极少数，不至有那些成千成万的中国人，跟他做反中国运动吧。

（一九五〇年五月十日）

宝竹坡

《名人笺[1]札抄存》之八，题曰“宝熙”，所记宝竹坡乃系宝廷的事情。宝廷为浙江学政，以江山船案自劾罢官，在前清光绪八年壬午，即一八八二年，李越缦在日记第三十九册记其事，大有微词，唯此事为世人所知，传播甚广，乃由于《孽海花》，在第七回“宝玉明珠弹章成艳史”这半回中，描写这一件事。“宗室八旗名士草，江山九姓美人麻”一联，后来脍炙人口，也始见于此书。一八八三年清宗室遐龄著《醉梦录》，卷下记刘亨庆酒后诵宝竹坡罢官诗云：

闽浙衡文眼界宽，两番携妓入长安，
微臣好色原天赋，只爱蛾眉不爱官。

又卷上有《宝太史春联》一则，有云：

宝竹坡廷，余族弟也，风流倜傥，才调绝

【锺校】

①“笺”原作“签”。

伦，其未遇时自撰春联云：“小室难容佳客坐，柴门未许俗人敲。”如此类甚多，今略举其一以概其馀。

遐龄对于前诗甚加谴责，但与联语相比，不已蕴藉得多了么？看来他原是个花花公子，《孽海花》里却把他写得像个老憨，恐怕与事实不符。光绪庚寅（一八九〇年）他著了一册《庭闻忆略》，由夏震夏为之刊行，大讲其道学，这倒是比江山船案还要觉得可笑。诗集似名《偶园诗草》，有好些册，从前翻过一遍，却完全忘记了。宝熙字沉盦，民国后尚健在，有能书名，其孙辈改姓华，多在北方学校里教书，其中我认识两个，都是在清华大学毕业的。

（一九五〇年四月二十八日）

朱逷先

朱逷先是北大老教授之一，他是章太炎先生的老学生，不过专门乃是史学，在学校里教中国文学史，有二十年以上吧。民初沙滩红楼未成的时候，文科也在马神庙的四公主府，门口一排房屋称卯字号，是教员休息室，当时有二老兔子与三小兔子之称，三小为胡适之刘半农与又一刘某，二老则是陈独秀与朱逷先，所以他们如尚健在，当是七十二岁了。

朱君在北大有二特色，其一是他的浙西话，其二是他的大胡子。学校里教员各处人都有，如刘申叔的扬州话，吴又陵的成都话，也很特别，但总不如朱君的乡音多，北方学生听了大伤其脑筋。有一个人说过，听文学史讲孔子思想，先生说明他是厌世主义的思想，已经觉得奇怪，及至看黑板上写出来的引用文，不但并不厌世，而且积极得很，先生却指着说，这即是厌世思想的实例，更是莫名其妙。后来过了些时，这才觉悟，先生所说的乃是现世思想，现字北方读若献，南方则读若焰，听起来变成了厌世了。

蔡孑民初到北大时，朱君才只三十七岁，却已留得一部很好的胡子，他好买旧书，在琉璃厂隆福寺的书贾中间，说起朱胡子来，没有一个不知道而且怕他的，文科同事们则翻成雅语，称之曰而翁，因为这而字本是象人垂髯之形的。可是后来他转任广州，听说把胡子剃了，北伐之后有一年的夏天，大家在学校看入学试卷，忽然进来一位青年，没人认识，等他开口叫起马主任的号来，这才知道原来就是他，这也是大家在北京看见他的最后一回了。

（一九五〇年四月三十日）

男女的装扮

鸟类中间大都是公鸟好看，母鸟便朴素得多，仿佛只穿得一件灰布袄，就我们常见的来说，如孔雀、雉鸡、啄木鸟、鸡之类，公的都装扮得很美丽，红是红，白是白，虽然有许多也差不多，谁知鸟之雌雄，古来诗人就成为问题。这为什么缘故呢？生物生殖的方法，爬虫类也是卵生，但到了鸟类这才用体温孵化，需要哺养，母鸟的责任很重了，她的权力也就加大，选择配偶，由她单独决定，爷们打扮得齐整的，比武跳舞，请求青睐，那些人间的威胁利诱的方法是一点都用不上的。

其实在人间社会，孕育乳哺的责任还在女性，可是社会制度变了，成了男子中心，女人变成他的所有物，是他凭了强力或用了财物得来的。简单地将十月怀胎三年养育的话移转过来，算作子女的负债，其对于男子的关系就只是服役这一点了。

这一转变之后，装扮成为女人的本分，因为性择之权是在于男子了，古代格言云，女为悦己者容，这与上边的一句士为知己者死合起来，正足以代表封建道德，与君为臣纲，夫为妻纲一致，虽然说的较有软性。

目下再要转变过去的是男女平等的社会，再看他们怎么打扮法。这自然不可能急剧的变革，但是小脚鞋高跟鞋，满头珠翠，耳环手镯，蓬头发，红指甲，总可以不要了吧，至于香粉胭脂以及香水，我想或者还有人喜欢或需要，因为男女相悦是当然的，为了相悦的装扮我也岂能硬反对呢（装扮是句土话，当作化妆穿着讲）。

（一九五〇年五月十四日）

周作人著作

飯後隨筆

下

陈子善 鄢琨——编订

岳麓書社·长沙

北京的春雨

北京现在还不是下雨的时节，雨也不是不下，不过只是下一阵子就算，不会连续二十四小时以上的。古人诗云，清明时节雨纷纷，小时候盼望上山去扫墓，爬山路，摘映山红，拔老弗大，即是《花镜》里的平地木，却时常遇着下雨，明知道上不得山，心还不甘，仍旧要去，闷坐在阴暗的中舱内，听雨声打篷，到不[1]得山头，只在船头望空行礼，非常懊丧，这种情形是常有的。在北京便不一样，出西郊去路不很远，从前要等待星期日，说不定要遇着阴雨，却总没有什么大雨，不曾记得有淋着雨回来的时候。

这回在清明谷雨之间却下了一回充足的雨，我们住在城里的人，交通上倒还不觉得什么不便，所苦的就只是屋漏。说起屋漏来，似乎南北也有点不同，乡

【锺校】

① 原无“不”字，今增。

下的屋瓦是堆起来的，遇着夏天暴雨，加上疾风，雨水倒灌，从瓦缝中瀑布似的冲下来，往往弄得手忙脚乱，盆罐都不够用。北方的瓦是用土粘住，乃是固定的，不怕雨的倒灌，只要涂的灰不裂缝，就没有问题。不过平常小屋有一部分或全用灰顶的，好时有似三和土做成的很是结实，却容易开裂，倾盆大雨下来还不大要紧，最怕的是萧萧小雨，日夜不绝，那么包管从大小裂痕润透过去。大漏之下，每值秋雨必有此种情形，这回却是提早遇见了。春间齐甘乡兄下榻过的东北隅有一部分是灰顶，漏了两三处，幸而他早已乔迁了，否则正当高卧处，那时候只能请他坐着独自享受他所喜的夜景了。

（一九五〇年五月一日）

《折狱龟鉴》

看见《梅边琐记》里讲到许珊林的刻书，手头适值剩有两种，便拿出来翻看。其一是《六朝文絜》，这书我最喜欢，里边的文章选的好，书尤其刻得可爱，朱墨套印，有些翻印本，最后是读有用书斋本，也都不错，但与原本比较，却分出高下来了。

其二是《折狱龟鉴》，原是替他的老师李宗昉所刻，是李氏的《致用丛书》之一，虽不用朱墨二色，刻印也很精工，我重看了一遍，却把《文絜》搁下了，因为我觉得这更有用处，有意义。著者郑克的意思主于从宽，对于书中所举稍过于严峻的事例，于论中加以批评纠正，其严明的界说云，谨持法理，深察人情，真说得好。但是我更觉得有意义的，乃是从这些故事中看到当时礼教法律的一点滴，满是封建的气味，看了也觉得可怕。如唐李杰为河南尹，有寡妇告其子不孝，罪至死。又宋任布知越州，民有被酒骂其祖者，法当死。张咏知益州，民有负贩者，翁役其妇，妇违之，翁怒剪其发曰，我作婢使汝。王琪知复州，有新制下，凡主人殴佃客死者，听以减死论。这简单的几句话，便显明的现出家长与地主的威权和皇帝差不多，而且这是事实，比文学上所说的更要确实得多了。

古韵阁刻的《刑部比照[1]加减》可惜我没有。向来本不值钱，现在称斤了或者要稍贵一点也未可知的《律例》和《刑案汇览》之类，似乎大可以去找一点来，不但大部书可消遣多日，实在中间也有许多材料可得，岂不是一举两得的事么？

（一九五〇年五月十五日）

【蒋校】

①“照”原作“较”。

北大的史迹

北京大学于民国初年购买松公府东馀地，建造宿舍，七年落成后，改用作文科，称第一院。当初其东南隅是一个洼地，填积起来，上建高楼，或说恐要低陷，却至今无恙，而且在北大历史上成为很有意义的地方，也是没有预料到的。

北大图书馆原设在马神庙本校，旧式高楼一座，传说即是四公主的梳妆楼，及第一院成立，乃移来在东首楼下一带，而图书馆主任室则设在楼下的东南角，靠东三间，中间开门，两间打通为一大间，南首有门，里边即是图书馆主任办公之处。“五四”时候主任的李守常，那时的主任室的情形我还记得清楚，并不是记性好，四十年前的事情都能记忆，实在乃是因有特别缘故，那一年的春天大家觉得《新青年》是月刊，太是迟缓，需要一个周刊来主持言论，便在那房间里会议，决定发刊《每周评论》，在“五四”时很发挥一点力量，但出了三十六期就被禁止了。

平时下了课有点馀暇，多到那里去坐，李君很有思想，人又长厚，总在朝南的窗下一张办公桌前坐着，我们先去的便坐在西边的安乐椅上，谈上几十分钟的天，好些人都来访他，记得在他那里遇见的，有章行严的夫人吴弱男，任叔永的夫人陈衡哲等人。张申府那时当助教，常坐在外间朝东的桌前，他所记得的事一定很多，希望他会有什么回忆发表，可以凭信，我们这类零星的小文也可以不要写了。

（一九五〇年五月四日）

《白光》的本事

这大概是一八九一年左右的事吧。鲁迅在本家子京公公那里读书，子京是同高祖的叔祖，在明堂对过朝南的蓝门里住，一大间房，只有朝东一个风窗，外边小天井里长着一棵橘子树，窗下放了书桌。子京的妻早死，两个儿子大了，不知为了什么逃亡在外，但逢母亲忌日，常来与祭，那时父亲说吃了饭去，儿子说不吃了，客客气气作别而去。蓝门内住的现在只有主人和一个倒醉的老仆妇，忽一日午后，她照例醉着进屋来，坐在马桶上东倒西歪的，忽说道：眼前一道白光。主人立即遣散学生，叫了石匠来挖起床前的石板，漏夜动手发掘，确信白光起处藏有银子，查考这出典大抵出于社戏开场时那一出《掘藏》吧。第二天得知掘到相当深度，发现大石头，用手去摸时是整方的一角，疑心是石椁，心慌了赶快爬上来，不意闪坏了腰，掘藏停顿，学生也不再去了。

《白光》那篇小说便是写他的事，不过事实上他的发风而死，还在后头，相隔有好几年。

子京的父亲是个秀才，是曲池梁家梁状元的孙婿，太平天国时被掳，说是做工的，挑担却挑不动，被杀在路上，清朝追赠云骑尉世袭罔替，子京去呈请改为生员，好容易许可了，准其一体乡试，可是他又不去，每年仍去应府县考，很不易招扶[①]。有人于故纸中见过他的遗稿，“一家让”的起讲中有云：“让而至于佳子弟，则家声之蛰蛰也，让而至于奕世载德，则家声之振振也。”又《十月先开岭上梅》诗起句云，“梅开泥欲死”，颇有神秘之趣，但要叫考官赏识却是很难了。

（一九五〇年五月六日）

【锺校】

①“扶”原作“覆”。

吃青椒

五味之中只有辣并非必要，可是我所最喜欢的却正是辣，生物的身体里本来自有咸酸苦甜各味，只须吸收原料，自能制造，人类因为文化的习惯，最简单的生活也还得需要咸味，其他也可以从略了。五味学习的次序以甜为第一[①]，次为咸酸，苦又在其次，至今用处还不大，芦芽微苦还可以吃，苦瓜便不普遍，虽然称作锦荔枝，小孩吃里边的红瓤，倒是常有的事，若是金鸡纳霜炖肉，到底没有人要请教了。

至于辣火，这名字多么惊人，也实在能够表示出他的德性来，火一般的烧灼你一下，不惯的人觉得这味觉真是已经进了痛的区域了。而且辣的花样也很繁多，容易辨得出来，不像别的那么简单，例如生姜辣得和平，青椒（乡下称为辣茄）很凶猛，胡椒芥末往

【锺校】

①“一”原作“二”。

鼻子里去，青椒则冲向喉咙，而且辣得顽固，不是一会儿就过去，却尽在那里辣着，辣火的嘉名原该是他所独占的。我的辣量本也平常，但是我却爱他，当他作辣味的代表。胡椒芥末咖喱粉之流都是调味料，不能单吃，生姜也只有糖姜干湿两样以及酱油浸的，可以整块的吃，还是单调，青椒的用处就大了。辣酱、辣子鸡、青椒炒肉丝，固然也好，我却喜欢以青椒为主体的，乡下用肉片豆腐干片炒整个小青椒是其一，又一种是在南京学堂时常吃的腌红青椒入麻油，以长方的侉饼蘸吃，实是珍味，至今不曾忘记，但北京似没有那么厚实的红辣茄，想起来真真可惜也。

（一九五〇年五月十六日）

夜读的境界

我与烟酒不知怎的没有缘分，至今没有吃上。我这里说缘分，是用的很有道理的，从前我着实用力的学过，可是终于没有学会，酒也是一样的学不会，但不会也还是要吃，只是一吃就醉罢了，烟则简直一口都不能吸，除了没有缘以外想不出别的解说了。大概在庚子那时候，我同兄弟论年龄是犯禁的，却大学其吃香烟，把品海强盗孔雀各牌的烟烧了若干盒，又用斑竹短烟管吃旱烟白奇之类，结果是兄弟毕了业，手里一直放不下香烟，我乃是材力不及，成绩一点也没得，现在闻见烟气不能说臭，却也一点都不觉得香，即此可以证明我与香烟之无缘了。

照道理来说，五十年中不吃烟，节省下来这一笔烟钱实在不小，不过那也不曾看见，自己所觉得的一种好处乃是夜里足睡，换句话说就是不喜“落夜”或云熬夜。我不知道是白天好还是黑夜好，据有些诗人说是夜里交关有趣，夜深人静，灯明茶热，读书作文，进步迅速，我想那一定是真的，可是这时还有上好香烟，一支又一支的抽着，这才文思勃发，逸兴遄飞，我缺了这个，所以无法学样，刚坐到二更便要瞌睡起来了。从前无论舌耕或是笔耕的时代，什么事只在白天扰攘中搞了，到了晚饭之后就只打算睡觉，枕上翻看旧书，多也不过一册，等到亥子之交，夜读正入佳境的时候，已经困足了一大觉，仔细想起来，这实在也可以说是不吃烟的人的一个损失，因为诗人所说的境界的确是很可歆羡的。

（一九五〇年五月十七日）

秃先生是谁

鲁迅的第一篇小说，民国元年用文言所写的，登在《小说月报》上面，经发见出来，在杂志上转载过，虽然错字甚多，但总之已有人注意了。不过这里发生一个误解，有好些人以为秃先生就是三味书屋的主人，这是一个很大的错误。鲁迅在书房里的老师只有这一位寿怀鉴先生，是个饱学秀才，方正廉介，书钱一年四节，每节两元，不论所读何书，鲁迅曾从他读过《尔雅》，这在全城里塾中也是没有的事。在《朝华夕拾》中著者对于他有相当敬意，那两句“金叵罗颠倒淋漓，千杯未醉，铁如意指挥倜傥，一座皆惊”，显出老先生的神气，却不是仰圣先生模样，这和《怀旧》比较就可以知道的。秃先生的名称或者从王广思堂坐馆的矮癞胡先生出来也未可知，其举动言语别无依据，只是描写那么一个庸俗恶劣的塾师，集合而成的罢了。但中间叙说他：“先生能处任何时世，而使己身无几微之痏，故虽自盘古开辟天地后，代有战争杀伐，治乱兴衰，而仰圣先生一家，虽不殉难而亡，亦未从贼而死，绵绵至今。”深刻的嘲骂乡原，与后来的小说同一气脉，很可注意。耀宗拟设席招待，乃是实事，所谓张睢阳庙则是指那狙击元将琶八之宋卫士唐将军祠也。后圃古池虽系实有，却亦不明晰，至于扑萤堕芦荡事乃是涉笔成趣，未可据为典故，正如起首云“门外有青桐一株，高可三十尺，每岁实如繁星”，也并非事实，不过所写的那个景象的确是极好的。

（一九五〇年五月三日）

酒望子

近来看《水浒传》，见到他写酒店招牌，觉得很有意思。第三回大闹五台山中云，行不到三二十步，一个酒望子挑出在房檐上，次云，又望见一家酒旗儿直挑出在门前，又云，远远地杏花深处，市梢尽头，一家挑出个草帚儿来。二十八回醉打蒋门神中云，只见官道旁边，早望见一座酒肆，望子挑出在檐前，次云，来到一处，不村不郭，却早又望见一个酒旗儿高挑出在树林里，末了到得快活林的酒店，檐前立着望竿，上面挂着一个酒望子，写着四个大字道河阳风月。《韩非子》上说，宋人有沽酒者，悬帜甚高，可见周末已用酒旗，亦称曰帘，据《丹铅总录》说，《唐韵》帘字注云酒家望子，似望子为宋时很通行的俗语，如后世所云招子。照上文所记的看来，最不讲究的是个草帚，不过是个记号，有如北方面食馆挂个破笊篱，普通用旗帜，最后进一步写上了字，河阳风月是很风雅的说法，不是一般人所能懂，打虎那一回里写着三碗不过冈五个字的招旗，那也是特别的例，平常大概不过是一个大酒字罢了。

店铺的招牌也都是同一道理，现在还可以分作两种，一是象形指事，如笊篱下面，以及笑话里有过的外科的膏药，二是文字，是给识字的人看的，在中国自然是用汉字，洋场上便有了洋文了。预想是洋人要买的东西，加上个洋字招牌，也是招徕之法，否则有如寿衣铺的洋文广告，不但是老板白费心机，就是旁人看了也觉得很可笑的了。

（一九五〇年五月十五日）

四进士都坏

有友人是工程师，好看戏，在山西任事，近日告假归省，忽然遇见。我问他一向看得好戏，他说梆子戏也可以看，就只是有些改了一点儿，不说是点金成铁，有如亭子抽换了一根柳木柱子，看来不大稳当了。

他想给我举例，知道我是外行，问我什么戏你晓不晓得，我大抵是不大晓得，他没有法子，便先将梗概讲给我听。他说《四进士》这出戏是很有名的，这里边有四个进士，三个是坏人，做了官很贪污，只有一个进士是好人，后来由他出来办案，把那三个坏的进士都收拾了。

可是那改戏的人根据他的官没有好东西这原则，把那一个进士也改得坏了，他还是公正的办案，打倒那三个贪官污吏，但是他又是贼性勃发，在检视赃物的时候，他也下手偷了一只玉镯。这不但把剧情整个破坏了，而且一个不是花脸的脚色做出这种鬼祟的行动，戏上也不曾有过，简直推翻了旧戏的规矩。圭木先生说得好：“在乡村，有脸谱的戏还是普遍感觉得兴趣的，因为一看脸谱，对戏文中的忠奸善恶，就有了一个概念，看下去就会明白一个故事的大概。”脸谱的定型固然是旧的，但那戏文原来是旧戏，他那里边忠奸善恶本是固定的，西洋悲剧里人性善恶杂糅的新观念即使有道理，也不能应用进去，以免非徒无益而又害之。

这朋友留学英国，看过好些演出的莎翁剧，对于中西新旧的戏剧一定有很好的意见，可惜不及问他，匆匆的又回到山西去了。

（一九五〇年五月十九日）

月亮婆婆

翻阅清道光时福申所编的《续同书》，见在游月宫项下录有一条云："《墨庄漫录》，宣和二年，子东梦至一处，榜曰广寒宫，宫门夹两池，月姊歌声宛转，似乐府昆明池。"关子东也是知名的人，这梦却做的很有点寒伧，写法更是可笑，几乎近于肉麻了。

月亮里望去似乎有人，这在没有望远镜的时代是很普遍的说法，西欧各国都说那里有一个人，背着一捆柴，原因是他在世时，于安息日砍柴，违反了教律，被罚永远住[1]在那里，月圆时可以看得见。中国方面据段成[2]式在《酉阳杂俎》里说，旧言月中有桂，下有一人常斫之，树创随合，其人姓吴名刚，西河人，学仙有过，谪令伐树。至今乡下传说月亮里有

【锺校】

① 原无"住"字，今增。

② "成"原作"咸"。

娑娑树，有时落下一小枝来，虽不说明，可见也有人在砍着，至于蟾兔之说则民间并不知道。据《淮南子》及张衡的话，在月中的又是个女子，即是有名的嫦娥，偷了他丈夫的不死药，逃到月亮里去。李长吉诗云，吴质不眠倚桂树，李义山诗云，青女素娥俱耐冷，在诗人中间是两说并存的，可是后来大家却把吴刚忘记，只说嫦娥，大概是很受了唐明皇游月宫的影响，因为他只见到素娥十馀人，已经没有那姓吴的了。

好色本来也是人情之常，但是文人易涉遐想，常想吊古人（包括女鬼女仙）的膀子，未免令人齿冷。小时候祖母教我们叫月亮婆婆，照辈分说实在也该如此，关君乃将她当表姊妹看待，这里正显出书生嘴脸来了。

（一九五〇年五月二十日）

琉球的“下海边”

琉球不幸坐落在太平洋东边，成了日美冲突的据点，现今为美帝所占据，不知何时可以解放，也是很可念的事。琉球自古受中国文化的影响很是深远，但那也只是在上层社会如此，民间的信仰礼俗还是特殊，大概以朝鲜满洲日本为近，可是那神道教行事中间也有与中国相似的，这不是影响，当由于人心之同然吧。

日本《炉边丛书》中有一册《山原的土俗》，是讲琉球的民俗的，其“下海边”一节云，如有绣眼、猫头鹰或壁虎进入屋内，预兆灾祸，须下海边以禳解之。其家人及牛马等避往海边或望不见家里屋顶的地方，经历三日，其亲戚送给饭食，夜间弹弦子，高歌狂舞。第三日晚，持枪棒的人[①]先行，继以弦子及家

【锺校】

①“的人”原作“人的”。

人，跳舞归家，至门口拿枪的与拿棒的角斗一阵，至中庭再斗，乃入室中，仍继续跳舞以至夜阑。下海边之前，主妇于灶中列灰压平，以锅盖之，归时检视，如有鬼怪来则灰上有手脚痕迹可见云。

这下海边的行事，与中国古时水边修禊及登高是同一意思，不过中国的方法未见记载，不知异同若何，但与乡下现存的回煞的风俗比较，却有好些相同的地方。如灰上验足迹，又门户不闭，亦无偷儿敢阑入者，都相信真有煞神到来，但不知这在中国是否只限于曹娥钱唐二江之间，还是更为普遍的呢。《颜氏家训》中曾说及，可知此风很古，只可惜文章古雅，语焉不详，而“章断注连”的字义也无疏证，看去更觉不明了了。

（一九五〇年五月二十三日）

避讳

避讳本来起源于野蛮思想，原始民族以为人的名字是与须发指爪，足迹阴影，衣服器具，都是那人的一部分，假使给敌人得到手里，便可以作法，制你的死命，所以他于本名之外，有一个别号，公开使用，本名则是严守秘密的。中国人于名之外有字，江湖上有浑名，原是同一用意，却渐次忘了原义，由禁忌转为敬避，只有在女人方面还可以看出，旧时婚约已成，这才问名，后来则是请庚，把女人名字与八字交给了男方，这就与将生命交付过去差不多是一样了。男子自讳其名，表示尊大，如田登的讳灯为火，至今留下“本州依例放火三日”的笑话，或者避尊长主人的讳，也演成好些笑话，如冯道的门客读《老子》，起首这六个字云，不敢说可不敢说，非常不敢[①]说，

【锺校】

①“敢”原作“可”。

这真够得上说杰作了。

这些事情我们听了也只笑笑罢了，最讨厌的是皇帝名字的避讳，当时犯讳的如乾隆时的王锡侯判了大逆，妻子充军为奴，还算只是苦了他的一家，书籍上文字上都胡乱改写，二百多年后乱七八遭的还留存着，真是可恶之极了。因了雍正的名字，改称王渔洋为王士正，而且把同音的祯字也避了，如云崇正，云冯梦正，一看不知道是说的什么。又因康熙的名字而改玄为元，其影响更大，因为玄字用的地方很多，元之又元，闲坐说元宗，这还是书上面的话，平常与苏州人的生活不能分离的玄妙观，也同张汶祥一样的被改写了，至今未能翻身。这虽然是小事，但我想因避清讳而改写的字，现在也可以逐渐把他恢复过来了吧。

（一九五〇年五月二十一日）

改地名

民国以后，北京警察厅忽然大改其街道名称，有的改得不无道理，有的却并非必要，反而弄得糊涂了。有如鬼门关之改为贵门关，臭皮（或云更不雅驯）胡同之改为受璧胡同，狗尾巴胡同之改为高义伯胡同，还勉强可以说得过去，虽然狗尾巴摇身一变而为高义可风的伯爵，也来得有点鹘突，不过总比黄土坑之改为皇[1]圖冈，张皇亲胡同之改为尚勤胡同好得多了。黄土坑之改得不对，因为黄土本不必忌讳，又把三画的土字变成了十四画的圖字，真可谓点金成铁。至张皇亲乃是明末天启皇后的父亲，并不是什么坏人，不知怎么的改作尚勤二字，声音全不相近，要问路的时候十九是没有人知道，还须说张皇亲胡同才好。正如东安市场西边，住过严又陵、刘半农的大阮

【锺校】

①“皇”原作“黄”。

府胡同，至今本地人还是叫作大元宝胡同的。故宫博物院长马叔平，住过东城万宝盖胡同与小雅宝胡同，这名称倒也属于应改之类，而且改得不很走样，因为后者是小哑巴，而前者乃是王八盖儿也。

从北京一脚跳到台湾，看见报上常有基隆与高雄字样，这也是改过的地名。基隆原是鸡笼，高雄乃是打狗，可见是日本人所改的，因为高雄照日本读为他卡阿，与打狗相似，若用中国音读之，便近于狗熊了。国民党占据台湾，好像是仍叫作高雄，这与北平、辽宁那种胜利者的态度虽是不同，但也总是一种可笑的事吧。

（一九五〇年五月二十二日）

长庆寺

鲁迅在小说《怀旧》中说及张睢阳庙，原是指塔子桥的唐将军庙，不过事实上还有点出入。

唐将军附属在长庆寺里，只有一间庙，一座坟，不能摆下几桌酒席，所以实际上或者要间壁的穆神庙才能应付，那里在清末曾经办过小学堂。长庆寺是坐西朝东的一个大寺，小姑母家在那里做过水陆道场，我住了好几天，知道得很清楚，那时的住持是传忠传荣与阿和这一代，但是上一代更有名，便是鲁迅的记名师父，阿隆师父，他法名的一字失传，当面只叫隆师父，背后通称阿隆而已。据先君说，有一天他在那里，阿隆正躺在大烟榻上，听见隔壁房内两个小和尚吵闹扭结，问知乃是抢夺解结钱，起来大声喝止，这一件小事很能传出禅房里的空气来。人家做法事，有“解结”一段落，用黄头绳各串二三十文制钱，由闺秀打成各种复杂花结，装瓷盘内，和尚们口念“解结解结解冤结”等歌词，一面把结解开，连绳带钱都放进袖子里去，算是一宗外快。那小和尚便是传忠传荣，是阿隆的嫡传法嗣，此外还有一个阿和，则是普通的徒弟，法名应是“传和”，却也失传了。民国以来的第三代通称阿毛或毛师父，似乎已经没有法名，有人问他家在哪里，他回答说的是哪一个家，因为他家有三个，即寺里，父家与妻家，真是所谓出了家更忙了。

隆师父自必有其隆师母，传荣法师曾有名言，说“要不然小菩萨是哪里来的呢”，只是未见经传，齐甘君的连环图画上所见的大概是她唯一的喜容吧（见《鲁迅的童年》上册中）。

（一九五〇年五月十五日）

接生的故事

我的弟妇今年五十四岁了，在十多年前她有感于身世的不幸，想谋一个自立的职业，从产婆讲习会学习，经过了些考试，本来可以开业了，只因身体不好，未曾挂牌，以至于今。可是在熟识的，或街坊上穷苦人家，遇到困难时来找她，也还去帮助。最近有远邻生下一个女孩，就没有气，接生的老太太慌了手脚，别无办法，杂货店的老板因为他妻子难产时曾请教过，便自告奋勇，跑来请她去看。她想这时间已过了三十分钟，大概已无希望了，但也不能不尽人事，于是使用些方法（这因为我是外行只好从略），又过了一二十分钟之后，小孩终于哭出来了，这条小命差不多是白拾来的，父母虽是穷却非常喜欢，备了二十个鸡蛋来谢，她又送还了他们。

星期日侄儿来访，把这事说给我听之后，我自然也很高兴，同时却心里暗想，这女孩不哭倒也好吧。

这正是旧时代的思想，那时看见穷人（包括知识阶级）家的小孩，常有“怎么办”之感，真不知道活着是好是坏。可是这时代快过去了，只要大家努力，不但平等自由，而且免于饥饿、免于恐怖的生活即可出现，其时略卖、奴役、遗弃这些事不会再有，的确是值得生活了。这小孩是九死一生里来的，她的生命很可贵重，但自己却可以看得轻些，将来为中国与她的同性去奋斗，使得乐国早日出现，这是她该走的道路，想到这里，我心里的黑云也就算消失了。

（一九五〇年五月二十四日）

祖母的一生

祖母的事情我最不能忘记，可是记起来又没有什么可写，因为是那么平常简单，差不多是一般女人的生活。她不识字，受了儒佛两重的教训，一边是夫为妻纲，一边是《刘香宝卷》式的漆黑的人生观，女人命定受苦，观音菩萨苦修七世，尚且只能转生为烂脚讨饭。事实却也帮她证明，嫁为后妻，自己没有儿子，只有一个女儿，很是聪明美丽，出嫁后就死了，丈夫纳了好些妾，照例要宠妾灭妻，她都忍受了，这痕迹却历历留在她晚年黑衣清瘦的面影上。

祖父在做京官，末后归家时，带了一个和他的小女儿同年纪的姨太太回来，在家庭中风波不绝，不但是祖母由默受以至暗泣，就是我们小孩和母亲，也终日慄慄不安，那日子不知是怎么挨过来的。到了祖父故后，姨太太不安于室，终于逃亡了，这事才算告一结束。至今想起来，还很替祖母和母亲感觉冤苦，但是对于那姨太太我也颇有同情，她也岂不是同样的不幸么？作妾何尝是她所自愿，她有一个妹子嫁给一个宁波的裁缝，很和善的过活，她就是没有这样的机缘，弄得人己两不利，也是很可悲的事。

那么我们只能去怪祖父吧，他总是主动的人，但是对于五十年前的人又怎好苛求，在男子中心的社会，能够不去滥用权利，岂是常人所能，古人虽有责备贤者之说，现在亦复何必。归根结底的说来，回忆过去，目的只是希望将来，但愿中国婚姻法发表以后，一切都变好了，前人做了牺牲也就算了。

（一九五〇年五月二十六日）

孔乙己时代

这题目该是“孔乙己时代的东昌坊口”，因为太长一点，所以从略，虽然意思稍欠明了。孔乙己本来通称孟夫子，不知道住在什么地方，但是他时常走过这条街，来到咸亨酒店吃酒，料想他总是住的不远吧。那时东昌坊口是一条冷落的街，可是酒店却有两家，都是坐南朝北，西口一家曰德兴，东口的即咸亨，是鲁迅的远房本家所开设，才有两三年就关门了。这本是东西街，其名称却起因于西端的十字路口，由那里往南是都亭桥，往北是塔子桥，往西是秋官第，往东则仍称东昌坊口，大概以张马桥为界，与复盆桥相连接。德兴坐落在十字路的东南角，东北角为水果莲生的店铺，西边路北是麻花摊，路南为泰山堂药店，店主申屠泉以看风水起家，绰号“矮癞胡”更为出名。路南德兴酒店之东有高全盛油烛店，申屠泉住宅，再隔几家是小船埠头，傅澄记米店，间壁即是咸亨，再过去是屠姓柴铺和一家锡箔铺，往南拐便是张马桥了。路北与水果铺隔着两三家有卖扎肉腌鸭子的没有店号的铺子，养荣堂药店，小船埠头的对过是梁姓大台门，其东为张永兴棺材店，鲁迅的旧家，朱滋仁家，到了这里就算完了，下去是别一条街了。中间有些住宅不能知道，但是显明的店铺差不多都有了，关于这些有故事可说的想记一点出来，只是事隔半世纪，遗忘的恐怕不少，也记不出多少罢了。

（一九五〇年五月九日）

竹枝词的打油

清代出版的竹枝词很多，其中可分为两类，一类是咏古迹，只是普通的古诗，又一类是咏风俗的，照旧式来说体格较低，但是更有意思，有些简直是很好的打油诗，于讽刺之外还可以考见土俗人情，也是一种史料。在友人处见到些北京的竹枝词，大都是嘉庆道光年间的作品，其中写那时读书人的情景，入京应试与在京教书等，很是刻薄活现，现在情形变改了，看了觉得有意义。如写应试的孝廉公云：

水陆交驰应试来，桥头门外索钱财。

乡谈一怒人难懂，被套衣包已割开。

案，此说关吏检验索贿。

短袍长褂着镶鞋，摇摆逢人便问街。

扇络不知何处去，昂头犹自看招牌。

又写教馆生活云：

一月三金笑口开，择期启馆托人催。

关书聘礼何曾见，自雇驴车搬进来。

谋得馆时盼馆开，未周一月已搬回。

通称本是教书匠，随便都能雇得来。

海宁郭尧臣《捧腹集诗钞》中有十几首，也正是这一类，却要乐观得多，如云：

一岁修金十二千，节仪在内订从前。

适来有件开心事，代笔叨光夹百钱。

原注云，市语以二百为夹百。

最难得是口头肥，青菜千张又粉皮。

闻说明朝将戽溇，可能晚膳有鳑鲏。

（一九五〇年五月二十九日）

其休疮

齐公的家里雨后有些虫子进去，其中有一个“其休”，使得大家起了一阵忙头，因为这是要使人生其休疮的。齐公知道这在北京叫作钱串子，却说书上叫他什么的呢，其实他就叫其休，不过写作虫旁瞿叟二字，或求叟二字罢了。王引之《广雅疏证》中云：

> 《本草拾遗》云，瞿叟（虫旁略）虫溺人影，令发疮如热沸而大，绕腰。虫如小蜈蚣，色青黑，长足。瞿叟求叟，亦声之转耳。今扬州人谓之蓑衣虫，顺天人谓之钱龙，长可盈寸，行于壁上，往来甚捷。

瞿叟能溺人影，既然对证古本，可知其说流传有自，但是并非事实，我看见过很多，却不曾见他在有影或无影处小便，他既是蜈蚣的远房本家，毒牙也是有的，却不用以咬人，随便爬爬就会生疮，这事更其查无实据。至少我可以给他做证人，因为今年不久之前他便在我头上脸上爬过，那时天正黎明，我睁开眼看时，他正爬下枕头，像八桨船似的一直去了。我摸一摸脸仍旧睡觉，一直没有生其休疮，所以我可以替他辩明，正如甲鱼苋菜同吃，在五十年前试过，不会生小甲鱼一样。我看见其休，只是敬而远之，尤其不敢打死他，因为假如在炕上桌上打了他一下，无论半死或全死，必定要掉下许多脚来，要我捡拾，实在有点恶心，还不如惊动他催他快走，让他自己带了那些长腿去更是干净。相信是无害的东西便可以随他去，这是我的一种偏见，有些“像水鳖虫，又像放屁虫，样子真不好看”的，也只把他抓来，仍旧扔到门外去而已。

（一九五〇年五月九日）

壁虎尾巴

壁虎是人家里常有的小动物，现在北窗外爬山虎叶子底下就有一个在那里爬走，等吃蚊子小虫。我虽然没有像从前在书房的时候那么爱同他玩，却也一点都不嫌憎他。小时候同叔父在桂花书房念书，先生多在隔壁下棋，我们可以随意游嬉，炕床东壁挂着扁舟子范寅的小对联，文曰快哉遇北海，悠然见南山。揭起来看时，后边墙上生着许多壁虎子，有的将要孵化变成黑色，轻轻打破，里边爬出小壁虎来，很是好玩。随后也会得捉大的了，捏在手里柔若无骨，大概和一个小田鸡相仿吧。

可是一般的人却害怕得很，说他的尾巴会得进人的耳朵孔里去，直钻到脑里，咬人很毒，在草间绿色的一种即是五步蛇，被咬的人只能走五步路而已。《诗经·小雅·正月》云，胡为虺蜴，《集传》云，皆毒螫之物也。诗人的话不必认真，朱文公关于蜥蜴，却全是胡说。陶弘景说："小形五色，尾青碧可爱，名蜥蜴，不螫人。"这正是五步蛇，朱晦庵只信俗说，误人不浅。陶又云："一种喜缘篱壁，名蝘蜓，形小而黑，乃言螫人必死，而未尝中人。"

这里也记有俗说，却随即予以反证，这我也可以证明，壁虎是不咬人的，因为他没有牙齿，他的嘴与虾蟆一样。据说螫人的壁虎也有，但那是在非洲某地，我们这里就是打了灯笼也是找不着的。至于尾巴易断，断了仍动，乃是欺敌之法，留下肢体一部分，逃出性命去，目的不在人的耳朵。假如便把他放在耳朵孔里去，那么一定也不很愉快，不过你放点泥土也是一样，而且何必要放进去，你若是不放，他本来是无从进去的。

（一九五〇年五月二十七日）

守宫砂

守宫砂这一个名词，由我看去仿佛是仙人所吃的龙肝凤脯一样的东西，在人间是没有的，但是书中时时看见，就是现代也恐怕还会有人相信，即使现今不见，从前必定有过。《儿女英雄传》中说十三妹结婚的地方，似乎曾经说到，其实十三妹在能仁寺的事迹虽然奇异，比起来还可以说得过去，而此则属于不可能的事。关于守宫砂的话，从正经书上去找，有《汉书·东方朔传》的颜师古注云：

> 守宫，虫名也，术家云，以器养之，食以丹砂，满七斤，捣治万杵，以点女子体，终身不灭，若有房室之事则灭矣，言可以防闲淫逸，故谓之守宫。

这里守宫砂的制法看来实不容易，第一是用丹砂饲他，他不要吃，丹砂是矿物，研了粉人吃也要用水送，守宫怎么吞得下去。第二要养到重七斤，守宫大抵最初只重二十公分吧，七斤是三公斤半，计一百七十五倍，要有大肥鸭的那么大，这即使不用丹砂而用守宫所爱吃的苍蝇蚊子饲他，也未必做得到。只就这两点看来，守宫砂就没有制成的可能，无论读书人怎么遐想，希望有神秘的方剂，结果还是做不成，这真是可惋惜的事吧。我想聪明的还是那术家，有如戏法书上的药剂中间加上一味啄木鸟舌头，或是穿山甲的油，叫人难以试验。用丹砂饲到满七斤，实在要比这些更难，因为啄木鸟到底还有舌头，穿山甲也总是有油的呀。

（一九五〇年五月二十八日）

咸亨的老板

咸亨酒店的老板之一是鲁迅的远房本家，是一个秀才，他的父亲是举人，哥哥则只是童生而已。某一年道考落第后，他发愤用功，一夏天在高楼上大声念八股文，音调铿锵，有似唱戏，发生了效力，次年便进了学，他哥哥仍旧不成，可是他的邻号生考上了，好像是买彩票差了一号，大生其气，终于睡倒地上把一棵小桂花拔了起来。那父亲是老举人，平常很讲道学，日诵《太上感应篇》，看见我们上学堂的人有点近于乱党，曾致忠告云，“从龙成功固好，但危险却亦很多”，这是他对于清末革命的看法。晚年在家教私塾，年过从心所欲，却逾了矩，对佣媪毛手毛脚的，乱写凭票予人，为秀才所见，大骂为老不死，一日为媪所殴，媳妇遥见，连呼“老昏虫该打”。有一回，本家老太太见童生匆匆走去，及过举人房门外，乃见有一长凳直竖门口，便告知主人去之，后问童生，则笑答是他装的弶，盖以孝廉公为雉兔之类，望其触弶一跌而毙也。同时在台门内做短工的有一个人，通称皇甫，还不知道是王富，有一天在东家灶头同他儿子一起吃饭，有一碗腌鱼，儿子用筷指着说道：“你这娘杀吃吃。”父亲答道：“我这娘杀弗吃，你这娘杀吃吧。”娘杀是乡下骂人的恶话，但这里也只当作语助词罢了。这两件都是实事，我觉得很有意思，多少年来一直记着，现在写了出来，恰好作为《孔乙己时代》之二吧。

（一九五〇年五月十日）

小酒店里

无论咸亨也罢，德兴也罢，反正酒店的设备都是差不多的。一间门面，门口曲尺形的柜台，靠墙一带放些中型酒瓶，上贴玫瑰烧五加皮等字，蓝布包砂土为盖。直柜台下置酒坛，给客人吊酒时顺便掺水，手法便捷，是酒店官本领之所在，横柜台临街，上设半截栅栏，陈列各种下酒物。店的后半就是雅座，摆上几个狭板桌条凳，可以坐上八九十来个人，就算是很宽大的了。下酒的东西，顶普通的是鸡肫豆与茴香豆。鸡肫豆乃是用白豆盐煮漉干，软硬得中，自有风味，以细草纸包作粽子样，一文一包，内有豆可二三十粒。为什么叫作鸡肫豆的呢？其理由不明白，大约为的嚼着有点软带硬，仿佛像鸡肫似的吧。茴香豆是用蚕豆，即乡下所谓罗汉豆所制，只是干煮加香料，大茴香或是桂皮，也是一文起码，亦可以说是为限，因为这种豆不曾听说买上若干文，总是一文一把抓，伙计也很有经验，一手抓去数量都差不多，也就摆作一碟。此外现成的炒洋花生，豆腐干，盐豆豉等大略具备，但是说也奇怪，这里没有荤腥味，连皮蛋也没有，不要说鱼干鸟肉了。本来这里是卖酒附带吃酒，与饭馆不同，是很平民的所在，并不预备阔客的降临，所以只有简单的食品，和朴陋的设备正相称。但是五十年前，读书人都不上茶馆，认为有失身分，吃酒却是可以，无论是怎样的小酒店，这个风气也是很有点特别的。

（一九五〇年五月十一日）

泰山堂里的人

泰山堂药店在东昌坊口的西南拐角，店主是申屠泉，有鲁迅的一个同高祖的堂叔在里边做伙计，通称桐少爷。他的父亲浪游在外，客死河南，人极乖巧，有点偏于促狭，而其子极愚钝，幼育于外婆家，外婆殁后送还本家，其叔母不肯收容，遂流落宿门房中。曾以族人保荐，申屠用为伙计，本家人往买苏叶薄荷或苍术白芷，辄多给好些，但亦有人危惧，如买大黄麻黄而亦如此，那就大要误事了。申屠家临街北向，内即堂屋，外为半截门，称曰摇门，摇读作去声，一日申屠方午饭，忽有人从门外抛进一块砖头来，正打中他的秃头，遂以毙命，凶手逃走无踪，街坊上亦无人见者，成为疑案。或云，申屠为人看风水，图谋别家坟地，因而招怨，亦未可知，唯抛砖暗杀，方法甚奇，一击命中，如此本领亦属少有，或只因妒其暴发，略施骚扰，不意击中耳。

申屠既死，桐少爷遂复失业，族人醵资，令卖麻花烧饼，聊以自给，但性喜酒，好好的卖了几天之后，常去喝一次，不但本钱即竹篮也就不见了，归来愧见本家，则掩户高卧，族人恐其饿死，反加劝慰，再买一篮予之。桐少爷虽愚钝而颇质直，平生不作窃盗，有时出语亦殊有理致，一日自叹运蹇，詈其父曰："只是下蛆似的下了就算。"我们局外人传开了这句话，也着实替他感到一种心痛，诚如鲁迅昔时戏言，父范学堂之设置，其切要正不下于师范也。

（一九五〇年五月十二日）

街坊上的悲喜剧

在小船埠头与张马桥之间，只有几家人家，即是傅澄记米店，咸亨酒店，某姓机房，屠家小店，又一家似是锡箔店老板的住宅。傅澄记在口头上只称傅通源，因为是从那里分出来的，老主人竭力声明，他是傅澄记，招牌上也明明写着，可是大家都不理他，在他们看来这似乎是多事，而且说惯了也难改。

那小主人通称小店王，年少气盛，又有点傻头傻脑的，常与街坊冲突，碰着破落大家子弟，便要被“投地保”，结果讨饶了事，拿一对红蜡烛，和一打小清音，实在只几个人乱吹一阵，算是赔礼，这样的事不止一次，有一回和咸亨的那文童打架，大家记得最是清楚。

他娶妻后几年没有儿子，乃根据不孝有三，无后为大的道理，又娶了一房小，可是从此米店就大为热闹，争夕的风潮四日两头的发生，时常逼得小店王走投无路，只要寻死。有一天他大叫要去投河，可是后门临河他并不跳，却要往禹迹寺前去，相距约有一里，适值下雨，他又穿起钉鞋，撑了雨伞，走出店门，街坊上看的人不少，都只是当作戏文看，没有人去拦阻他，直等他一面叫着投河去，在雨中走了几丈路之后，才由店里的春米师父挽着“扭纠头”，赤着膊冒雨追上去，拉了他回来。

这个喜剧假如不真是有人看见，大抵说来不易相信，真好像是《笑林》里的故事，而且还是造得不大好的，但这实在是街坊的一个典故。不单是知道，就是看见的人也还有，可以说是一点没有虚假，就只是太简略，但存一个梗概罢了。

（一九五〇年五月十三日）

街坊上的悲喜剧（二）

屠家小店没有字号，但他们自称是屠正泰，大概从前曾经开过这么一个店，所以名号还保存着。现在的却是牌号什么都没有，只是临街一间店面，也没有柜台，当街一个木栅栏，直角放着钱柜，也算是曲尺形。檐下横放铺板，陈列十几堆炒豆、炒花生之类，每堆一文钱，一个长方木盒，上盖玻璃，中分数格，放着圆眼糖、粽子糖、茄脯、梅饼，也是一文一个，往大路口糖色店去贩来是六文十个吧，可是那路总有十里以上。里边存放着多少松毛柴和小塘柴，这小店的货色便尽于此了。

店里的主人是个老太婆，名叫宝林太娘，娘家在山里，那些柴便是由他的兄弟随时送来的，两个儿子都在外路学生意，身边只留下一个女儿，近地小孩们去买豆和糖，和她很稔熟，称之曰宝姊姊。老太婆照例念佛宿山，这位宝林太娘却更是热心，每年夏天发起宣卷，在本坊捐一点钱，在她小店的对过搭起台来，高宣宝卷。

宝姑娘每日坐在小店里研纸，可是听熟了宝卷，看惯了台门里人的斯文生活，影响了她的人生观，造成小小的悲剧。她从小许给山里的远亲，婚嫁愆期，男家便来抢亲，她从后楼窗爬出，想逃进东邻的楼里去，失足落水，河里恰泊着男家的船，被捞起来载了去了。她终于不屈，末下提出条件，要新郎不骂娘杀，不赤脚，才可成婚，男人是种田的，实在办不到，结果只好退还聘礼解约。她回到家里以后，常在楼上，店头就少看见，不久病死了，在乡下说是女儿痨，大概只是肺病吧，这时期与孔乙己之归道山当相去不远。这种事在乡下常有，是一个小悲剧罢了，但是这事情却也是很可悲的。

（一九五〇年五月十六日）

农具图说

圭木先生说有一种农具，是孩子所喜悦的，名叫推斛，乡下人叫做托福，形状像斗斛的斛，而大得却像一间小木[1]屋，用以打稻打麦。这东西究竟叫什么，必也正名乎，或者《天工开物》中会得有吧。我看了赶紧取出书来打开来看，在卷四《粹精》中就查到这一个图，用厚木板做成的方斛，四角画出斗笋的痕迹，高约及人的胸前，阔与高恰是十与六之比，两人相对打稻，题曰湿田击稻。本文第一节攻稻项下云，凡束藁而击者，受击之物或用木桶，或用石板，收获之时雨多霁少，田稻交湿不可登场者，以木桶就田击取，晴霁稻干，则用石板甚便也。次图题曰场中打稻，便是用石板的，第一图中的即是文中所谓木桶，别无专名，或者江西俗名没有本字，所以宋君不用也

【锺校】

①“木”原作“人”。

未可知。

我们乡间打稻，平时只在稻地上用石板支起来，两手拿稻打在石上，与第二图相似，也有一种东西叫作稻桶，未曾看见过，不知大小方圆如何，好像是用于打稻，用法如何，却不知道了。扁舟子范寅编有《越谚》三卷，在卷中器用门内列记着好些农具，如铁勺耜头等我也还知道，至于我所[1]不知道的这种打稻桶，他那里也是没有。

我们四体不勤五谷不分，原来很可惭愧，但是参考指示的书籍没有，也是一种缺恨。从前见过《河工器具图说》，很有意思，现今编连环图画的朋友如能破费工夫编出一种农功农具的小册子来，大家受惠非浅，我是一定出钱去买一本来的。

（一九五〇年五月十三日）

【锺校】

①“所”原作“于”。

不写说理文

我是从前读古文读伤了胃口过的，特别是韩退之的文章，所以我对于说理的文看了就头痛，脑筋被《原道》和《送孟东野[①]序》的煤气熏的没有复原，很容易一下子就引起反应。可是自己拿起笔来却又要犯这毛病，往往写好了一篇之后，复阅一遍，发见这很有点儿韩气，心里大为气闷，只好顺手团了放进字纸篓里去。

我平常喜欢陶渊明的诗，因此恍然大悟，这并非因为他的隐逸或是慷慨，实际是为的他的诗说理能说得那么好，正是独一无二的圣手，至少我的佩服他的原因是大半由于此的。我们写文章决不能有陶公这种本领，那么结果只好自己警惕，不要多发议论，还是写些有事有人的文章好，虽然这事也并不容易。我回

【锺校】

①“野”原作“郊”。

想读过的《古文观止》，印象并不是全部都坏，大抵坏的就是那唐宋部分，若是唐以前的东西，《檀弓》《左传》和《国策》都颇有趣味，太史公的那些论赞自有精采，总之这短短的文字里有着事实与人物，便是古文也一样的使人读了觉得满意，只有贾谊我觉得不喜欢他，似乎他是后世无聊文人的祖师，虽然实在乃是三闾大夫的徒孙。看了这个实例，也是一种鼓励吧。

但是唐宋的包袱大而且重，放下着实费力，所以我说不容易。理论之外还有实例，我想要写有人有事的文章，很是费力，结局或者还是成功一篇说理文，有如这一回也就是如此。话虽如此，“自古成功在尝试”，唯一的办法也还只有不管失败，尝试下去吧。

（一九五〇年五月三十日）

戏文故事书

向来知道有《戏考》一书，卷数甚多，因懒终于未曾一翻阅，究竟不知道是只录戏词，抑或是记述戏文情节，如中国《吟边燕语》之类。后来看焦里堂的著作，见有焦廷琥的《先府君事略》一卷八十八则，其中一则云：

湖村二八月间赛神演剧，锣鼓喧阗，府君每携诸孙观之，或乘驾小舟，或扶杖徐步，群坐柳荫豆棚之间。花部演唱，村人每就府君询问故事，府君略为解说，莫不鼓掌解颐。府君有《花部农谈》一卷。

焦君的《剧说》六卷，后来丛书中已屡有翻印，这《花部农谈》却终未得见，很是一件恨事。这样的一部戏文的故事，我觉得非常需要，我猜想《戏考》只是台词，一直不去翻看，固然是成见太深，但也是期望太高，以为未必轻易会出现，若是《花部农谈》

其庶几乎，却又见不到。《莎氏乐府本事》被译成《吟边燕语》，太是古色古香了，原本虽好，我看也未免繁琐，《农谈》不知怎样，我又觉得一卷太少，也还不是理想。反正书也没有，只好搁起，希望有人来[①]做给我们看，不知道有那一位乡兄肯发这慈悲，有这兴趣。元曲、昆曲、京戏、梆子自然都该有同样的解说与梗概，但是我所顶希望的还是绍兴戏文，有那么一厚本讲讲他的本事，这一定是非乡兄不能担任的了。我的要求是不必像兰姆先生小姐的那样写得仔细，只要简要而详明，那就很好，这是有人爱读有人感谢的书，有能力写的人是值得去写的。

（一九五〇年五月三十一日）

【锺校】

① 此处原衍“分”字，已删。

李越缦与胡适之

白严先生述鲁迅批评《越缦堂日记》的话，第三点是老早印给人家看，行云先生加以订正，说此书由蔡孑民主持，张岱杉垫款，于民国初年出版，非李生前所印，这是对的。至于鲁迅的话稍有传讹，因为原来是说越缦写日记时就预备付印的，这虽然是诛心之论，未免苛刻一点，但李生前的确常将日记借给人看，很有藏之名山的神气，说得不为无因。

其实这话表面上虽说越缦，实际却在挖苦别的名流，特别是胡适之博士，那时《藏晖室札记》未出版，已很有这种空气，他的新日记也时常借给人看去的。对于《越缦堂日记》即使不能说有好感，他原是很注意的，清末《绍兴公报》上每天附印一版，连载乡贤遗著，其第三种即是日记，乃是选抄的，自宣统二年（一九一〇年）九月至三年三月，一共百八十页，都裁下来订存，到后来报馆的《越中文献辑存书》出来，这才换了过来。时代与学问本不相同，因为是故乡文献的关系，所以相当重视的吧。

那五十一册石印的日记，据蔡君所写缘起里说，民国九年的冬天才决定付印，总数五百部，以后并没有再版，行云先生说后来商务印书馆又曾借印一次，那是另一回事，只有一套书，名为《越缦堂日记补》，即是缘起中所说的自甲寅至壬戌的这一部分，虽名为补，实在乃是前编，因为那大部日记是从癸亥年起首的，当作文史资料看，这书也可以有点价值，不过依照我个人的意见，觉得还是叶菊裳的《缘督庐日记抄》更是有意思。

（一九五〇年五月十七日）

《动物园》

小孩们有几册连环图画，其中之一是《动物园》，我拿来看过之后，深觉得图画的力量之大，远过于文字①。假如一个野猪，我们要用文字来形容，只得说其状如猪，这话说的不算错，可是他与家猪顶不相同的那精悍之气却是没法子说，就是那獠牙要怎么说才表示恰好，不与老虎和象相混呢？我看古代的书里形容一种生物便吃力得很，如李时珍在《本草》上说虾蟆子云，科斗状如河豚，头圆，身上黑色，始出有尾无足，稍大则足生尾脱。我们是见惯那“虾蟆骨突儿”的，所以一读就认识，否则不吃过河豚，教我们怎么去比拟。可是他那说法却也煞费苦心，很是不容易了。又如海参，说起来大家多知道，古时称海鼠，明朝俗名土笋或沙噀，唐代逸书崔禹《食经》云，海

【锺校】

①“字”原作“学”。

鼠似蛭而大者，也就是俗语所谓马蟥，老百姓在水田里耘草，腿上常要被叮的，这形容也还像，只是大小相差，大概正同河豚似的科斗成个反比例吧。这方法吃力而又不讨好，弄不好就像是《山海经图》的拟于不伦[1]，成为怪物。汪谢城著《湖雅》，说到蚊子，曾仿之云，虫身而长喙，鸟翼而豹脚，依此为图，必身如大蛹，有长喙，背上有二鸟翼，腹下有四豹脚，假如再续之曰，昼伏夜飞，鸣声如雷，是食人，那就整个是妖怪了。文字不及图画，这是没有办法的事，关于这一方面，还是利用图谱为宜，只可惜“动物园”里都是四只脚的，如能推广开去，把蚊子等也关了进去，那就要更为有益有趣吧。

（一九五〇年六月一日）

【锺校】

①“拟于不伦”原作“拟不于伦”。

水果与仙丹

东昌坊口东北角的水果摊其实也是一间店面，西南两面开放，白天撤去排板门，台上摆着些水果，似摊而有屋，似店而无招牌字号，主人名莲生，所以大家并其人与店而称之曰“水果莲生”云。平常是主妇看店，水果莲生则挑了一担水果，除沿街叫卖外，按时上近地各主顾家去销售。这担总有百十来斤重，挑起来很费气力，所以他这行业是商而兼工的，主顾们都是街坊，看他把这一副沉重的担子挑到堂前来，觉得不大好意思让他原担挑了出去，所以多少要买他一点，无论是杨梅桃子或是香瓜之类。东昌坊口距离大街很远，就是大云桥也不很近，临时想买点东西只好上水果莲生那里去，其价钱较贵也可以说是无怪的。近处有一个小流氓，自称姜太公之后，他曾说水果莲生所卖的水果是仙丹，所以那么贵，又一转而称店主人曰华佗[1]，因为仙丹只有那里发售，但小孩们所怕的却并非华佗而是华佗太太，因为她的出手当然要更紧一点了。这店里销路最好的自然是甘蔗荸荠，其中更以甘蔗为大宗，虽然初夏时节的樱桃，体格瘦小，面色苍白，引不起诗人的兴趣来的，却大为孩子们所赏识，一堆一堆的也要销去不少。至于大颗的，鲜红饱满的那种樱桃呢，那只有大街里才有，价钱当然贵，可是一听也并不怎么大，因为卖樱桃照例用的是"老十六两"秤，原来是老实六两，那么半斤也只是说三两的价钱而已。

（一九五〇年五月二十五日）

【锺校】

①"佗"原作"陀"，下同。

石板路

石板路在南边可以说是习见的物事，本来似乎不值得提起来说，但是住在北京久了，现在除了天安门前的一段以外，再也见不到石路，所以也觉似有点希罕。南边石板路虽然普通，可是在自己最为熟悉，也最有兴趣的，自然要算是故乡的，而且还是三十年前那时候的路，因为我离开家乡就已将三十年，在这中间石板恐怕都已变成了粗恶的马路了吧。案：《宝庆会稽续志·卷一·街衢》云：

> 越为会府，衢道久不修治，遇雨泥淖几于没膝，往来病之。守汪纲亟命计置工石，所至缮砌，浚治其湮塞，整齐其嵚崎，除巷陌之秽污，复河渠之便利，道途堤岸，以至桥梁，靡不加葺，坦夷如砥，井里嘉叹。

《乾隆绍兴府志》卷七引《康熙志》云：

> 国朝以来衢路益修洁，自市门至委巷，粲然

皆石甃，故海内有天下绍兴街之谣。然而生齿日繁，阛阓充斥，居民日夕侵占，以广市廛，初联接飞檐，后竟至丈馀，为居货交易之所，一人作俑，左右效尤，街之存者仅容车马。每遇雨霁雪消，一线之径，阳焰不能射入，积至五六日犹泥泞，行者苦之。至冬残岁晏，乡民杂遝，到城贸易百物，肩摩趾蹑，一失足则腹背为人蹂躏。康熙六十年知府俞卿下令辟之，以石牌坊中柱为界，使行人足以往来。

查志载汪纲以宋嘉定十四年权知绍兴府，至清康熙六十年整整是五百年，那街道大概就一直整理得颇好，又过二百年直至清末还是差不多。我们习惯了也很觉得平常，原来却有天下绍兴街之谣，这是在现今方才知道。

（一九五〇年六月二日）

石板路（二）

小时候听唱山歌，有一首云：

知了喳喳叫，

石板两头翘，

懒惰女客困旴觉。

知了即是蝉的俗名，盛夏蝉鸣，路上石板都热得像木板晒干，两头翘起。又有歌述女仆的生活，主人乃是大家，其门内是一块石板到底。由此可知在民间生活上这石板是如何普遍，随处出现。我们又想到七星岩的水石宕，通称东湖的绕门山，都是从前开采石材的遗迹，在绕门山左近还正在采凿着，整座的石山就要变成平地，这又是别一个证明。普通人家自大门内凡是走路一律都是石板，房内用砖铺地，或用大方砖名曰地平，贫家自然也多只是泥地，但凡路必用石，即使在小村里也有一条石板路，阔只二尺，仅够行走。至于城内的街无不是石，年久光滑不便于行，则凿去一层，雨后即着旧钉鞋行走其上亦不虞颠仆，更不必说穿草鞋的了。街市之杂遝仍如旧志所说，但店家侵占并不多见，只是在大街两边，就店外摆摊者极多，大抵自轩亭口至江桥，几乎沿路接联不断，中间空路也就留存得有限，从前越中无车马，水行用船，陆行用轿，所以如改正旧文，当云仅容肩舆而已。这些摆摊的当然有好些花样，不晓得如今为何记不清楚，这不知究竟是为了年老健忘，还是咀馋眼馋的缘故，记得最明白的却是那些水果摊子，满台摆满了秋白梨和苹果，一堆一角小洋，商人大张着嘴在那里嚷着叫卖。这种呼声也很值得记录，可惜也忘记了，只记得一点大意。

（一九五〇年六月三日）

路旁水果摊

石天基的《传家宝全集》里有《笑得好》两卷，其中有一则笑话，题目是《老虎诗》，其文云：

一人向众夸说，我见一首虎诗，做得极好极妙，只得四句诗，便描写已尽。旁人请问，其人曰，头一句是甚的甚的虎，第二句是甚的甚的苦，旁人又曰，既是上二句忘了，可说下二句吧。其人仰头想了又想，乃曰，第三句其实忘了，还亏第四句记得明白，是很得很的意思。

市声本来也是一种歌谣，失其词句，只存意思，便与这老虎诗无异。叫卖的说东西贱，意思原是寻常，不必多来记述，只记得有一个特殊的例。卖秋白梨的大汉叫卖一两声，频高呼曰，来驮哉，来驮哉，其声甚急迫。这三个字本来也可以解为请来拿吧，但从急迫的声调上推测过去，则更像是警戒或告急之词，所以显得他很是特别。他的推销法亦甚积极，如有着长衫而不似啬刻或寒酸的客近前，便云，拿几堆去吧，不待客人说出数目，已将台上两个一堆或三个一堆的梨头用右手搅乱归并，左手即抓起竹丝所编三文一只的苗篮来，否则亦必取大荷叶卷成漏斗状，一堆两堆的尽往袋里装下去。客人连忙阻止，并说出需要的堆数，早已来不及，普通的顾客大抵不好固执，一定要他从荷叶包里拿出来再摆好在台上，所以只阻止他不再加入，原要两堆如今已是四堆，也就多花两个角子算了。俗语云，掗卖情销，上边所说可以算作一个实例。路边除水果外一定还有些别的摊子，大概因为所卖货色小时候不大亲近，所以不注意，至今也就记不得了。

（一九五〇年六月四日）

桥与天灯

与石板路有关联的还有那石桥。这在江南是山水风景中的一个重要分子，在画面上可以时常见到。绍兴城里的西边自北海桥以次有好些大的圆洞桥，可以入画，在东郭门内这一路上便很缺少，都亭桥以东有好些桥，差不多都只有两三级，有的还与路一样平，底下只可通小船而已。禹迹寺前的春波桥是个例外，这是一座小圆洞桥，其下可以通行任何乌篷船，石级也当有七八级了。虽然凡桥虽低而两栏不是墙壁者（此语稍费解，但实际上确有这样的桥，如大云桥与望江桥①），照例总有天灯用以照路，不过我所明了记得的却又只是春波桥，大约因为桥较大，天灯亦较高的缘故吧。这乃是一支木竿高约丈许，横木上着板制人字屋脊，下有玻璃方龛，点油灯，每夕以绳上下

【锺校】

①“桥”原作“楼”。

悬挂。翟晴江《无不宜斋稿》卷一《甘棠村杂咏》之十七咏天灯云：

冥冥风雨宵，孤灯一杠揭。
荧光散空虚，灿逾田烛设。
夜阒[1]归人稀，隔林自明灭。

这所说是杭州的事，但大体也是一样。在民国以前，属于慈善性的社会事业，由民间有志主办，到后来恐怕已经消灭了吧。其实就是在那时候，天灯的用处大半也只是一种装点，夜间走路的人除了"夜行人"以外，总须得自携灯笼，单靠天灯是决不够的。拿了"便行"灯笼走着，忽见前面低空有一点微光，预告这里有一座石桥了，这当然也是有益的，同时也是有趣的事。

（一九五〇年六月五日）

【蒋校】

①"阒"原作"间"。

活无常与女吊

鲁迅的一卷《朝花夕拾》，真是古今少有的书，翻开来看时觉得惊喜，因为得未曾有，及至看完了，又不禁怅然，可惜这太少了。当然著书的长短多少，应听著者的自由，无论读者怎样惋惜抗议，若是著者不想再写下去，也只得罢休，不好当真去逼他硬写续集。我读过已有多年，有些也还记得，但是最不能忘记的是那篇讲活无常的，又有晚年所写的《女吊》，虽然收在别的集子里，却也原是同这一类的。

我为什么缘故特别记得这些，难道是因为我相信鬼么？这当然不是，我有好些东西不相信，这鬼就是其一。我所觉得有意思的，是老百姓的在这鬼身上所表现出来的苦痛与幽默。无论《玉历抄传》上森罗宝殿怎么威严，《龙图公案》上包公怎么公正，他们反正对于官厅都不信任，却只爱那皂隶地位的有人情有血性的活无常，这真是封建社会的喜剧了。可是他虽然职司勾魂，却也有许多人并不等他降临，自己前去，这时候的经手人是讨替代的五伤鬼，其中最多是吊死鬼，而这又十九就是女吊。中国旧社会里妇女的苦痛，除了现在都市的女学生诸君外大概人多知道，那是相当的深刻的，它在戏台上表现出来只是一件红衫披着头发，叫一声“阿呀苦呀天呀”，实在够惊心动魄。现在中国人民已经解放，可是妇女生活还有苦痛，如去年十个月中山西妇女命案四百多件中自杀占了四分之三，这很值得大家尤其是前进妇女的注意，此时记起那篇《女吊》来，更觉得非常有意义了。

（一九五〇年六月七日）

没有题目的文章

从前考秀才，五更天进场，只带笔墨吃食，关上一整天，要做出两篇八股文，外加赋得五言六韵，在点灯以前必须完成，应试文章无论老小大抵都能做到，虽然考不考得上那是别一问题。书房里做策论，那更是容易得多了，不但时间宽裕，也可以翻书，《东莱博议》与《三苏策论》并不禁夹带，假如领到管仲论或关于汉高祖的事情的题目，小半天准可交卷，而且还有工夫给同学枪[①]替一两篇，写得反正奇偶全不一样。想起来这全是有题目的好处，好像不会游水的人抓住了一个橡皮圈或是一根棒，便好着力，用两只脚乱蹬，若是空手，不懂游泳就会得沉下去，那可不是耍的了。

我近来很深切的感到，因为写小文章，往往抓不

【锺校】

①“枪”原作“抢”。

到题目，很是狼狈，觉得今天有空，想来写他三两篇，结果是吃茶吃饭反复两次，看看日色沉西，还是一张白纸，心里暗暗着急，难道真是连文童也不如，一日里一篇也写不出么？可是事实如此，没法争辨，所不同的是我没有题目，并不是有题目而写不成文章。我真佩服古人善能写没有题目的文章，他们是先有了文章而后才加题目的，如《诗经》里的“氓之蚩蚩”，古诗的《孔雀东南飞》，《庄子》有了“秋水时至”而云《秋水》，“马蹄可以践[1]霜雪”而云《马蹄》，都是很好的例。但是要那么办实在太不容易，能力不及，是一个原因。现在想起来，若干年前教过女学生作文不给题目，要她们自己随意去写，这也确是一种有点损阴骘的虐政了。

（一九五〇年六月八日）

【锺校】

①“践”原作“踏”。

诗里的市声

前清宗室文昭是王渔洋的诗学弟子，有《紫幢轩集》，卷帙甚多，我只见到残本两册，计四卷。他的诗好坏如何我不很懂得，但是有一件事觉得很有趣味，就是诗中时常说及街上卖东西的事。如《暖屋》云："后巷黄昏人卖炭。"《立冬夜作》云："听卖街前辣菜声。"《闻卖豆声》云"独轮车上小灯悬"，则并写其形状。《冬街夜归》云"素纸周糊芦菔担，过街似点上元灯"，亦是此一类。《里门望雨》云："马乳蒲桃马牙枣，一声听卖上街初。"《年夜》云："漏深车马各还家，通夜沿街卖瓜子。"《枕桥轩瞑坐》云："市声只隔寒烟外。"以上所举，皆市声也。有一诗题云，"枕桥轩中自巳至酉，书卷开阖，悉以市声为准，戏成一首"，中有句云："小桥重过晚市油。"案：敲梆卖油到后来还是如此，用入诗中不知此外尚有何人，但至少渔洋总不肯用，即此可知其胜过老师了。又《连夕不饮》诗中有一联云，“柝喧街下夜，火响炕封煤”。此是打更的梆声，但总之似乎都喜欢听，故以枕柝名轩，若封火细事，却亦是北方生活的一点滴，如今炕不生火，煤炉子封火是日常所有的，亏得他收拾来放到诗里去。

清末闲园菊农[1]著《一岁货声》一卷，列记一年中各物叫卖的声音，如实的记录词句，并标示音调长短，是民俗研究上很有价值的书，只可惜展转抄写，不免多有错误。此人亦是旗人，通称蔡绳格，盖是后来冠姓，他的原名，却是不知道了。

（一九五〇年六月十日）

【锺校】

①“闲园菊农”原作“间园鞠农”。

杨梅与笋

清末旗人遐龄所著《醉梦录》中有“莫疯子”一条，记述吾乡的一个怪人云：“莫切崖，元英，行七，浙江山阴县人也，其人古貌古心，不修边幅，见人辄跪拜不已，虽仆役亦然，以此人皆以莫疯子呼之。然其学问渊博，凡医卜星相堪舆之术，以及诗古文词，无不通晓，尤精于医，多不循古方，寓京师已三十馀年矣。诗不多作，曾记其二语云，五月杨梅三月笋，为何人不住山阴？其不克还乡之苦况已露于言表。”久居燕山，而不忘杨梅与笋，此意甚可了解，我亦素有此感，近时北方虽有笋来，而终于鞭笋及猫笋，洋莓只可与桑葚相比耳。《嘉泰会稽志》杨梅条下云：“又以雀眼竹筥[1]盛贮为遗，道路相望不绝，识者以为唐人所称荔枝筐，不过如此。”一定要说杨梅

【锺校】

① “筥”原作“莒”。

比得过荔枝，那也未必，但这的确是一种特别的果子，生食固佳，浸烧酒中半日，啖之亦自有风味，浸久则味在酒中，即普通所谓杨梅烧，乃是酒而非果矣。

吾乡烧酒其强烈自逊于北方的白干，却别有香气，尝得茅台酒饮之，其气味亦相似，想亦宜于浸杨梅，若白干则未必可闲，此盖有似燕赵勇士，力气有馀而少韵致耳。蜜饯店制为杨梅脯，乃是木乃伊，干荔支已是萎缩可怜，也还不至于此，即使想吃杨梅如大烟瘾发，呵欠频作，脯仍不可吃也。莫元英的事他无可考，此人盖是玩世不恭者流，其号曰切崖，即是自称七爷，此亦其一证也。

（一九五〇年六月九日）

关于水乌他

齐甘乡兄在牛奶店吃了水乌他，却说："一吃，原来是牛油，怎末会叫水乌他的呢？不知道。"我是略为有点知道，虽然不曾吃过这种外国点心。敦崇所著《燕京岁时记》里十月项下有一个题目是"水乌他，奶乌他"，其文曰：

> 水乌他以酥酪合糖为之，于天气极寒时乘夜造出，洁白如霜，食之口中有如嚼雪，真北方之奇味也。其制有梅花方胜诸式，以匣盛之。奶乌他大致相同，而其味稍逊。

乌他是满洲语，据《满和辞典》里说，这是将枸杞子汁与牛乳白糖混和，用干酪凝结而成的一种点心，所以应该与黄油是差不多的东西，至于现今北京是否还用枸杞，那我可不知道，只是书上那么说而已。

乌他是说明了，其水与奶二者的区别却仍是未详，最简单的方法还是由齐公再去吃一回奶乌他，那就可以比较出来了。《燕京岁时记》是木板的一小册书，原板尚存，大概旧书店里不难找到，齐公大可去弄一本来看。假如没有，则李家瑞编的《北平风俗类征》亦可，是前中央研究院历史语言研究所专刊之一，大本二册，原定价要四元，商务印书馆如尚有，不知要卖几千倍了。这里分十三门类，辑录成书，照道理讲是该便于检阅的，可是有这几个缺点，一没有索引，以至[1]细目，二排列杂乱，年代不明，三大册长行，翻看不便，如用对截小册子，其实也只要四至六册就行了。至于疏漏亦所不免，即如上述《燕京岁时记》的一条，那里也有，却写作《天咫偶闻》，这种笔误偶尔发见，或者还不会很多吧。

（一九五〇年五月二十五日）

【锺校】

①“至”原作“致”。

有水无鱼

徐仲可所著《可言》中有一则云：

> 绍兴今为鱼稻之乡，而宋时少鱼。庄季裕《鸡肋①编》，越州在鉴湖之中，绕以秦望等山，而鱼薪难得。谚云，有山无木，有水无鱼，有人无义。里俗颇以为讳，言及无鱼，则怒而欲争矣。

说宋时绍兴无鱼，这话很不可靠，我们不引《嘉泰会稽志》里说水产的话，只问以前的鱼哪里去了，以后的又是哪里来的，因为在宋朝前后似乎鱼并不缺少，我想谚语只是如天上九头鸟等，用以骂人，本来是陪衬的话，并不一定确实，所以我觉得说无鱼还是应该争，无木可争可不争，中国多童②山，虽可砍柴而不

【锺校】

①“肋”原作“肪”。

②“童”字原阙。

出木材，若说到无义则可不必争，争了反而寒伧。大抵人与人相处不可太远也不可太近，远了不相了解，以为青眼睛红头发觉得可怕，近了接触频繁，看出有些难对付的地方，更是讨厌，于是谚语便起来了。

绍兴人大半胆小怕吃苦，孵在乡里嚼晚米饭吃乌烟，却有一部分渡过钱塘江，到处乱窜，当幕友，做书办，开店挑担，佣工抬轿，什么生意都做，有麻鸟豆腐绍兴人之谣，以为此三者遍天下皆有，妄自夸大，其被人所讨厌也亦宜。还有一层，庄季裕是南宋时人，首都在临安，那时从江东边过去的人一定不少，杭州与汴州的人同样的感觉到不舒服，这是很可了解的，嘲骂讥刺乃不可免，我怕至今有许多人还是同意庄公的吧。我尝想越王勾践时范少伯那样人可是算是无义了。这是他自己说的，这种人煞是可怕，也可佩服，却是难得有第二个了。

（一九五〇年六月十三日）

赞成大团圆

有朋友来谈天，所谈是关于中国旧戏的事。主客对于这事全是外行，所有一点关于中外戏曲的知识只是从书本上得来的，京戏久已不曾听，听亦不懂，但是二人都是乡间出身，对于乡土的风俗人情略有了解，虽然在都会人海中飘浮多年，却还没有扔掉。客人说近来稍看元曲，里边封建空气自然重得很，文辞也欠浅显，但是有些也编[①]得很有技术，还有最感觉特别的是结末的团圆，旧戏不肯以悲剧终场，即使万不得已也总要伸冤报仇，出一个包龙图，或是无聊的来一个“天雷报”。在小说上也是如此，《红楼梦》是悲惨的散场的，大家不愿意，硬在不必续的地方偏要续，如续《西厢》一样，惹得金圣叹辈的嘲笑。西洋的戏曲在希腊时代由几个天才诗人从民众手里接过

【锺校】

①“编”原作“遍”。

去，逐渐的个人化，原来表示神人死而复生的悲喜剧，截作两段，悲剧于以发生，以至于今，如从这个观点看去，中国的旧剧的确太幼稚，太落伍了。但是主客双方的意见都以为这是好的，中国人民不爱悲剧，需要大团圆的这件事，无论在艺术专门家如何批判，我们外行的看法，只就中国前途着眼，觉得这是对于人生很好的态度，大家应当拥护的。

中国人看重现世，要改善实生活，把人与人相处的关系弄好，反对残害破坏，信赖公理正义，这与新民主时代很相适合，所以大团圆思想[1]虽是幼稚，却是比近代怀疑的个人主义思想要好得多。主客自认外行，可是对于这一问题仿佛很有确信，意见一致，感觉很是愉快。

（一九五〇年六月十一日）

【锺校】

①“思想”原作“想思”。

懊恼祖师

《越缦堂日记》同治丙寅四月十九日条下，记诣越王峥欧兜祖师道场事云：

> 案府县志，欧兜祖师为至正间人，本卖菜佣，悟道不娶，入山一年即化，而越人讹称为懊恼祖师，云本钱唐卖鱼者，因妻有所私，愤而出家，传有“扳竹乌鸦叫，钱唐门不开，懊侬出门去，欢喜进门来”一诗。毛西河《越王峥寺田碑记》言师以元至正间从钱唐来，其师雪庭授以橙，属曰，当向月行，即越峥隐语也。

越王峥今俗呼为玉皇丈，橙曰新会橙，末字读若丈，故橙峥音可通，西河记文盖亦非越人不能解，而月橙之说也只是俗传，与扳竹乌鸦叫一样，却更是没趣味了。欧兜不知何义，世人转呼为懊恼，似更有意思，那四句诗虽然看得出是文人手笔，却还不坏，就只是在懊侬一语上露出点马脚来，若说懊恼便要好得多，与祖师的名字也拍合得上了。他为什么出家，这已难以查考，俗说亦未必一定错，相类的事有东坡相识的僧仲殊，据说为妻所毒，以后常食蜜解毒，有蜜殊之称，本来大抵是个秀才，也能做诗，末了不知为何上吊死了，这人大概只出家而未悟道，所以还是那么懊恼吧。

越王峥的香火颇盛，看四月十九的日期，庙里所供的该是观世音菩萨，但是那地方出名却全是为了那懊恼祖师，因为他的肉身尚在，涂了火漆，上贴金箔，从前有许多信女去摸他的膝盖，这是不大雅驯的事，据说可以得子，可是祖师的脚踝头却已被摸得露出骨头来了，这是好许多年前的话，现在恐怕不摸了吧。

（一九五〇年六月十二日）

爱窝窝

小时候最爱吃麻糍，这是纯糯米的糍巴，中裹豆沙或芝麻糖馅，但是北方没有，只有爱窝窝稍为相像。《燕都小食品杂咏[①]》云：

白粘江米入蒸锅，什锦馅儿面粉搓，
浑似汤团不待煮，清真唤作爱窝窝。

注云，爱窝窝，回人所售食品之一，以蒸透极烂之江米，待冷，裹以各色之馅，用面粉团成圆球，大小不一。我们常见的都是小而扁的一种，若加倍的大，便近于炙糕担上的麻糍了。

爱窝窝的名义不甚可解，或写作艾，可是里边并没有艾之类，也不见得对。李光庭著《乡言解颐》中载刘宽夫《日下七事诗》，末章中说及爱窝窝，小注云：

【锺校】

①“杂咏”原作“咏杂”。

窝窝以糯米粉为之，状如元宵粉荔，中有糖馅，蒸熟外糁薄粉，上作一凹，故名窝窝。田间所食则用杂粮面为之，大或至斤许，其下一窝如臼[1]而覆之。茶馆所制甚小，曰爱窝窝，相传明世宫中有嗜之者，因名御爱窝窝，今但曰爱而已。

这里说爱窝窝名称的来源颇为近理，虽然查刘若愚的《酌中志》，在《饮食好尚纪略》一篇中不曾说及。普通玉米面的窝窝头其大如拳，清末也因宫中要吃，精制小颗，高才及寸许，北海仿膳茶社出售，一碟七八个，价比蟹黄包子矣，古今事亦正是无独有偶也。

爱窝窝做法，以《小食品杂咏》注所说为可靠，倘如《乡言解颐》的话，则是煮元宵捞起来外拌米粉，事实上是做不成的，《杂咏》云浑似汤团不待煮，说得不错，虽然据我看来还不如说小麻糍更得要领，就只可惜不吃过麻糍的人也不能了然耳。

（一九五〇年六月十六日）

【锺校】

①“白”原作“旧”。

《五美图》

俗语云，冬瓜雕猪砦。乡下冬瓜大者不过一尺长，不及北方所产者之魁伟，雕猪砦即食槽殊嫌太小，但向来有此俗谚，范寅所编《越谚》中有之，注曰诡随。尝听老辈使用此语，意更显明，乃设为问答之词，曰冬瓜雕猪砦，好不好雕？好雕的，好雕的。猪是不是要吃？要吃的，要吃的。

在旧戏里也表现得好，《五美图》里老丁[1]撺掇公子抢姣姣，及至被捉住了吊在戏台角上，公子已在挨打，他便对台下做嘴脸，说风凉话，我本来说抢不得的，现在着打正是活该，后来写服辩，他也情愿变猪变狗变阿猫的。实人生上自然不会没有，举个不大隐僻的例便是鲁迅小说里出来过的衍太太。他的堂房小侄儿在堂屋里玩耍，团团旋转，她坐在房门外看

【蒋校】

①“丁”原作“鼎”。

着，极口称赞，能干能干，真转得好，转得多，小孩头转得昏了，立刻摔倒[①]在地，额角撞在方砖上，起了雄鹅胖头似的一块，她便说道，是不是，我说这样转是要跌的，大人走来把小孩抱回去，还要谢谢她的照顾。这个跌倒的孩子现在算起来是七十四岁，所以这已是很久以前的事，不过这种作风却可以流传下去，现今小孩这样的被欺哄着，还是很可能有的。

《五美图》之类的戏文大概也编得很平常，不过他看穿有些人生的黑点，用花脸表现出来，很有意思，也很有价值，因为是花脸，所以看了好玩，但这又可以叫我们警[②]惕，所以兼有很大的教训的意义了。

（一九五〇年六月十八日）

【锺校】

①“倒”原作“到”。

②“警”原作“惊”。

黑头发

我知道中国人的头发是黑的，眼睛也是黑的。这原是人人都知道的事情，可是不见得人人理会到，所以在这里重复的来说一遍。

过去好些年前，流行过黑眼镜，许多青年女士也都使用，我曾写过短评，加以讽刺，那时有人劝我说，小姐们爱时髦何必说她们，怪可怜的，我也何尝不是这样想，但我说也有我的理由。青年人爱漂亮是当然的，不过人的特别是女人的美大半在于眼睛，用颜色玻璃挡住了很是可惜，何况漆黑的玻璃，平常除了盲人很少有人用的，中国人的黑眼睛比西洋的浅色本来抵抗力要强些，至多用了克路克斯片也就够了吧，何必一定要那黑的。这流行不久便过去了，但是我的话觉得还是对的。

关于头发，还不曾听说有人往上边抹黑油，其实这倒没有什么不可抹，无非枕头被头容易脏罢了，我觉得可以不必的乃是烫发。黑头发比较的要硬一点，不易卷曲，加点人工也未始不可，可是烫得厉害便枯焦了很不好看，乱蓬蓬的有点像麻雀窠，同黑眼镜一样的不美观，但是这种现象近来也渐少见了。在男人的头上，这黑头发的处分较为简单，不是轧光只好分开，艺术家式的往后披，不见得大方，因为不免有顾影自怜的神气，这往往反会减少原来的成色的。听说有一种飞机头，不知是怎样的东西，但据说浑名阿飞，似乎成为不良少年的标识，大概与前清的前刘海一类，同为奇装异服之一吧。

（一九五〇年六月十五日）

对狗作揖

假如你遇着狗对你叫，最好的方法是对他作一个揖，他就会走了。这句话我只听见人说，不知道书上有没有过，但我相信当是古已有之的。西洋古代的《荷马史诗》是中国周召共和时代的作品，里边说到英雄阿迭修斯回乡，遇见牧场的狗叫着奔来，他很狡狯的蹲到地上，放下手里的行杖[1]。亚列士多德与普利尼乌斯都说，狗不攻击蹲着的人。为什么呢？亚里士多德说的很妙，他说对于卑屈的人怒气自息，狗也不能咬蹲坐的人。这样说来，也正可以表明作揖之有效，就只是把狗看得太高了，大概于事实未必能相合。有些人解释，以为狗怕人屈下身子去捡[2]石头，因为狗对于人家的扔石头总是不大欢迎的，我听人讲

【锺校】

①“杖”原作“枚”。

②“捡”原作“检”，下同。

作揖的理由就是如此说，事实上在阿迭修斯的时候也是由牧人赶出来，用石头把狗轰走才给他解了围的。但是又有人说，狗所怕的不是捡石头，乃是因为伏下去，像是动物预备争斗的样子，说不一定一下子就扑过去，所以那边也不得不踌躕了。或云，直立的人忽然蹲倒，狗的意识因情景的变换而移转，愤怒减退，成为惊异，这也是很可能的事。

我想这些说法都有可取，不妨择一作为说明，不过那对付的方法，不论蹲下或是作揖，我总觉得不见得好，我们只要看乡村的讨饭的，他们与狗要算顶有经验的了，他们大抵带着一根打狗棒，可见除此以外没有好的办法，这可以说是事实的证明吧。

（一九五〇年六月十九日）

风俗的记录

李家瑞所编的《北平风俗类征》的序文上，说及当时刘半农对他的指示事项，有一则云，记述民情风俗的书，士大夫做的往往不如土著平民做的详细确切，例如《草珠一串》《朝市[1]丛载》《一岁货声》等书，无一不是略通文理的人做的，但他们所记的风俗都比名人学士们更为详实。这意思是很正确的，李君自己也逐[2]渐发觉后来的人对于风土人情的注意比较以前的人来得多，而且越是通俗的书越喜欢记载土[3]风民俗等细事，更是很好的经验。

事实是如此，但这是什么缘故呢？简单的一句话，中国的读书人太是正经了，他们受了封建的礼教传统的束缚，处处只考虑君父夫特权者的利益，别的

【锺校】

①“市”原作“布”。
②“逐”原作“遂”。
③“土”原作“士”。

关于人民小孩和妇女的细事便都不在眼里，那有闲工夫来记录他呢？清朝的乾隆一代大概有点与明朝的嘉靖相似，长期的胡搞为王纲解纽的开始，思想文艺上有一点转变，土[1]著平民的著作渐以发生，并不是偶然的事。“五四”以后，风俗研究与方言调查的运动连带而起，可是没有底力，只算起了一个头，虽然有了做起讲之意，也总是很好的，后人就可以来接续下去了。正式的学术工作当然应由科学院用政府的力量大规模的去做，我们略通文理的人却也当随分尽力，就知识和力量所及去收集纪录，保存一点过去与现在的人民生活的痕迹。一地方的老百姓日常吃些什么，如能记得确实，要比起居注更有价值，虽然记皇帝的御膳也是一种资料。

（一九五〇年六月二十一日）

【锺校】

①“土”原作“士”。

咭咯菩萨

平景孙《霞外捃屑》中有“咭咯菩萨”一则云：

> 江西五月初旬省城迎咭咯菩萨，读若几嘎，木偶百千，舁舆者颠倒倾侧，杠戛作声，故名，神貌率狞恶可怖，有云陈大元帅者，有云大老板二老板，相传皆陈友谅水军部将，所至填塞衢路，周历七门，凡匝月而罢，云以逐疫，非是岁必有灾。

又引《明斋小识》，云三月三日有玄帝会，神像大小不齐，仪注无节，前导为灵官，轿必倒舁，或翻或欹，以为恭敬，所说乃在江苏，不知道别处有没有这种风俗。据说吴名凤《此君园文集》中有《江西端午抬菩萨记》一篇，模写最肖，可惜这部书前两年被贼偷了，无从查考。

大抵民间对于瘟疫最有戒心，祭祀不敢或懈，仪式也多特殊，小时候记得家里曾经祭过一回豆腐菩萨，供品除香烛茶酒外只有一作豆腐，整板的放在桌上，小孩觉得奇怪，问大人时不肯说明，那时只知道是与流行病有关而已。这豆腐怎么处分了，也记不清楚，或者是做了霉豆腐也未可知，但又仿佛记得淡吃了一块似的，大约不是散胙而是免疫的符咒吧。庙里有黄老相公，是正式的疫神，有时出巡，别无特殊仪注。颠倒倾侧，以为恭敬，这意思很奇，想来本是驱逐的手段，乱七八糟闹过一场之后，应当把那些神像倒在水里的，后来却将菩萨仍旧抬回庙去，所以这咭咯的意义也就转变了。在水村社庙里又曾见到“腊塌四相公”，是管疟疾的四个小鬼，只有尺许高，没有出巡的分儿，到得金鸡纳霜普及的时候，他的大名也将被人忘记了吧。

（一九五〇年六月二十四日）

三顿饭

南方人见人打招呼，问吃过饭不，说者谓都是饿鬼转世。乡间饭时有客来，主人主妇必以筷指其饭碗曰："我里吃饭。"我读"额挨切"，意云"我们"，"我里"者"我们这里"也。客人照例曰："请请。"则寒暄已毕，可以开始谈话了。乡下还有一点很特别的事，便是每天必吃三顿饭，每顿饭必现煮，可以说对于饭真是热心。因为早上吃饭，须得买菜做菜，菜市很早，去买的也非早不可，城内早市匆忙的情形为别处所少见，隔了一条江的杭州便不如此，那里早晨吃水泡饭，午前上街去买菜是很从容的。

不过这三顿也只重在饭而已，至于下饭那并不着重，虽然比北方要好一点，因为鱼虾常有，不论贫富都吃得着。煮饭用灶，多烧稻草，只此一锅，平常的菜都蒸熯在上边，高的锅盖之下总可以放三层饭架，三四十二，便有十二碗，竟是一大桌了。茭白架子放在饭里，虾米白鲞汤，盐渍鲜鱼，打鸭子即溜黄菜，勒鲞加肉饼，搁在饭架上，等饭熟时这也好了，平常已经可以请客吃便饭，若再添炒鸡子和盐烤虾，那才去生起小风炉来另做。汪龙庄在湖南做知县，竭力提倡过这种煮饭法，关于灶和锅，在他所著《善俗书》里说的很详细。这蒸菜的办法，有一缺点，就是安排不容易，假如一碗腌菜一倾侧，饭里便全有了气味，虽然上灶的人对于叠饭架甚有经验，这种失败还是常会有的。

（一九五〇年六月十四日）

小破脚骨

我们乡间叫流氓做破脚骨，所以小破脚骨意思即是小流氓。在小时候我认识这么一个小破脚骨，他自称是姜太公的后人，他的母亲是做卖婆的，出入于同台门住的本家之门，他有时也来，所以认得了。他那时大概十五六岁，有点流氓的作风与门路，大家就那么的看待他，其实他对人还是讲道理，也并不为非作歹，如小飞机那么样，虽然好开玩笑戏弄人是难免的。

有一回同到都亭桥下张记小店吃荤粥，主人开着张永兴寿材铺，这里是住家，出卖馄饨炒面和肉骨头粥，口味很不错，姜太公吃了几口粥之后，连连咂嘴问道：老板，这粥里你搁了什么东西没有？主人说：没有呀，怎么了？他笑道：那还好，我是怕你们近来棺材生意不好。

店里的人当初很紧张，听到他这样说，大家才都笑起来了。又到大街去，在卦摊上拿起一支签来说道：我卜一卦，我得了奇疾，白天一点没啥，一到天黑，就发起昏来，后来同死人一样不知人事，要到天亮才活过来。卜卦的人拱手连说，请你抬抬过去，把他的签拿回来插在竹筒里。

有一年，南街杏花寺有社戏，母亲同我的小兄弟去看，租了人家看台的两个坐位，后来的人出重价购求，台主便叫让位给他们，兄弟无法，跑去找他，他走来先问台主道：这台你不出租了么？便对兄弟道，那么我租给你们，你们请坐好了。台主连忙辩解，不是不租，情愿照旧不动了事。你不出租，由我来出租，这种合于逻辑的非逻辑，说的很有意思，至于给我们家里人排难解纷，应该感激他，那还是其次了。

（一九五〇年六月一日）

张邦华

大约一个月前，遇见了一位想不到的老朋友。那时家里的人说，有一位张老先生来访，我一看却认不得，可是他开口说你认不得了吧，我那时立即记得，这不是张协和的声音么？我初次看见他是在一九〇一年，他在江南陆师学堂附设的矿路学堂，与鲁迅是同班，那年冬天毕业，至第二年派往日本留学。留学去的共有三名，鲁迅之外便是他与芮石臣，芮在学堂里名叫芮体乾，与鲁迅住同一房间，毕业时考了第一，改名顾琅，这似乎是他的真姓名，所以号叫石臣，这二字本与体乾是无甚关系的。张君与鲁迅同进弘文学院，后来在东京高等师范毕业，一直在教育部任职，前后做了三十多年的科长，到得前年国民党政府垮台，他才离开那里，近来回到北京来住[①]。关于鲁迅

【锺校】

①“住”原作“往”。

在南京学堂这几年，自戊戌至辛丑这时期的生活，知道得最多的当然该是顾石臣，可是他早已作古了，现在能讲这故事的只有张君，上边我漏说了一个留学生，便是伍崇学，字仲文，但他也已不在了。

张君今年已是七十七岁，我有二十多年不曾见他，所以觉得容貌很有变化，不是他自说我就有点想不起来。关于那时鲁迅的生活，我们知道他好睡早睡，跑马掉下来，跌坏了臂膊和牙齿，仍旧骑了回来，有一回夜起喝茶，被伏在茶壶嘴里的蜈蚣咬肿了舌头，此外这种事情还很多吧，只是拉杂说话已经不少，不及多谈，随即匆匆别去了。

（一九五〇年六月二日）

冯汉叔

北京大学老教授中间有一位冯汉叔，因为是理科方面的，所以不大有人知道他，却是一个畸人，与学校也是很有关系的。他在宣统年间与鲁迅许寿裳等同在浙江两级教书，后来转入北大，直到病死为止。他的数学很好，喜欢下棋和喝酒，看他的样子从早到晚都是醉醺醺的，说起话来也多是胡里胡涂，似乎不大清醒。

民十左右，鲁迅在路上遇见他，平常也只是招呼一声算了，这一回他乱招手，一定要停车下来，鲁迅不知道他有什么话说，也只得停住，却见他从皮包里取出二十元钞票来，问是什么，答说前天输给你的，说你并没有输钱给我，他这才恍然道，不是你么，乃各别去。民十五六他在东北大学教书，待遇很好，十七年奉军退出关，他就回到北京来，有旧同事在公园看见他，问他今年回北大么，答说不，又问去师大么，上别处么，都说不，那么预备怎样呢？他正正经经的回答道：我预备喝酒。其实他积蓄下来的几千块钱也禁不起怎么喝，所以不久他仍来到北大师大教书了。

可是大家尽管笑他酒糊涂，这也只限于学校的外边，若是一脚踏上了讲台，即使他还是那么醉醺醺的，对于数学上的任何问题都能讲得清做得出，学生无不觉得奇怪。冯汉叔也是很有血性的人，他对于学校颇忠心，很尽些力，但是这事情知道的人就不多了。

（一九五〇年六月四日）

器字车

说到冯汉叔，就记起北京从前的人力车来。这里叫作洋车，是东洋车的简称吧。民国初年在北京汽车还是绝无仅有，马车要算顶阔了，每小时五角，四小时起算，不大坐得起，骡车可以坐，却怕碰得头痛，剩下来的只有洋车，是适中的乘物。蹩脚的只是铁轮，稍好的用橡皮条，上等的才有内外带的橡皮轮，别的装饰也特别讲究，最明显的是那车灯，因为这在夜间最是看得出，平常的车点一盏灯，有的两盏，有的再加两盏在扶手的旁边，共有四盏，这是最为阔气的一种了，有人给他起个别名，叫做器字车，两盏的是哭字车，一盏的则为吠字车，虽然把坐客比犬，有点儿不敬，但是没有办法，除此之外，再也没有三个字可以恰巧的用得上，所谓操刀必割是也。器字车上照例靠背处另加一个厚实的方垫，尖角朝上的装着，实是多馀的东西，更显得这有点奇装异服的意味，一般人都不喜欢坐，大抵只有上八大胡同去才相宜吧。当时坐这器字车的有一个是冯汉叔，看他那种醉醺醺的不修边幅的样子，坐在明晃晃的四盏电石灯中间，招摇过市，禁不住要笑出来，大概在张勋复辟前后可以见到这个情景，那时他也是常往前门外去的。

转眼三十年，汉叔早归道山，八大胡同已经肃清，人力车也自归淘汰，不再看得见了，这转变总是好的，虽然汉叔死得可惜，但是论年龄总也过了古稀，这也是当然的事了。

（一九五〇年六月五日）

长衫的问题

中国向来读书人着长衫，这个习惯到现在还是没有改过来。这里有好些原因，其中顶要不得，却也是成分最少的一个是，为的摆知识阶级的架子。自己读过那许多洋书，得着什么学位，与你们一般平民不是一样的，这套长衫正同西装革履一样是一种优越的表示。这类人虽然未必很多，但有总是有的。

别一个原因是由于经济的，关系最大。脱下长衫，要穿短的，却是一时没有，夏天还可以敷衍，绵夹便成问题，要把长袍改短，不但化费手工钱，剪下一截来也无别的用处，还不如让他在那里较为省钱省事，这与买不起新布衣只好穿绸衫的事情正是相同，出于不得已。至于短衣照例须要对襟，而长衣则都是偏在一面的右衽，改短了也还是不大合式，这算是附加的一个不重要的理由罢了。

还有一个是由于礼仪的原因。任何国家民族大概在法律或习惯上总有一种通行的礼服，不必说[1]证婚拜寿，就是平常访问也总要略为整洁一点才好，假如社会上规定，大襟短棉袄，腰缠布带，算是常服，大众自乐于遵守，但是在没有这些办法之前，也只能于小褂裤的上面套上一件长衣，不管是蓝洋布褂或是旧绸衫，算是对于主人或集会的敬意的表示。要叫中国人全穿西式衣裤，即使材料自有，也还有很大的困难，所以把旧有的衣服略为修改，规定为人民日常的服装，或者是可以实行的适中的办法吧。

（一九五〇年六月二十日）

【锺校】

①“说”原作“要”。

头世人

唐朝的小说中间记得有这么一个故事，李卫公听到荒野中有人呻吟声，往看乃是一只鹤，忽来一老人，说这鹤生病，要人血涂才能好。李愿意刺血来给他涂，那人道，且慢，这须得三世人的血，便给他一件什么大概是镜似的东西，要照见里面是人影的，问他要血来医这鹤。李自照乃是马头，其他也都是犬豕驴马之类，末了好容易才找到一个少年人，拿血来涂上，鹤好即飞去。这记不得是出在《酉阳杂俎》，还是别的书上。这里轮回之说认不得真，反正我是并不相信的。但是觉得有意思的，乃是说三世人难得，在这里著者显然有讽刺之意，乡下老百姓对于不大懂得人情世故的人说他是头世人，也就是这个意思，差不多等于是牛头马面吧。

可是说也奇怪，中国古时却又是贱人而贵兽，凡是富贵中人总传说他是怪物转生，近代说曾国藩前身是蟒蛇，张之洞是猴子，还是这一系统，那么头世人仿佛又是祥瑞了。史上记汉高祖的故事，明明说他是龙所生的，皇帝既是龙种，这即是大蛇鳄鱼之属，他的部下也就该是怪异的鸟兽才对，说杂种不大好便说是后身吧，这类故事于是多起来了。这里明明是一个矛盾，如果蟒蛇大猴的后身都是了不得的贵人，那么犬豕驴马头的人岂不至少也应该是官吏绅商么？这问题可以这样说，头世人不懂得人情世故，可是又是大富贵相，根据人民的经验看来，或者这不是矛盾而是盾的两面吧。

（一九五〇年六月二十六日）

西汉第一石刻

中国古代的石刻，周秦的几无一存，坛山是假的，石鼓年代有问题，始皇的刻石已均残毁，只有西汉五凤一刻算是最早了。这石头于金明昌五年即一一九四年出土，纵一尺，广二尺许，刻“五凤二年鲁卅[①]四年六月四日成”十三[②]字，计当汉宣帝时，在西历纪元前五十六年，距今已二千〇六年。可是近来又发见一石，比这还要早，差不多是二千一百年前的东西，可以说是现存西汉第一石刻了。

这与前石同样是在鲁灵光殿基掘得，是一块长石条，字在一端，其处高市尺五寸半，宽一尺二寸半，四周画框，文曰鲁六年九月所造北陛，共四行每行二字，唯第三行有三字，末尚有空白占框内三分之一的

【蒋校】

①“卅”原作“三十”。

②“三”原作“四”。

地方，可见临时随便镌刻，初无布置，而篆文古拙生动，在汉碑额中亦是佳品。案：汉朝自武帝始有年号，其建元元年为西历前一四〇年，此刻当更在其前，据《史记》说景帝二年封其子馀为淮阳王，次年徙封鲁王，即是鲁共王，好治宫室狗马，二十六年而卒，子光立，其时为武帝元光六年，今石刻无年号，可以断定为共王时所造无疑。景帝三年为鲁元年，西历前一五四年，鲁六年即是西历前一四九年也。中国成语习称如鲁灵光殿岿然独存，今殿已不存矣，而独留下两块石刻，使后人得见西京之遗，到底与别的宫室有点不同，也是很有意思的事。

此石现藏北京大学，见到拓本的人大约还不多吧。

（一九五〇年六月六日）

马熊拖人

好几星期之前，有一个同乡来看我，已有十多年不见面了。民国初年我们同在乡下的中学里教书，后来他应北京高等文官考试及格，在教育部候补，派在鲁迅的那一科里学习，可是因为太客气，有一回对鲁迅说自己是小辈，很为他所不喜欢。不久有留学生考试，他考取了，到英国学教育，与许地山在牛津同时，回国后在北大教育系任教。抗战时他回到故乡去，躲在山里，也曾在内地的浙江大学教书，胜利后到杭州，一直在浙大，这回是休假半年，所以到北京来看看。问他子女的情形，他的长子我是看见过的，底下还有几个，其中一个在五六岁的时候，据他说在山乡避难，给马熊拖去了。我听了很是骇然，一直有好些日子心里觉得很不舒服。

小时候常听说马熊拖人，有祖坟所在乌石头地方的坟邻的小儿，在门口剥豌豆，被马熊攫去，其母哭得眼睛，先母晚年有时说及还为之惨然，但那已是五六十年前的事情了。现在还听见这事，可见乡间仍是那种情形吧。杜子美《彭衙行》云，“痴女饥咬我，啼恐虎狼闻”，这也是逃难时事，我当初以为是指贼军，现在想来难道真是说的野兽么？所谓马熊也不晓得是什么东西，我猜想是狼，可是据本地人说这并不像狗，仿佛是一头小马或驴，走起路来阁阁有声，假使他们没有看错，那么这当是一种肉食的熊类，至于熊类中是否有这一种，那我也不知道，要去请教专家才行了。

（一九五〇年六月八日）

人与虫

雪窗近来看到西儒的讲人与虫、本能与理性的一篇论文，其中有云，虫的行动有时比人更合理，唯其并不讲理，故更合理。他在信里抄来给我看，说亦妙语也，我也觉得确是名言。人与虫的样子的确差得很多，一个人连手带脚只得四只，标准的昆虫就有六只，若说其休吴公更要多出几倍，尤其是那好多对的复眼，不知看出来这世界是何形状，叫人无从设想。可是其生活的根本条件，却是与人并没有多少差异的。个人与种族的生存是两大主干，世尊知道这个症结，想要用涅槃来求解决，可是没有用，后来和尚们也娶妻吃肉，他们自己又由讲理而复归于合理了。但讲理而讲得不通，以至行动不合理，将为动物所笑的，在人间也并不少，如中外过去历史上的宗教战争，神圣裁判，文字狱，三纲主义，卖淫制度等，都是人所独有的坏事。

从前我问过爱罗先珂，俄国新旧教派互相嫉视以至残害，其不同之点何在。他是无神论者，所以也不很明白，说只知圣书译本新旧不同，又画十字时一派用三个手指，一派只用两个，至于那一派是两个手指的，他记不清楚了。我说，这有什么关系，值得那么的闹，他笑说道，我也是这样想。这正是很好的例，讲些不必要的理，结局反是不合理，宗教礼教便多是这一类的东西，须得从他解放出来，这才可以简单正当的生活。虽然人类并不一定是万物之灵，但如有比虫更不合理的行为，总是可以惭愧的。

（一九五〇年六月二十七日）

六三的回忆

民国八年四月，我在学校告了两个月假，回乡去了一趟，所以“五四”那时候不在北京，情形我不知道。六月三日是在北京了，那一天下午我们在北大第一院的教职员联合会的一间屋里，听说中小学生出来游行援助，沿路讲演，被军警抓住，陆续送至北大第三院，监禁在那里，刘半农陈百年王星拱和我四个人一同前去，自称系北大教员代表，慰问被捕学生，结局自然是被拒绝，只在门前站着看了一会儿。三院前面南北两路断绝交通，隔着水沟的东边空地上聚集了许多看热闹的，男女老幼都有，学生随时被军警押着送来，有的只是十三四岁的初中学生，走到门口，在门楼上的有些学生，便拍手高呼欢迎他，那看热闹的也拍手相应，有的老太婆在擦眼泪，她眼看像他孙儿那么大的小学生被送进牢门（虽然这原是译学馆的门）里不见了，她怎能不心酸呢？反动政府对于革命运动的无理的镇压，不但给予革命者，也给予一般民众以最好的训练，使得他们了解并同情于革命，往往比那运动本身更有效力。那天傍晚我回寓所去，走到前门内，正遇着大队警察包围一群学生不让前进，我们想挤过去，马队便冲来赶散行人，有一个老人忽然大怒，说我们平民为什么路都不能走，要奔去和马队拼命，好容易由旁人劝止，这一件小事也就可以证明，和平的小市民怎的被激动而发生反政府的感情，这全由于北洋政府自己的行动，并不单是学生的讲演所能造成的。

（一九五〇年六月七日）

愚公移山

某甲仁兄若干天前寄信给我，地址譬如林森路四明里某号，他只写道林森路四，以下从略，可是迟了两日也送到了，邮递员还说因为试送了几处，耽误了很对不起。我写信告诉他，问他那时是不是喝了几杯，有点陶然了，回信说道：

> 四下缺佚，亦一异也，是日未喝酒，何以至此，自己也好笑了。邮务大佳，于此可见。大概人力能及之事，只要大家不打瞌铳，原可迎头赶上人家，中国之有大望不足奇也。

某兄的这乐观的话我完全同意，这实例不只是邮务，在许多事情上都可以看出来。即如北京最近的掘河挖沟，恐怕自从有护城河什刹海以及三海以来，这还是第一次，至少我在北京的这三十多年里总是没有过，河与沟一直在那里，可是不挖有什么办法呢，动手来挖那就挖成了，说时只是一句话，实行却是不容易，要紧的是有决心与毅力。古人云，为政不在多言，但力行何如耳。力行二字中国向来最是缺少，把国家社会上的事一向弄得稀糟，但是现在由共产党领头，实事求是，刻苦忍耐的风气忽然勃兴起来，可见以前的不力行乃是不为，而非是不能，只要做去是做得成的，中国的大希望正就在这里了。

天下事最怕不做，做了总有好处，愚公移山虽系寓言，却是很好的教训。中国人的坏处就是太漂亮聪明，有如晋朝姓殷的，他把人家托带的信札都投在水里，说沉者自沉浮者自浮，殷洪乔不作寄书邮，坏事不少，后世反传为名言，岂不怪哉。

（一九五〇年六月二十五日）

狼的声名

动物中间声名最恶劣的大概无过于狼了。说他贪残，侵入羊群里，虽然一只他也吃不完，总要咬死许多才罢手，其实黄鼠狼之类也有这种脾气，不过因为不咬人，所以就少骂他罢了。《酉[①]阳杂俎》说狼大如狗，苍色，作声诸窍皆沸，说得很离奇了，后人因此乃说狼的肠是直的，又因此云古之烽火用狼粪，取其烟直而聚，虽风吹之不斜。唐宋人的话本来何必计较，但是现今还有人相信，其实就是海参那么混沌的东西，他的肠还是弯来弯去的，至于诸窍怎么沸法，那真是太神秘了。据现时记录，狼要吃同类，这在高等的肉食动物中大概是少有的事。斯文·赫定的《中央亚细亚探险记事》中说，土人捕狼用几匹装甲的马拉着大敞车，在多狼的荒野上跑，成千成百的狼便来

【锺校】

①“酉”原作“酋”。

围攻，车上一人手执藤圈，套住狼的脖颈拖上车来，另外两三个人动手剥皮，没有皮的狼丢下车去，别的狼立即把他吃了。

又在安特路朗所编动物故事多集中说到冬日西伯利亚荒野旅行的危险，常有狼群追赶雪车，唯一的方法只有拼命奔跑，时时对车旁的狼开一枪，打死一只狼，让别的争吃，可以使追兵暂缓，但这也止是一刻工夫而已。我们用人类道德的观点去批评狼的生活，未免有偏于主观的地方，但是虎豹总没有吃同类的肉[1]，相形之下自有高低，只是不自己屠杀，比较十字坡的英雄还胜一筹耳。

（一九五〇年六月二十八日）

【锺校】

①“肉”原作“话”。

副净与二丑

鲁迅的《二丑的艺术》这篇文章当时读过，日子隔的很久，内容已记不清楚，收在那一册书里也不及去检查，但是他赏识戏台上的二花脸，也即是看出帮闲与帮凶在社会上的重要，我们读者都是了解而且同意的。戏里有大花脸，又有小花脸，术语是净与丑，二花脸介在其间，鲁迅从小花脸算起，倒推上去，称之曰二丑，其实还是应该从大花脸顺算下来，称曰副净，这便是对证古本确有根据的了。

我虽然大半世住在北京，却完全不懂得京戏，不知道这里边有些什么人物是副净扮的，只就小时候看过的乡下社戏来说，《紫玉壶》里的大师爷，《五美图》里的老丁[1]，现在回想起来，还觉得很有意思，那编的和演的真是可感服。我们并不见得全是由于低

【蒋校】

①“丁”原作“鼎”，下同。

级趣味喜欢滑稽的表现，实在的原因在于实社会上还存在这种人物，即是大小各级的帮闲与帮凶。只看蒋二秃子手下文武两班有几个不是副净，何应钦、阎锡山、汤恩伯、戴笠、毛森、孙科、（宋孔或是小花脸）朱家骅、傅斯年、王云五、陶希圣，说下去这文章要太长了，已经有十个算作代表吧。他们如搬上戏台去，要替他们打脸的时候，实在只有二花脸才合适，而他们的行为也确是如此，对于民众狐假虎威，为非作歹，就是对于他的主子岂不也正如老丁对台下所说，吃了你的酒，出了你的丑么。在某种意义上说来，促成坏人恶贯满盈，早日灭亡，也有好处，副净的价值或者就在这里吧。

（一九五〇年六月六日）

戴帽子

中国人在古时候大概是很讲究戴帽子的，那时没有蒋记特工，说戴帽子没有人害怕，我们只看古人那么看重冠礼，可以知道帽子之如何重要了。冠礼有专书，在《仪礼》之首，我翻了一下，不得要领，只觉得磕头礼拜很多，其郑重可想。冠以前怎么样，真是像宝玉那样的戴紫金冠么？那就不明白，只在刘若愚的《酌中志》卷五说及明朝皇子至十馀岁留发，总束于后，装入阔二寸许长尺馀之黑纱囊中，直至结婚乃行冠礼，留发以前一直剃成和尚头，戴玄青绉纱六瓣有顶圆帽，名曰“瓜接冠”。这里说的是皇家的事，平民未必都是如此，但有意义的是冠时结发戴成人的帽，这以前帽也还是有的，据所说的模样看来，差不多就是现今的瓜皮帽，可是这与形似红缨大帽俗称困秋的那种不同，不是满洲人的服装，连那顶结子也是原有的。满人原来大抵不分上下都戴的红缨大帽，瓜皮帽与农人的毡帽则是中国固有，戏文里有些老家人戴着西瓜形的黑帽，市井平民戴着“鸭屁股帽”，可说就是这两种帽子的同宗了。

吾乡的老百姓冬天戴毡帽，夏天在家光头，外出晴天用草笠，雨天箬帽，我觉得这倒是很合理的。知识阶级不再用瓜皮帽，只好全盘西化，改戴洋帽，近来听说又多有冬夏不戴帽子的，是不是算漂亮时式，我不知道，但事实上在有些很冷很热的地方也不能适用，结果帽子还是得戴，只是样式现在似乎还没有一定罢了。

（一九五〇年七月一日）

妙峰山与无底洞

小孩都喜欢听讲故事，有地方叫说古今，或云大头天话，里边不但猫狗说话，而且妖精现形，老虎化为外婆，田螺变成新妇，现在的成年人大概还多少记得。后来从外国传进知识来，知道这些都是童话，渐渐有人注意，有的想调查研究，纪录旧话，或供给新作，有的又怕听了真会相信猫狗说话，养成迷信，主张废除。我个人是不这样主张的，我觉得童话也同小时候的糖果一样，只要颜料香味不用毒质，维①他命供给不缺，不会坏胃或蛀牙的。据书上说，西人有怕童话有害的，对于小孩严格遮止，可是随后听他们还是自己编造了，互相告语，却是更为荒唐可怕，还不如让他们去听旧有的童话了。又见晋鸠摩罗什所译《大智度论》，中有喻譬，云小孩爱玩泥土，阻止无

【锺校】

①“维”原作“唯”。

效，亦复不必，因为“儿大自休”，这原来说的是别事，但其道理也可以应用到童话上来。

根据这个理由，我觉得童话以及别的小人书只须注意把有害成分剔除，便无甚问题，现在虽听猫狗说话，儿大自知他不会说话了。日前又得到了一个例证，这比那些[1]还要实在可靠。西邻一个女孩今年十岁，她受了学校教育十分积极，日前听家里的人说阴历四月十五，妙峰山的香市将完了，她便说，现在怎么还有这些迷信？下午却见她在槐阴下静听一个七十左右的老人（是退休的巡警）讲无底洞耗子精的故事。妙峰山与无底洞，迷信与故事，他们原是分得很清的，因此可见我们的杞忧是可以不必的了。

（一九五〇年七月五日）

【锺校】

①“些”原作“么”。

传记里的故事

陆放翁《小舟游近村》诗云，斜阳古柳赵家庄，负鼓盲翁正作场，身后是非谁管得，满村听说蔡中郎。又据说党进听人说韩信的故事，便要打那说书人，理由是因为他对我说韩信，也会得去对韩信说我。这证明南北宋已有大鼓书一类的东西，至于内容原是信口开河，道听途说，不必等党陆二公说，本来可以想见的。

其实不但是稗官小说，多有歪曲，认不得真，便是好意的传记故事，因为好意也就不免有点粉饰，真假是非一有混淆，即与章回小说差不多少了。例如许寿裳所著的《章炳麟传》，许是太炎旧学生之一，太炎在东京吃《民报》官司，罚金一百五十圆，中山系同盟会的人不管，几乎捉去做苦工，筹款缴去救了太炎的就是他自己，在那传里却说太炎与孙中山是国民党二大伟人，这是很不妥当的。

太炎的学问是不成问题的，只是太谨严，也即是守旧一点，气象恢弘不及他的两位老师俞曲园与谭复堂。革命事业在排满运动上是大有功绩，其次由我说来则是在反国民党。他看孙中山不及黎元洪，看蒋介石不及北洋军阀，这里说他偏也可以，民十四五年间他函电中有北方交予镇威，南方交予孚威即可之语，为他的有些学生所非议，这话的确说的有点反动，但其根本的意思乃是在于反蒋介石。这样看来，说太炎是国民党伟人，虽是称扬，实乃诬蔑，还不如讲那些章风子的故事，不妨姑妄言之，反正这与死后是非没有什么关系的。

（一九五〇年七月三日）

饼斋的名号

饼斋于民国二十八年一月去世，于今已是十二个年头了。因为他讲经学是受崔觯甫的影响，属于今文家这一派，以卖饼家自居，故别号饼斋，不知其始于何时，我曾看见有朱文方印曰饼斋钱夏，大约这名称也总已不是很新的吧。在最后的一年里，我记得他曾说过，找出好些关于饼的文章，想请朋友们各人分写一篇，集作一册以为纪念。他分派给我的是束皙的《饼赋》，说这做的颇有风趣，写起来还不沉闷。在他的计划后边藏着一种悲凉的意思，就是觉得自己渐就衰老，人生聚散不常，所以想要收集一点旧友手迹，稍留过去的梦痕。虽然那时情形已不大好，新小川町民报社，头发巷浙江教育司，马神庙北大卯字号旧人几乎都已散尽，留存的已经没有几个人了。我当时也感觉到他的这个意思，可是不曾料到那么急迫，从严铁桥的《全晋文》中找出《饼赋》来看了一遍之后，未及问他要规定的纸来，着手抄写，在这迁延犹豫之中饼斋遽尔溘逝，以后想起《饼赋》，便觉得像是欠着一笔债，如古人那样或者可以补写一本焚化以了心愿，现在却也不必这样做了。但因此想到饼斋这别号大概是他所最喜欢的一个，恰好也顶能表示他的性格，谨严峻烈，平易诙谐，都集在一起，疑古还只是其一端而已，在无须特别称名的时候，用他这个别号可以说是最为适当吧。

（一九五〇年六月十五日）

饼斋的名号（二）

饼斋的名字很多，恐怕连他自己也记不完全，现在只就我所知道的来记述一点吧。他最初的书名是师黄，大概因为太老爷是喜欢黄山谷的缘故，字曰德潜，不知是何取义，与那《古诗源》的选者总未必有关，他自己也说不出理由来，可是流传得最久远，直到晚年有些老友还是这样叫他的。光绪十九年在他六岁的时候，他的在常熟的伯母死了，那边不知道他的名字，依照他的老兄名恂的例，给他起名曰怡，在讣文上遂刻曰功服夫侄怡拉泪稽首。这当初他不承认，后来往日本留学，便利用这钱怡二字，另取光复派之号曰“汉一”，及从章[1]太炎求学，乃知古人名字相应，又由汉一而想到“夏”字，但那时汉一的号终于不通行。德潜之外又称中季，大抵通用于民国初年，

【锺校】

①“章”原作“早”。

至《新青年》时代则已改成名号合一的玄同了。随后有一时期自称疑古玄同，仿佛是改姓为疑古，又似乎是别号，由疑古二字之音又衍变为逸谷怡谷，二十七年冬天曾刻怡谷老人一印，其来信有云：怡之名既为我所不喜，而又不能不算是我，故今即用怡谷老人四字，以对付不相干之人来叫我写字时之用。此印乃是假象牙的，东安市场所刻，工资只有一角五分。不知道有谁得到过盖有此印的怡谷老人的法书，但是刻此印后才两个月，他就归了道山，或者这最后的印一次都不曾用也未可知。

（一九五〇年六月十六日）

我的酒友

我是不会吃酒的，却是很喜欢吃，因此每吃必醉，往往面红耳赤，像戏文上的所谓关公一般，看去一定灌下去不少的黄汤了，可是事实上大大的不然，说起来实在要被吃酒的朋友所耻笑的。民九的岁暮我生了一场大病，在家里和医院各躺了三个月，在西山养了三个月，民十的秋季下山来，又要上课了，医生叫我喝点酒，以仍能吃饭为条件，增加身体的营养，这效验是有的，身体比病前强了，可是十年二十年来酒量却是一点都没有进步。有一次我同一个友人实验过，叫了五芳斋很好的小菜来，一壶酒两人吃得大醉，算起来是各得半斤。这是在北伐刚成功的时候，现在已是二十年之前了，以后不曾试验，大概成绩还是一样，半斤是极量了，那么平常也只能喝且说五两吧，这自然是黄酒，若是白酒还得打个三折。这种酒量，以下棋论近于矢棋了，想要找对手很有点为难，谁有这耐性来应酬你呀。

可是我却很运气能够有很好的酒友，一个是沈尹默，他的酒德与我正相同，而且又同样的喜吃糯米食，更是我的同志。又一个则是饼斋，他的量本来大，却不爱喝，而每逢过访的时候，留他吃饭，他总肯同主人一样的吃酒，也是很愉快的。晚年因为血压高，他不敢再喝了，曾手交一张酒誓给我，其文云："我从中华民国二十二年七月二日起，当天发誓，绝对戒酒，即对于周[①]百药马凡将二氏亦不敷衍矣。恐后无凭，立此存照。钱龟竞。"盖朱文方印曰龟竞，名下画十字甚粗笨，则是花押也。马凡将即马叔平，凡将斋是他的斋名，百药则是我那时的别号。

（一九五〇年六月十七日）

【锺校】

①"周"原作"孙"。

二云居士

人家单读饼斋的文章，特别是关于吃人的礼教，以及桐城谬种，选学妖孽的，觉得很是激烈，及至看见饼斋的人又极是和善，很喜欢说笑，可是在这之间还可感到有严峻的地方存在。简单的说，大抵他所最嫌恶的是假。在处世接物上边固然人也不能不有一分假，以求相安无事（这也是他的议论），若是超过了这限度，戴了假面具于道德文字思想方面鬼鬼祟祟的行动，以损人而利己，他便看了不能忍耐，要不客气的加以一喝。他同那班凭借军阀势力的旧派文士争斗，也并不胆怯，可是他有所怕的几个人，多少是自己这边的，专讲考据骈文，好用无赖口吻谩骂人的，这种人他无法应付，只好避开了事。其中之一是章太炎门下的黄季刚，其二是刘申叔门下的刘叔雅。

黄在“五四”以后差不多是绝交了，刘是陈独秀的同乡，在《新青年》上也登过文章，可是那张嘴很龌龊，许多人都有点怕他。饼斋自述过一件受窘的事，有一天他在一家西餐馆午餐，因为怕血压增高，要了一份素的，正要吃时却见有人对他招呼，一看乃是狸豆乌（刘叔雅的变名），心里吃惊，看他正在付钱，希望他随即出去了，岂知他付过钱踱了过来，在桌子对面坐下，嘴边照例粘着一支香烟，开始唠叨批评，为什么同样花了钱要吃素的西餐，直等他吃完了一同走出来。这是一件小事，却可以见狸豆乌作风之一斑。

刘喜吃肉，又抽大烟，抗战时随清华大学在昆明，朋友们替他高兴，送他一个“二云居士”的徽号，云腿云土犹鱼与熊掌，二者得兼，运气比邵晋涵好得多了。

（一九五〇年六月十八日）

女的村干部

近来常见报上发表村干部迫压妇女、阻挠婚姻自由的事，这问题我觉得很是严重。最近如河北容城县一案，女人知道未婚夫有精神病，要求解约，家里人不许可，叫她“嫁鸡随鸡，嫁狗随狗”，后来她公公打她，村干部说：“这没关系，大人打小人。”这两句话都是封建制度下奴隶道德的精髓，前者代表夫纲，后者是代表君父两纲的利益的，在现今乡村中还有这样的威权，这已经是很可悲的了。更严重的是村干部不准她请求离婚的理由，说“你走了他就寻不着女人了”，这明显的是极端男子中心主义，为了要给精神病人占有一个女人，就不惜强迫这女人去硬作牺牲，封建残馀迟早总可摧毁，这样出于男性自私心的男为女纲思想更有毒害，也更难得消灭。我们看村干部是积极帮助丈夫公公的，区里县里法院里都不肯管，这里虽然有些或只由于麻糊，但他们都是男人，所以态度多少一致也是可能的。我想人民政府固然主张男女平等，可是女人还得要自己去用点力，这才能够争到实现。我并不说男女间该有阶级斗争，但我相信妇女的利益得由妇女自身去争，希望女同胞从事于电影戏剧文学美术方面之外，多尽力去做社会实际工作，争取村干部、村长、区县各级政府各法院的干部的地位，对于妇女的问题合理的予以[1]解决。这不是帮助同性的小乘的见解，实在也给国家人民办好了事，其功劳决不在文化工作之下，或者反在其上也说不定呢。

（一九五〇年六月二十三日）

【锺校】

①“以”原作“于”。

妇女会的工作

六月四日北京《人民日报》上发表一篇容城县妇女刘大领申诉的话，说从小被父母许给一个精神病的人，结婚后常被丈夫公公所打，向村干部请求离婚，不准，她逃回娘家去，村干部率领民兵把她捉回去，白天关起来，晚上吊起来打，他们心狠，用皮鞭，用水浸湿的麻绳子打，由村长和几个民兵打了好几次。她跑到区政府去不知有多少次，区里却向她要村政府的介绍信，到县府去，县府的人不让她进去，向她要区上的信。这回她偷偷的到北京来，到法院去，法院要她回到被告的地方去起诉。她没有办法，只有找《人民日报》求帮助，报上给她发表出来，这事当可以合理的得到解决了，但是我看那篇记录的时候不禁很有点伤感，我想当时给她笔录的人一定也有同感[1]

【锺校】

①“感”原作“意”。

吧。我想起古文中"无告"这一句话来，觉得这简单冷酷的二字实在能具体地表出她在村区县及法院转来转去的情状，在她走到报社之前寻找了多少人，可是谁都不理她，这是多么可悲的一个景况呀。

我想妇联会总该是一个接受妇女的告诉的机关，各乡村应该普遍有分会才对。本来这种机关不该是黄伞式，乃是应当宝塔式的，下层有广大坚实的基础，健全的去执行职务，上层的只是塔顶相轮似的作个装饰好了。我们于此不想越俎代庖[1]，不过有感于乡村妇女的无告状况相当普遍，觉得妇女会实有强化之必要，既然感到，就写了出来罢了。

（一九五〇年六月二十二日）

【锺校】

①"庖"原作"谋"。

罗罗斯福①

在“五四”前一年，傅斯年罗家伦响应《新青年》，发起《新潮》月刊，请学校援助。罗是北大英文系学生，傅则是中文系，是黄季刚的高足之一，那时陈独秀为文科学长，便很怀疑，曾对人说道，他们不会是来做间谍的么？可是蔡孑民胡适之都是主张与人为善的，所以准许了，印刷费暂由学校垫付，并代为发行。“五四”那年他们光荣的参加了运动，也光荣的毕了业，派往西洋留学，后来归国之后因了新的旧的这些资格，立即飞黄腾达，各奔前程，傅罗的名字以后不再连在一起了。

罗一起头就钻进了国民党里，做了蒋介石的帮闲，从北伐以来二十几年中，要说他做过什么好事情，也可以说有一件，那便是北海门外桥上的高墙，

【锺校】

① 刊于《亦报》时题名《〈新潮〉的泡沫》。

据他自己说，是蒋还驻在长辛店火车里那时，由他请其即下手谕拆除的。罗虽是文化运动出身，可是很有点鄙陋，钱玄同见过他的西文名片，写作罗斯福罗，每相见的时候，常要叫这个名字，开他的玩笑。大概他自做清华大学校长以来，就大大发挥他的官僚作风，他的官运愈好，名誉也就愈坏，在南京中大时曾有咏他的“一二三四”的四句诗，真是刻薄得很。末了他被派往印度当伪大使去，大家觉得这倒是他顶适宜的归宿地了，可是天有不测风云，尼赫鲁忽然对他下了逐客令，说从明天起不再招待他了，他只得卷了青天白日旗回到台湾，再去追随蒋二秃子，过那帮闲的生活去了。

（一九五〇年六月十三日）

傅大炮[1]

罗家伦不失为真小人，比起傅斯年的伪君子来，还要好一点。罗是公开的国民党，傅乃标榜无党派，以“社会贤达”的头衔出现，替蒋二秃子出力更为有效，所以罗只配称作帮闲，而傅实在乃是帮凶了。

傅是个外强中干的人，个子很大，胆则甚小，又怕人家看出他懦怯卑劣的心事，表面上故意相反的显示得大胆，动不动就叫嚣，人家叫他傅大炮，这正中了他的诡计。可是事实胜于雄辩，有一回他做文章大骂宋子文，这本是狗咬狗的玩艺儿，后边有人给他撑腰，原是有恃无恐，但是老蒋一泡尿撒下去，他的炮就不响了，预告要做四篇，只出了一篇即戛然中止，这是近三两年中看报的人都还记得的事情。他始终打着北大、蔡孑民、胡适之的旗号，在文化文物上做特

【锺校】

① 刊于《亦报》时题名《〈新潮〉的泡沫二》。

务的工作，近年的杰作是与朱家骅王世杰勾结了，给蒋记盗运北京文物往美国，去年为郭沫若马衡等人所举发，通电布告朱王傅三名为战犯，那时他已逃往台湾，投靠陈诚去了。因为陈诚是他的至亲，所以他做了台大校长，特别有力量，那边的学生与智识份子很吃他许多的亏，那是可以预想得到的。自海南岛与舟山相继解放，台湾一隅岌岌可危，匪帮大小头目已见动摇，各思逃窜自找生路，据说傅某也在设法离台，这是很有意义的一个消息。傅是一个小胆敏感的人，他的急想逃命，正是很好的证据，足见树倒活猻散之迫在眉睫了。

（一九五〇年六月十四日）

叶德辉案

去年夏天在上海遇见一位北大旧人，“五四”前后在校，所以年纪也有五十多了吧。因为他是湖南人，谈话便拉到叶德辉上边去，事有凑巧，那时他正在湖南党部办事，这叶案即是他经手办理的，他便把这经过讲给我听。

据说这事根源还在民国四年，袁世凯预备做皇帝，各地官绅群起劝进，叶德辉忽发奇想，在民间征发了五十名十五六岁的少女，说要训练了送到洪宪宫[1]中去当女官，他在地方上很有势力，老百姓那敢违抗。不久帝制被迫取消，女官已用不着了，可是叶德辉自己“先都用过了”，随后再打发她们回家去。事隔十年，人民革命在两湖开始，那些女人有的已成了干部，便向农会申诉这事，其时农会是有武力的，

【锺校】

①“宫”原作“官”。

便把他捉了起来，由党部主持公同审理。那些原告一一陈述，时地都有确凿的证据，他也无可否认，讲话的人说：“我们也像现在这么样坐着，并没有什么形式，我们便问他，叶先生你怎么说，他回答说，那么杀一警百可也。”这件事便是这样的解决的。

我的记录在用字上或者稍有出入，因为原语已记不真，大意则并无错误，至于传说叶之得祸由于给农会写对联，有“马牛羊鸡犬豕都是畜生”之语，以及临死的“黄泉无客店，今夜宿谁家”之句，全是凭空捏造的话，这诗乃是一千多年的老话，对联则想假借笔祸来做烟幕，其用意是很明了的了。

（一九五〇年六月二十二日）

煨乌鱼

我于一九〇一年到南京进学堂，大概在第三年上生了一场大病，据医官所说，反正不是春温就是秋温之类，吃了他几剂药，即使没有吃坏，也总是不会医好的。最初大抵是发热，饮食不进，后来脸和脚都浮肿起来了，时间自秋至冬，有好几个月，可是总没有死，告假回家之后，还是吃中医的药，末了倒也渐渐的好了。这病没有什么值得说的，但是病中有两件事，很使我感激，至今不能忘记。

我不会说话和应酬，所以在学堂里并无什么朋友，那时忽然有同班的黄岩柯君，走到我的床前，放下五块银元，说道，这钱请你留下使用，便即走去。我和柯采卿君自此熟识，在同一房间住了很久，直至被调到北京去考试为止。学堂分配给我的听差名叫刘贵，是皖北人，个子高大，样子很是粗暴，实在对于那些少爷学生的态度也确乎不大和善，可是他待我却很好，大抵因为我对他也客气，不苛刻的缘故。我生病的时候，他很关心，有一天吃中饭，忽然他送进一条煨熟的乌鱼来，教我不蘸酱油淡吃了，说他听见一个治肿胀的偏方，依法做了送给我吃，要还他钱，他一定不要。虽然这鱼吃了也未见效，但是他这意思我是至今感谢的。

后来柯君和我同住，他对柯君也很和善，其实我们并没有什么好处给他，只是相当客气点，别的学生往往躺在床上狂叫听差，我同柯君不喜高声说话的，总走到他们住的弄堂口去叫，虽然原因未必在此，但是自己想得到可以说的此外别无什么了。

（一九五〇年六月二十一日）

塾师的故事

旧时塾师是笑话里的好资料，大抵说他们教白字，贪嘴（著名的也就只是咬烧饼的一件）和受欺侮，这后者的责任都是在于东家那方面了。我们见闻所及，也有不少材料，虽然没有像书上所有的那么精彩，却更是实在，有些知道姓名，有的还是见过面的。

甲即是鲁迅小说《白光》里的主人公，给鲁迅讲《孟子》，所引《公刘》诗中一句“乃裹糇粮”，他说公刘那时穷极，乃至抢劫猴子的粮食，诗即说咕的一声把活猢袋里的果子都挤了去了，他这样纯粹音读的讲经，真是大胆之至。又有一回，教他儿子读书，问蟋蟀是什么，儿子答不出，他拿起戒尺来，打在头上，嘴里说道，虱子啦，虱子啦，说一句打一下，打了总有五六下。

乙是个文童，给学生出对课曰父攘羊，学生对不出来，奋笔书曰叔偷桃，他只记得东方叔偷桃，真的名号他不曾请教过。他对待学生很凶，将学生耳朵（大概长得特别大）夹在门缝里，用力推门，仿佛小孩轧胡桃的样子，又用细竹条打过，再给搽上擦牙用的盐，在他大约是在练习做官时拷打的方法，却激怒了东家，把他饭碗打破了。

对于暴君的先生，学生也要起革命，有丙去上茅坑，一块板被学生锯断了十分之八，一踏便折，落在粪缸里，又有丁夜中使用夜壶，溺了满床的尿，原来夜壶颈内放了半个鸭蛋壳，这方法是颇巧妙而促狭的。前清笔记中说有学生毒死了先生，有药师佛的浑名，这类的事我却没有听到过，大概书房里的怨气渐已减少，到了学校代兴，那种情形便已全然没有了。

（一九五〇年六月二十日）

蚊子与白蛉

我生长于江东，咬人的虫除牛蛭马蟥不曾领教过之外，其馀的大抵都相识，如蚊子跳蚤，虱子臭虫之类。在绍兴只要人家干净一点，还可以没有臭虫和虱子，一渡过江到了杭州，情形便有点不同，虱子同样的可防，臭虫则甚难避，我于戊戌前后住过两年，被它们咬了个不亦乐乎，因此也毕了业，即已经免疫，再咬也不觉得了。跳蚤只在夜间出现，撒[①]点除虫菊粉也还可祛除。最讨厌的乃是蚊子，特别是在乡下的旧式房屋里，每到夏天晚上蚊子必要做市，呜呜的叫声聚在一处，简直响得可以，蚊雷蚊市的意义到那时候真是深切的感到了。你到屋里去，蚊子直与你的眼泡[②]相撞，嘴如不[③]闭紧，便可以有几匹飞下喉咙去。

【锺校】

① “撒” 原作 “撤”。

② “泡” 原作 “胞”。

③ 此处原衍 “不” 字，今删。

这时大做其蚊烟，不久也把大部分熏出去了，睡时顾不得炎热，钻进帐子里去，这问题还可以解决。我说讨厌的事却是在于白天，因为在房里蚊子整天存在，特别是在桌椅底下，随时飞出咬人。假如你是闲暇，一手拿把芭蕉扇，左右扑打，也可无事，但若是你要坐在书桌前面，两脚放在桌下，手里拿的不是扇而是笔或书卷，那么你的腿一定有①被咬得像老玉米之可能。唯一的办法是点蚊虫药，不过人熏得也很难受，衣帐熏得黄黑洗都洗不掉。

现今在北京，这一件讨厌事是没有了，夏天不要帐子，偶然有两个蚊子，只用蚊香便可对付。可是另外有一种白蛉子，比蚊子要小好几倍，任何铁纱珠罗都能通过，咬人很痒，有的要红肿长上②水泡，过几天才好，但是这在我也是免疫的，或者因为白蛉的毒与臭虫有点相类的缘故吧。

（一九五〇年七月四日）

【锺校】

① 原无“有”字，今增。

② “长上”原作“上长”。

故事里的蚊子

平步青笔记中说曾见白洋朱氏家谱抄本两册，只是家传的一部分，末卷曰妒妇传，内只来氏一人。传中说她为士服之妻，貌甚陋，妒甚，士服惧之，以至亡家绝嗣，那是别一件事，与这里所要说的无关，我只觉得其中记载待遇她丈夫的事情很是特别，所以引用在这里，因为乃是关系蚊子的。传云：

> 夜以浴盆着水，使士服顶跪达旦，盛夏时但闻踯躅声终夜不绝，人于隙窥之，则为蚊虫所箸，两手掖盆不能扑，以双足数易而已。

顶浴盆与顶烛台原是异曲同工，只是在蚊子多的时候，那两手需要扶着有水的盆的人便要吃苦得多了。

其次，小说中说到蚊子的不知有些什么，我只记起《金瓶梅》里的一节来，手头没有原书，不能引用本文，只记得大略，是说潘金莲夜中起来，光着膀子烧帐里的蚊子，大抵也只是如此，并无更精细的描写值得称引。这烧蚊子的事与上边的一件不同，有些人都有过这个经验，好好的赶出了蚊子睡在帐子里，忽然给它咬醒，赶紧点起洋烛来看，果然在角落里发见一两个，而且吃饱了血爬在那里，诗人吟咏“饱去樱桃熟，飞来柳絮轻”，虽是佳妙，见了实物却是很可恨，因为那樱桃红的正是被吸去的自己的血呀。这时仇人相见分外眼明，拿蜡烛火去一碰，嗯的一声烧去了翅膀，那一颗活的樱桃便滚落到烛盘上来了。清朝人做赋得《王猛扪虱》诗，有劘①向齿牙甘之句，正写出此意，律以耶和华以牙还牙的规律很是正当，《金瓶梅》批语骂潘金莲的话所以是不足凭的了。

（一九五〇年七月六日）

【蒋校】

①“劘”原作“糜”。

殿试的矮桌

《曾剃头》近来的插画略为有点为难了，因为那时的官僚生活已不容易明了，画起来缺少参考的资料。二十九回的殿试坐桌椅，大概与实际情形不合，道光以后是只用矮桌的。据吴仲云的《养吉斋丛录》卷九所说，殿试最初在天安门外，嗣礼部请试于太和殿之东西阁阶下，遇风雨试于殿东西两庑，至雍正初因天寒始改在殿内。又陆陇其年谱上说，康熙初年在太和殿前考试，跪受题目，起就位，单东双西，皆立书，“以立书二字言之，似①当日廷试与今之就矮桌蜷坐而书有异”。由此可知清末殿试情形改善，已由殿外改在殿内，由立书改为就矮桌蜷坐而书了。

这种桌子我也碰巧曾经见过，系是约六寸宽，二尺半长的板三块折叠而成，盛在一个狭长的蓝布袋

【锺校】

①“似”原作“以”。

里，自己背了进去，装起来像是炕桌，穿了朝靴不便盘腿，或者还带一个什么坐具，这才可以蜷坐，不过这一点不能确说，因为我只见到先祖考试差所用的矮桌，坐具却不曾看见。专制君主时代那种动不动就爬在地上的举动，现在的确不容易想像，如同书卷二十二所云，大学士尚书督抚入见，上辄俯指赐坐，叩首谢，然后就跪所设毡垫上。我们平常看见文中说赐坐，以为也就是坐在一把椅子上吧，岂知那是大谬不然，原来不过是给他一个垫子以便久跪罢了。过去的这种奴隶生活是可诅咒的，但也是历史的资料，只是记录留存的不多，是很可惜的事。

（一九五〇年六月十七日）

鸟吐蚊子

有一种鸟，中国称作蚊母鸟，日本称作夜鹰，西洋则云卡普利木耳古斯，意思是说吸山羊奶的。这是夜鸟，大概是姑恶之类，所以很招些误解，例如义大利人说他偷吸山羊奶，其实大家知道，鸟不是哺乳动物，不要说尖嘴，就是像鸭似的扁嘴也没法子去嘬奶吃的。英国乡下人又说牛类的脾脱疽是他给长的，但那病是由于双翅类的皮下虫生子在牛身上，幼虫钻进脊背里去，以至致命，与鸟无干。十八世纪时怀德牧师给他辩解，说他不能为害，除非他有动物磁气，只在牛群上飞过就影响了他们。

西洋的事情暂且按下，他在中国却另有一种误会，至今缠夹不清[①]，即是说他口里吐出蚊子来。蚊母之名已见于《尔雅》，郭璞注云，俗说此鸟常吐蚊，

【锺校】

①“至今缠夹不清”，原作“今至缪夹不清”。

故以名云。《岭表录异》更说得活现，云每叫一声，则有蚊蚋飞出其口。这件事怀德牧师不知道，不曾替他辩明，其实不难明了，虽然不曾见过这鸟。我们知道他是夜出的小鸟，以虫类为常食，蚊蚋自然也在其内，粗心的人见他对着蚊子张嘴，便以为是在吐蚊子，这是很可能的事，但是这一进出实在差的太多了。旧笔记上说渔人见水上浮尸，捞上来时还有一口气，及至到岸却已死了，不久魂入冥司，为死人告诉谋杀，因为那时暂醒，看见渔人认为是他下手的，经孽镜照出，始知错误云。吃蚊子的鸟，被说是吐蚊子出来，这事情倒有点相似，幸而这夜鹰不常见，否则被迫害的也当不少吧。

（一九五〇年七月七日）

《艳史丛编》

张次溪编印《清代梨园资料》，出过正续两编，所收材料的确不少。关于青楼的只有王紫诠的《艳史丛编》，出得很早，内容也不多，大概只有十种左右吧。丛刊固然便于翻检，但原本别有好处，究竟更为正确而且完全，至于有些不曾收录的，自然更是有价值了。青楼资料我曾经搜集过好些，就中最好的仍旧要算余怀的《板桥杂记》与张际亮的《南浦[①]秋波录》，不过这也是矮子队里的长子，其好处还是文章多而文献少的。固然六经皆史，就是那些矮子何尝无文献的价值，只是差得多，因为那是属于嫖客一方面的，可以说是乙类，例如他们如何享乐倚翠偎红，如何夸称艳福，都是士大夫的一面相，可是更有价值的文献该属于妓女方面的，这便算是甲类了。这甲类又

【锺校】

①“浦”原作“波”。

可以有上下两部分，普通常见的多是甲下，即是妓女生活的表面部分为嫖客所见到的，在书中常有记录，但因为是通过小金边茶晶眼镜所看见的，还是士大夫的观点，有历史的科学的价值的资料，那就几乎没有什么。

二十年前曾见一册日本书，名曰《隐里考》，是研究妓院的，著者是一个医药博士，里面有一部分是关于妓女身价的研究，某年代卖身价若干至若干，又注明当时米价一石若干，以资比较。这种材料不知是哪里得来的，中国书里总不曾见过，这种书本来应该一面是艳史一面也是痛史，在中国却仍不免终是片面的，于此亦可以见士大夫的势力之大了。

（一九五〇年七月二日）

瓠子汤

夏天吃饭有一碗瓠子汤，倒是很素净而也鲜美可口的。在我们乡下这是本末如一的长条的瓜，俗语叫作蒲子，谚语有云，冬瓜咬不着来咬蒲子，这是说迁怒，也含有欺善怕恶的意思。有一种圆形的，即是所谓瓠瓜，肉也可以吃，老了锯开取壳做瓢用，北方很多，在乡下却不曾见过。

还有壶卢，即是铁拐李等人所拿的，叫做活卢蒲，嫩时可吃，与蒲子差不多，仿佛还要好一点。这在仙人手里常发毫光（也就只在图画上看见是那么样），大抵因为里边盛着仙丹之类的缘故，若是凡人有如看守草料场的老军却只用以装酒。山乡的人买麻油酱油多用长竹筒，想来即是同一道理，因为他不容易撒[1]出来罢了。我吃过的活卢蒲也只是放汤，虽然

【锺校】

①“撒”原作“撤”。

据说还有别的吃法，如旧书所记，唐郑馀庆召客会食，令左右告诉厨子，烂蒸去毛，莫拗折项，诸人相顾以为蒸鹅鸭之类，良久就餐，每人前下蒸壶卢一枚。壶卢与瓠子的汤都是很简单的，只是去皮切片，同笋干等物煮了加酱油而已，虽然瓠子也有红烧的，却似乎清味要稍减了。

每年在夏至那天照例要吃蒲丝饼，用瓠子切丝煮熟[1]，加面粉白糖和匀，入油中煎之，每片约如手掌大，是祭祖供品之一。小时候很喜欢吃，同中元的南瓜饼一样，可是蒲丝的味道也吃不出，只是一种油炠的甜食罢了。

（一九五〇年七月八日）

【锺校】

①“熟”原作“热”。

琐事难写

身边琐事我自己最不会写，却很喜欢看这一类的文章，可是又难得看见好的，因为大抵都不够琐。一般对于身边琐事的批评不好，我看这原因不在内容而在写法，这便是作者的英雄主义，写的是一件小事，却夸示着说，看哪，这正如那破仑在营中看《茶花女》呀。就是真那破仑，也干读者甚鸟，我们所要知道的还是平常人的平常事，有如邻人在院子里吃晚饭，走过时招呼一下，顺便一看那些小菜，那倒是很有兴味的。人与事既是平常，其普遍性亦更大，若是写的诚实亲切，虽然原是甲与甲家的琐事，却也即是平民生活的片段，一样的值得注意。所难的是写，又要细又要好。关于吃食，我们知道的只是自己家里，在平日或有客的时候是怎样的，可是[1]要仔细记述，

【锺校】

①“可是”原作“是可”。

既无遗漏，又不枯燥，这就着实有点为难了。

有太史公告假回乡，他写的一笔大卷，诗赋文章无一不精，他的老乳母请他写一封家信，指示乡间家务，口授给他，却是执笔不能下。又有小学生，塾师叫写日记，翻开看时，每天总只见对门的咬脐公公，不是在同人说话，就是吃旱烟，这是写实，却也单调。这两个实例，正可应用于身边琐事上面。假如能够跳过这困难，写出来时自有可观，不但不会再有文人自夸的习气，而且也可以成为民间生活的好资料了。

（一九五〇年七月九日）

骂与咒

中国骂人的话大概可以分作三类，其一是官绅用的，曰混帐王八旦，老百姓被骂，只能消极反抗，老爷说一声王八旦，则应之曰加盐。其二是读书人用的，曰畜生，此语见于书史曰畜产，最为近雅。其三是老百姓通用，如他妈的之类，花样很多，有人称之为国骂，因为在别国很少这样的例。破口骂人的习惯总是不好的，无论怎么骂法都应该改去，至于第三种骂看去似乎最为不好，因为丑恶而且辱及祖宗亲属，其实这里有些误解，可以说明一下。

这种骂法原是诅咒，据英国人类学家克洛来的调查，有些原始民族有[①]类似的骂詈，便是咒他乱伦，这是神人共愤、天诛地灭的大罪，所以算得是最严重的骂了。这里同样的辱及祖先母女姊妹，却是用的第

【锺校】

① 原无“有”字，今增。

二位代名词，叫对方自己去犯这罪，年深月久，意义转晦，遂由诅咒而变为讨便宜，代名词也由第二位转为第一位了。这有很好的证据，现今无论骂得如何繁缛，却总不说到对方的妻子身上去，并非怕被骂的人吃醋，实在乃因为原来说法叫对方如此，那么夫妇居室，就没有什么可诅咒的，到了后来，这规矩还是无意识的遵守着。所以，照原义说来这只是一种咒词，有如有些女人之骂“杀千刀”一样，但是意思恶毒且不说，词句也变得太丑恶了，在人民的中国，总是应当革除的，就是有些成分已失却本来意义，混在口语中成为语助词的一辞半句，也须注意加以淘汰才好。

（一九五〇年七月十日）

重婚与离婚

婚姻法的发布是中国本年的一件大事，这奠定男女平等的基础，过去封建社会中的两性间的片面道德将由此而逐渐打破了。

近来见到北京市人民法院院长①的一篇报告，对于重婚等问题有所说明，十分合理，在被压迫的女性真是一个引路的明灯。在婚姻法公布以前的重婚，只要由任何一个关系女性提出离婚，区政府或法院应立即批准或判离，在财产上给以照顾；如果男方提出与后娶的离，亦可批准或判离，财产上亦给以照顾，但如男方提出与前妻离异，则一般的不批准亦不判离。有人会这样问，这不是违反了自由的原则吗？我们的答复是，给他以损人利己的自由，便违反了保护妇女利益的立法精神。

【锺校】

①“法院院长”原作“法院长”。

这一节话真是说得好极了，从前在国民党治下，那些官商和知识界的特权阶级停妻再娶极为平常，被害的妇女告诉无门，只好忍受，到了今日才有了自己的政府，有人给她说话了。法律不究既往，即是说不判重婚罪，不是不究其罪行，如对方的虐待、遗弃等罪，照样要依法判处。若在婚姻法公布以后的重婚，除判重婚罪外，判决和后娶的一个离异，这样对前[①]娶的一个实际上是有[②]利的。

在这篇文章里，引用原文将及一半，实在因为太好了，没法省节，只好做了文抄公，但是字面并不是完全照旧，所以也不加引号，有如口头传述，只存原意而已。

（一九五〇年七月十一日）

【锺校】

①“前”原作“后”。

②原无“有”字，今增。

法院院长的话

北京市人民法院院长在关于婚姻法的报告中，有讲到通奸的一节话：

通奸一般是指不是夫妇的男女而发生的性交行为而言，但嫖娼不在此例，因为封建社会和资本主义社会认为凭金钱去蹂躏妇女是合法的。因此在社会上一般人认为通奸是不道德，而对嫖娼则视为当然，这种看法正确吗？很值得考虑。嫖娼实际是强奸行为，只因为嫖客是花了钱，就得到法律的保障，舆论的原谅，甚至颂扬为风流韵事，而通奸的男女往往是有真的感情存在，反成了犯法损德的行为。难道这不是一种反常的看法么？

那么我们对于所谓通奸行为将怎样看待呢？对于有配偶关系而与人通奸的事情如成了诉讼，对通奸行为的人要给以适当处罚，因为这种行为对别人的夫妇家庭关系起着破坏作用。男女双方都无配偶而发生性交关系而相安无事的，我们可以不管，但不妨说服他们，既然情投意合，就可以进行婚姻登记。

封建社会中男女间的道德，特别是所谓贞操，都是片面的，所以“五四”时代曾名之为吃人的礼教。一般人对通奸行为也有两句总结性的话，叫做男的夸了口，女的丢了丑。这两句话对女人是一种警[1]告，对男人是一种鼓励，叫做讨便宜。从这两句话里，也可以看出社会上对这类事情的看法是如何不公道！我想，要想减少通奸行为，只有彻底施行婚姻法，使天下有情人尽成眷属，而遇到这种事情，则可以说服劝导，但不要横加干涉。

（一九五〇年七月十二日）

【锺校】

①“警”原作“惊”。

名判决

前回所抄的全是理论，因为觉得很好，舍不得节录，所以直抄下去，不知不觉的写满了一张稿纸，但是那里还有一个实例，尤其有意思，好在这回很短，占不了多少篇幅。这一节也是因通奸而连带说及的，原文云：

> 去年我们曾判过这样一个案子。一双捡煤核的男女青年发生了多次的性交关系，有一回两人冲突了，男的到女的门口大骂，并且拿和她有性交关系来要胁侮辱女方，因此女方的母亲告了他，我们判决男子受了处罚。在判决书的理由内着重的指出了与人有了性交关系而偏拿这点当把柄欺侮人，是不能原谅的错误。

这真是一个名判决，虽然判决书原文未能见到，那里边一定还有不少可佩服的名言吧。那些道理本是从人情物理中出来的，极平凡却也可以说极新奇的真理，原来就应当如此，却一直被封建和资本主义的社会所压着，到现在才能够出现，所以我们虽是拍手欢迎，有许多人却是瞠目结舌仓皇失措，即如那当事人的男子便是代表。他讨了女人的便宜，跑去破口大骂，要胁侮辱，正是礼教所许可的，官商士大夫都可以给他做证人的，不知怎的忽然被捉到法院去，判了有罪，在他觉得这真是反了，男子中心的世界坍台了，简直是出于他们梦想之外。

我们希望它坍台的，也有点出于意外，因为这来得真是这么快，那种名判决原来只期待在书本上读到，现在却是实在出现了，的确不是昨天[1]所预料到的。

（一九五〇年七月十三日）

【锺校】

①“天”原作“今”。

北海与故宫

友人夫妇从南方来，要看看北京的新气象，也想吃点特别的东西，如水乌他之类，又请教我有那些名胜值得瞻仰。我们生长在南边的觉得北京西山很是平常，绍兴的平水，杭州的西湖山里，尽有那些庙宇风景，我那朋友的故乡是在新近解放的舟山岛，那里更不少真山真水，看的很够了。在北京还只是那皇帝的遗迹值得一看，因为这在别处是没有的，土皇帝有时也曾装模作样的干过，可是后来都已毁坏了，只有这里还是完全的保存着。故宫、三殿、午门、社稷坛、天坛、北海、景山，都开放着。花上四五天工夫，可以走马看花的巡回一下了。

我觉得这中间最有意思的是北海，最有意义的是故宫。北海地方很大，草木很多，宜于散步，故宫则可以看出皇帝生活的一斑，多么奢侈却又是多么无聊。那一座座的大四合房，老是那一个样子，院子里光光的，尽管摆着些铜鹤，只显得单调，住在那大殿内也够气闷的，还有那宝座放在板台上面，仿佛观音菩萨模样，底下许多人爬在地上磕头，也不知道有什么趣味，我们看了正大光明殿大抵有此感想，还不如戏台上四个太监噫的一声，跟着踱出戴灶司帽的皇帝来，更是好玩得多了。奇怪的是有人竟入了迷，如袁世凯之硬想坐金銮殿，现在如游故宫一趟出来，便将更感觉这事之不可解，我想到了现今，假如不是在电影里扮昏君，大概是谁都不想去在宝座上坐一会儿的。

（一九五〇年七月十四日）

迷信的辫子

我平常总是很谦虚的，但是有一件事不能硬否认，便是自己觉得很幸福，因为我没有迷信，比较有些人可以免掉许多忧虑与恐怖。我不相信有魂灵，所以神仙、鬼、妖怪，变化这些花样都于我不存在，虽然我爱听关于这些的故事，也有兴趣打听相关的信仰风俗，不过都是了解人情的资料而已。我不怕所吃的鸡鸭来索命，但也没有所救的麻雀来报恩的希望。我不曾见过一个鬼脸，也没有听过他们的叫声，查书本上所说，有的说是像鸭叫，有的说是与老鼠一样，那么这并不怎么可怕，而且也难以分别，假如我听到了一定以为是鸭与老鼠吧。

我所怕的倒无宁是实在的东西，黑屋子里我也不敢走，怕的是蛇，此外是蜈蚣、蝎子之类。

做了梦就忘记，记得时也不研究有什么意义，听见鸦鸣，猫头鸟叫，母鸡啼，遇着猪闯门，狗上屋，白天老鼠在眼前跑过，都充耳不闻，视若无睹，眼跳耳热向不注意，也从来没事[①]，不是痴顽，亦属麻木，但因此却亦乐得安静，不无好处。五行八卦，天干地支各样说法，我相信都是虚妄，对于旧日以此为根据的医卜星相一裹脑儿的否认，这也就清净了不少，无论怎么金克木，或子午一冲，于我均毫无关系。佛法说施无畏，这里不能那么理想，因为蛇之外我还怕微生物与战争贩子，不能全然安心，但因此已能减去不少无聊的烦恼，有如轧光头发比起顶上盘辫子的遗老来，却是要舒服得不少了。

（一九五〇年七月十六日）

【锺校】

① 原无“事”字，今增。

故事难讲

写信给朋友说议论文没有意思，还该多写有事有人的文章，友人回信说，这也很多困难，事多传讹，虚实难明，人非深知，是非易错。这话说得很有理，实在却是[①]没有办法的事。

有人研究瑞士英雄威廉·退耳射苹果的故事，认为这是各地共通的一种传说，并非史实，里边引用一件轶事，英国洛利勋爵在狱中写《世界通史》，有一天看见窗外有人斗殴，甲打一个像是官吏的乙，乙立即抽剑刺甲[②]，甲以棍殴乙，遂同倒地上。次日有友来访洛利，告以所见。友订正之曰，乙非官吏而是西班牙使馆的仆人，是乙先打甲，并未拔剑，乃是甲抢先[③]把乙刺死的。洛利不服，说亲见无误，友人说那

【锺校】

① 原无“是”字，今增。

② “甲”原作“他”。

③ “先”原作“去”。

时自己在场，为了夺取凶手的剑，颊上还受了微伤。洛利于客去后尽焚其稿，因为目睹尚难尽信，过去的事更无从说起了。这是一个很好的教训，可是这故事本身也有问题，因为事隔一百六七十年之后才有人讲出来，来源很不大明了。

其实古来史书就多是那么一回事，《左传》《史记》写得很好，一看可以知道左马二公是很有剪裁的，只是事情有意思，可鉴戒，便大家认可了。话虽如此，古代的事只好这样暂且搁下，若是讲到现在，且说是近五十年间吧，说话的人自当力求正确，这时候或者讲得[①]成好故事也未可知，但能以直接见闻为限，虚实是非的出入也就不多，这样总可以算是不错了。

（一九五〇年七月十七日）

【锺校】

① 原无“得”字，今增。

儿歌中的吃食

乡下在上坟时节有一种食物，叫做黄花艾麦果，大概原用麦粉，后来却多是米粉了，加入鼠曲草，作糕蒸食。鼠曲草在《本草纲目》中说得很详细，二月生苗，茎叶柔软，叶长寸许，有白茸，如鼠耳之毛，开小黄花，成穗，结细子。糕里加入草叶，此外还有艾，讲到香味，艾糕还要好些，可是在民间至少在儿童中间还不及黄花艾麦果的有名。街上糕店制造艾糕艾饺，偷工减料，不用艾叶，只在粉中加入油菜的汁，染得碧绿的，中看不中吃，更减少了他的信用了。黄花艾麦果也称黄花麦果，儿歌中有一首云：

黄花麦果韧结结，关得大门自要吃。

半块拿勿出，一块自要吃。

这里关于自私和吝惜之意，固然坦白得妙，乡间小儿没有茶食，偶然得自制饼饵，非常珍重，也是实情。又有一首云：

剩螺蛳过酒，强盗赶来勿肯走。

这也很是幽默有意思。英美人听说螺蛳田螺，便都叫作斯耐耳，中国人又赶紧译成蜗牛，以为法国有吃蜗牛的，很是可笑，其实江浙乡间这种蜗牛是常吃的，因为价贱吃的很多，剩去尾巴，加酱油蒸熟，搁点葱油，要算是一样荤菜了。假如再有一碗老酒，嘞得吱吱有味，这时高兴起来，忽然想到强盗若是看见一定也要歆羡的吧。

（一九五〇年七月十九日）

横浜桥边

见了《亦文章》里所说豪量的舅公，令我想起去年横浜桥边的生活来了。这只是微细的一点牵引，从甲联想到乙，并无很大的相像之处，譬如在桥头不曾遇着那么样一位舅公，所记起的只是大锡酒壶罢了。

我住的地方是在横浜桥东首南岸，离桥只有一箭之路，桥上的电车声听得很清楚，这是一间朝北的小楼，窗外便是河水。这有[①]两样好处，其一是和对面的人家隔得很远，凭窗眺望，看天看水都可以，不至于有窥探闺房的嫌疑，朋友们谈天也无妨随便一点。其二是窗下潮水天天上落，我不常出去散步，看了也可以消遣。我自己不出去便只等客来，孺牛齐甘雪窗克安等人是常来的客人，反正来的多是黄河以南的人，也用不着硬说国语，谈的更是畅快。

【锺校】

① 此处原衍“好”字，今删。

有一天下午，孺牛齐甘相携而来，孺公拿着什么吃食，齐公则提着一把大的锡酒壶，这种酒壶只在家乡见过，而其大则是家里也少见的，它十足可以装上一升吧（普通所谓升壶，大概只容斤许而已）。这一壶酒主客三人边谈边吃，不久就光了，我的一份大概有五六两，在我已经很不少了。空酒壶仍由齐公提了，去还给原来的酒店。有一回还打过高唐先生的秋风，由孺牛拿来两瓶法国的好酒，也在楼上慢慢的吃了，那几天齐公不见，所以不记得请他喝一杯。查日记这是去年六月初的事，比大酒壶却还要早两个月了。

（一九五〇年六月二十九日）

阿斗的喜剧

国民党的战犯都是些穷凶极恶的人，中间有一名阿斗孙科，却是很有意思的事，别人上起戏台来总是净或副净，只是他乃是白鼻子的小丑。公子喜欢抢姣姣，所以有那些瞰眷蓝妮，以及在香港吃风化官司等事，固然是很好的证明，就是在竞选伪副总统这一场上，他所表现也正是这一种脚色。他自己说明应该做副总统的理由，第一便是因为他是阿斗，大家看孙中山面上应当投他一票，却全不明白自己是孙中山的不肖子孙，而且那班伪国大代表都面朝蒋花生（史迪威送给他的美国徽号），把孙家早已抛在脑后了。后来选事日非，他力竭声嘶的求救，在报上发表的有爱屋及乌的话，读者传为笑柄，其实语虽滑稽却也很有道理的。一间房屋有什么可爱，那一定为了那住在屋里的人，古人所谓白云亲舍，是怀念父母，说得新一点是爱人所住的吧。不是很热烈的爱情不会得有那样拜物的执著，因人而及物，若是再因屋而及其他，那就更不容易了，假如这是生根屋上的草，或是燕子麻雀，也还可以，现在乃是一只漆黑的乌鸦，很讨人嫌的呱呱叫上两声，试问谁能爱他，至多是恐砸坏屋顶不去抛石子赶走他罢了。

当时有人看了报嘲笑他说道，原来他不是孙中山的儿子，乃是陵园屋脊上的一匹白鼻子的乌鸦么？他的行为尽够荒谬，却很滑稽，当作喜剧看去倒不是没有可取的。

（一九五〇年六月二十五日）

勇敢的重婚

“卫人有夫妻祷者而祝曰，使我无故得百匹布。其夫曰，何少也？对曰，益是子将以买妾。”此是周秦间事，见于《韩非子》。“上洛都尉王玉以功封侯，其妻泣于内，恐富贵更娶妻妾。”此是汉魏间事，见于《典论》。“起个号，刻部稿，讨个小。”此是明朝说新科举人的事，出处记不得了。自秦至明前后千九百年①，情形如一，再加上清三百年，以至现今，这有二千二百年之久了。别的事情尽有变更，在这一点上却并无今昔之感，实在是值得惊异的。

第一二个例说的是富户大官，也就算了，第三例乃是士人，即是现在的知识阶级，还没有得到一百匹以上的布，又未曾封侯，却也要讨小了，而且与刻一部文稿，起一个别号连说在一起，说的很是咄咄逼

【锺校】

①“年”原作“后”。

人，简直有点像是讽刺后世文人的样子，可以说是缺德了。虽然那时刻的原只是八股窗稿，他们也不以文人自居，其所以得意的缘故，乃是由于中了举人，可以加入土豪劣绅之列而已。

到了现在，婚姻法公布，这种情形应当改变了，不过这改变不能来得太快，我们也可以预想的。日[①]前报载大学毕业生出过洋，遗弃了糟糠之妻，与人家的妾同居，还要向法院呈请与原配离婚，这人的勇气真可佩服。他是遵守旧举人的传统的，假如生在明清以至国民党的治下，一定是完全胜诉，只可惜时代已经变化，这位“镀金的人物”只好碰了一鼻子灰退下去了。

（一九五〇年六月三十日）

【锺校】

①“日”原作“目”。

文章的包袱

天下之人常不免有包袱，就写文章而言，也可以看出来。思想感情上不必说了，只说写的方法也有一种习惯，很坚牢的生着根，一时很不容易改变。我们读过《古文观止》的，虽然不曾意识到[①]讲什么起承转合，拿起笔来总要有一番布置，题材如何分配，主意如何表现，麻雀虽小五脏俱全，写的是语体文，用的是古文法，从自己的经验说来，这包袱顶难得完全扔掉。

我很想把文章写得短，写得简单明白，这个标准看来容容易易，做去却是烦烦难难，努力好久，才从六百缩到五百至四百五十字以内，这比较预定的三百字还差得远呢。至于短了而是否说的清爽，是否读了不沉闷，那是笔法与题材的关系，又是另一问题。随

【锺校】

①“到”原作“的”。

意抓住一个题目，开门见山的说出来，上下四旁有该说的说上几句，表明主意，随即收科，这是理想的写法，现在还只能当作理想。

我最佩服小学教师，在规定的时间内讲规定的一课书，使得小孩满足了解，假如叫我讲时，这一课书讲不到四分之一的时间，若是自由的讲下去，这时间内就讲了四五课书了。小学教员的讲书，此外还有艺人的说书，大概都可以为写文章的模范，问题是这很需要学习，一时也着急不得。一心想写短文章，迤逦说来，一看却已将超过四百五十字了，就此止住，姑且作尝试失败的一例来看也好吧。

（一九五〇年七月二十日）

《狂人日记》里的人

《死魂灵》的作者果戈理有一篇短篇小说《狂人日记》，主人公是一个替上官修鹅毛管笔尖的小书记，单相思的爱上了科长的小姐，写的很有意思。鲁迅的一篇创作动机当然受了果戈理的提示，主人公却是个迫害狂的患者，他怕别人都要吃他，而且在史书夹缝上看出全是吃人字样，这是对于中国社会的一个深刻的谴责，目的不在描写这狂人，可是其写迫害狂也很得要领，以前还没有人说过。

果戈理自己犯过精神病，虽然并不是“发花呆”那一种。鲁迅所根据的则理论上有隆勃罗左的《天才论》（书名是天才，里边多讲狂人的），事实上有两个生精神病的亲戚。一个是郁四，在华北游幕，忽然说同事要谋害他，逃到北京，告诉鲁迅说他们怎么追迹他，住在西河沿客栈，听见楼上的客深夜橐橐行走，知道是他们的埋伏，赶急要求换房间，一进去就听到隔壁什么哺哺的声音，也在暗示给他，他们到处布置好，他再也插翅难逃了。据说他那眼神十分可怕，充满了恐怖，阴森森的显出狂人的特色，就是常人临死也所没有的。鲁迅给他找妥人护送回乡，这病后来也就好了。他的老兄郁大也是同样情形，只知道他在由杭回绍的途中，遇见对面来一小船，欻然过去，听得船中人说话有“大少爷”三字，他立刻变色，说这即是他们一党，对他表示他们认识他，知道他今天回家来，以后就要来找他的。迫害狂者的幻想真是神妙，虽然在他痛苦不堪，但在旁人听了倒也颇有意思，这与《福尔摩斯侦探案》中莫力亚堆的神出鬼没的一场岂不很有点相像的么[①]？

（一九五〇年六月二十八日）

【锺校】

①“的么”原作“么的”。

书家的故事

陶心云以举人隐居绕门山，就石宕遗址修堤造屋，称之曰东湖，残山剩水，似别有天地，而逼仄险怪，只可偶游，光绪甲辰秋曾寄住两月，每到傍晚便觉得很是阴森，不宜于久居。湖上建筑凡有匾额楹联，题记揭示，皆出自陶的手笔，这些当然是用心写的，但看得多了也是单调，我只记得住过的屋后临河的门上有联曰，临渊无羡，大德曰生（因为东湖是放生池），我还觉得可喜。

那时陶濬宣的名气在东南的确不小，有许多店铺的招牌，书籍的题签，都是他的魏碑字，可是也有些人不佩服，说他写字关了门不让人看见，所以是描出来的，又说是从梁上挂一条绳子缚在右膊所写，这是张照窥探他舅父写字的传说，自然不会是事实，但是陶的隶书不免平板或粗犷，那也是真的。

民国初年沈桐生在绍兴卖字，门前立大纛，题曰民国大书家某人，闻其写字时用力极大，每写一笔，辄哼一声，以脚顿地，传以为笑，但这却是事实，因为有人看见过。雍正中张在辛著《隶法琐言》，述及学书于郑谷口的事，说郑教他写字的方法，取笔搦管作御敌之状，半日一画，每成一字，必气喘数刻云。谷口写出来的字，的确飞跃跳动，远胜陶心云，不必说那笨重如沈桐生的了，但是要那么样吃力的写，我们听了也觉得骇然，自然更不会发心做他的徒弟去了。

（一九五〇年六月二十九日）

果子糖

我不曾[1]尝过天下第几泉，可是水的味道我总觉得泉水最好，其次是天落水即雨水，好的井水和河水。顶卫生也难得喝到的是蒸馏[2]水，但是也最不好吃。蒸馏水在原质上是极纯净的了，喝起来却是淡而无味，因此虽适合于医药用科学用，以白开水论不能得世人的欢迎的。精盐最干净洁白，放在食桌上很好看，但调味还是粗盐为佳，四川朋友夸说那里的盐巴，可惜我未曾见到。酒里边有不由酿造而以配合成的，在日本叫做理研清酒，因为是理化研究所所制造的，据说比起普通酒来有好些好处，如不会酸坏，不隔日醉，可是也有缺点，它缺少那黄酒的一种香味，又只宜冷吃，烫热了便有点“日头气”，这在冬天衣

【锺校】

①“不曾”原作“曾不”。

②“馏”原作“溜”，下同。

被上倒还没啥，若是酒杯里就非所宜了。

从前刘半农最讨厌人标榜化学什么，如化学酱油之类，常说食物最好的是自然成品，既益人又好吃，人工制品只能供缺乏时救急之用，如维他命丸。巴黎市场上如陈列化学白脱油，谁也不屑过问的。这道理很平常，但因此就很正当。中国一般人却似乎以人工的化学的食品为文明进化，更其爱用，显明的例是美国来的那些糖果，其数量大概很是不少。我想果子糖当然要吃它的果子味，糖果里的色与香且不说，味也都是假的，资本主义的商人只顾赚钱，暂且由他，我们工商界大可不必亦步趋的做，用真的蔗糖加真的果味，制造点质朴的土糖果出来，以替代无聊的口香糖之类，现在也该是适当的时代了吧。

（一九五〇年七月二十三日）

罗汉豆

豆类里边我觉得罗汉豆最有意思，这在别处都叫作蚕豆，只有我们乡下称为罗汉豆，也不知道是什么缘故。我喜欢它因为吃的花样很多，虽然十九都是“淡口吃”，用作小菜倒是用途极少，我只知道炒什锦豆，剥豆肉蒸熟加麻酱油拌吃，以及与干菜蒸汤而已。剥半老的肉油炟为玉兰豆，或带皮切开上半，油炸后哆张反卷，称兰花豆，可以下酒，但顶好的还要算是普通的煮豆，取不老不嫩的豆煮熟加盐花，色绿味鲜，饱吃不厌，与秋天的煮大菱同样的可喜，而风味不同。炒豆有几种，佳者曰沙炒豆，豆浸水中一二日，和沙同炒，悉爆开甚松脆，多家中自制，店头所有者只是所谓铁蚕豆，坚如铁石，有一种大而扁平，俗名牛踏瘪，不甚硬而味较劣。塔山下卖炒芽豆甚有名，看似平常，却甘甜有味，大概重在芽出的程度，不关炒法也。普通芽豆煮食亦佳，但大抵供餐，空口吃的不大多。

小孩多以豆制为玩具，取嫩豆一粒，四周穿小孔，以豆蒂插入为四足及尾，再以极小之豆为头，即成一乌龟。又或取大粒，于一面以指甲掐成镂空钱纹，再将其一端切开，取出豆肉，便是一好果盒，可供半日玩弄，一干就不行了。还有利用豆荚的，取单节的豆，别选荚两半作翅膀插两旁，用线穿背上挂起来，说是燕子，荚的尖正像鸟嘴，想的很是巧妙。别的玩法大概还有，却是记不得了。

（一九五〇年七月二十五日）

陈仪的下场

据本报载香港消息，陈仪已在台湾被蒋二秃子所枪毙了。说起台湾二二六的事件来，陈不能不负责任，照旧话说真是死有馀辜，但是他这回被杀并不为此，传说是因为他劝说汤恩伯起义，查有实据云。本来陈因汤之告密而被捕，还在上海解放前一二个月，距今已有一年多了，实据本已早有，为什么到现在来执行的呢？其原因不出两种，一是临跑时以虐杀来出气，二是杀鸡吓猴，想防止部下的动摇，总之是垮台的前兆，与傅斯年辈之想逃走都是很有意义的事。

陈的父亲名陈静斋，在清季为正金银行买办，大儿子陈威号公猛，早稻田大学出身，是弄经济的，光绪末应试做小京官，忽又避难至东京，在友人处与鲁迅相遇，着和服如商人打扮，手执《菜根谭》一卷，表示消极而谈修养之意，鲁迅后来时引以为笑。陈仪号公侠，留学陆军，与同乡的文科学生却还谈得来，许寿裳等人在公寓临时请客，煨起一只鸡两块火腿来的时候，那带长刀的客总是来的。民国后他跟着孙传芳，后来跟了蒋介石，在福建很久，国民党官本来可以说是一丘之貉，但是他的声名比起浙江的朱家骅江苏的顾祝同来，总还胜一筹吧。末了到台湾去，替蒋秃那么做帮凶，那真是不可恕的罪恶。现在陈仪是完了，日后且看汤恩伯的下场如何。

（一九五〇年六月三十日）

卢冀野

吴瞿安前后在北京大学中央大学掌教，专讲词曲之学，桃李遍南北，最有名的是任二北与卢冀野，任编有《散曲丛刊》，卢有《饮虹簃丛书》，都是在学问上有价值的书。词曲虽曾稍涉猎，究竟专门之学懂不得多少，去年在上海承友人借予卢君所编的《南京文献》，共二十四册，集刊古今人著作与南京有关者，虽有志书文集篇幅稍长，但也有好些佳作，觉得很是可喜。南京老辈中我最佩服陈伯雨，清季以来集刊地方文献的不少，陈君则自有撰述，其《金陵琐志五种》，我最喜欢，又如《养和轩随笔》等意见明达，尤为难得，今见卢君近业，不仅抱残守缺而止，亦将继可园老人之后有所述作，这是很好的事情。

卢君曾由中华书局出版一册《清都散客二种》，系明赵南星所著，赵以攻魏忠贤得罪，殁谥忠毅，是东林中的健者，这两种乐府与《笑赞》，乃是小令套数与笑话，耍弄打诨，与市井无殊，立身谨重，文章放荡，是真正的正人君子，普通道学家外强中干，故可知是伪也。原本断缺漫漶，翻印时无从校补，几乎每节都有缺字，意义不能连贯，读之闷损。偶见一本虽亦模糊而尚多可辨认，因借校一过，乐府只缺半字，《笑赞》本文缺一字，赞语缺一行十三字而已。今春卢君来北京，忽然过访，谈及此书，再版殆不可能，唯乐府有付刻之意，因以校本赠之，红粉赠与美人，宝剑赠与武士，都是快心的事，一卷抄稿不足以拟宝剑，比于红粉其或庶几乎。

（一九五〇年七月三日）

游长城

舟山友人从上海来北京游览，到了半月之后问他怎么样，则有名的地方大抵都已去过，故宫原分东西中南四路，已分四天接连的看了。他们热心，又是少年夫妇，的确可佩服。我久居北京，民国十三年十月溥[①]仪出宫，次年双十节故宫初次开放，我曾去看一次，以后大概也进去过两次吧，至于内三路也还没有完全看得，因为觉得反正随时可去，反而可能一搁下就是十年二十年了。

万里长城我很想一看，可是也没有正式去过。从前祖父讲亲戚家的一个败家子的故事，他爱吃左近店里的面食，几乎每天叫来吃，到过节时无钱还帐，便拿一张山契给他，老板惶恐说，不想买田，也没有钱找，那少爷且怒且笑道，你真是太呆了，你店总要开

【锺校】

①"溥"原作"傅"。

下去的，我也横竖要吃的，总可以抵消，你着什么鸟急。我对于长城差不多也就是这个主意，它难道会跑到哪里去，慢点去看有什么要紧，假如是山海关古[①]北口，坐了火车经过也可看到，不过最好还是青龙桥八达岭，一样的有火车，却要再爬山路，这事就急不得了。

友人说内城尚有什刹海未看，这海其实不值得看，它只是地安门外一个池塘，若是不把城西北的里海一带算在内。从前每年夏天在四周堤上设临时商场，有些杂耍和茶馆吃食什物摊，午后溜跶一转，吃碗绿茶和八宝莲子粥，也有意思，今年未知有否，久不曾路过那里，听说现在挖海泥，或者停了也说不定。

（一九五〇年七月二十一日）

【锺校】

①“古”原作“占”。

上学堂

尤西堂记俞君宣临殁时语所亲曰，吾死无所苦，所苦此去重抱书包上学堂耳。俞君宣盖是滑稽之雄，临死尚说笑话。他未必真是相信轮回，一定去投胎做男儿，因为如相信轮回之说了，那说不定要变猪或虾米去还债，岂能这样乐观。他这么说，大概也只是不曾忘记小时候书房里的事情，所以说起来的吧。

中国旧时的学堂的确是一个小型牢狱，竹木枝条用以抽打的，原是古已有之，雅言就是夏楚，紫檀或别的硬木的戒方不知始于何时，厚薄两块成为一套，薄的打手心，厚的等于后来的教鞭，老师始终放在手边，每逢学生背书中途停顿的时候，照例嘣的一声落在头角上，意思是在震动脑筋，让他灵活一点起来，不算在体罚之内的吧。

学生从早关到夜，一直在管营兼节级的塾师支配下，可是到晚上总是放学了。最是要不得的是家塾，日夜都管得紧，使得学生毫无人生的乐趣，结果是弱者成了呆虫，强者歪曲别扭，变成顽梗不懂情理的人，于家庭社会上都无好的影响。中国许多大家不能久持，怕的有些原因于此，后代多是这样做坏了，归于自然淘汰。一般庙头馆，没有那么法西斯化，还替国家教些人识字，会得九九算法，至少是可告无罪的。

学校代兴以后，那些大的小的书房流弊逐渐消除了，提起俞君宣的话来，学生们将不能完全了解，这是很好的事，希望中国从前的有些话就这样的忘记了。

（一九五〇年七月二十二日）

蝉的一生

夏天到了，“知了”就将叫了起来，我在夏至前五天听见一匹山知了来到院子里的槐树上开始唱歌，这与法勃耳《昆虫记》所说相合，可是后来有十多天不见有第二个出现。蝉这名称太不通俗，俗名又多有音无字，写出来反正只是虫旁加声，徒然使得排印困难，不如用这二字。有人传说赋得蜩始鸣的试帖[①]诗，第一句云“知了知花了”，可知比较还可通用，虽然乡下读两字都是去声的。

《昆虫记》中有关于蝉的文章五篇，把它的一生说得相当清楚，据说其幼虫钻入土中，就树根吸水为生，大概阅四年之久，成为“复育”，择日破土出来。复育的样子不大好看，就同药铺的蝉蜕一样，不过更是膨胀胖大，身体内充满了水分，它从地底下钻出

【锺校】

①“帖”原作“贴”。

来，并无别的器具，只是把水撒[1]在土中，用力挨挤，四围湿泥成为三和土的墙，隧道便渐渐成功，水用完时回到树根再去吸取，直至到达地面，所以它的洞口整齐光滑，没有一点碎土。知了蜕化以后，大抵可以生活五个星期，它的工作是吸树汁（蝉是餐风饮露），歌唱（雄），以及生殖。这里奇怪的事是他为什么歌唱的呢？照例说这是在唱情歌，但蝉却都是聋子，可是眼睛很好，在树上叫着的时候你走近前去，它会撒你一脸的尿急忙飞去了，若在后边拍手高呼，它却全不在意，法勃耳曾经在树下放过两响村社祭日所用的田鸡炮，它们还是叫得不停也不逃走。那么这是为了什么呢，他又说不知道，大概只是表示生的欢乐吧。

（一九五〇年七月二十四日）

【锺校】

①“撒”原作“撤”。

王敬轩

是民国七年上半年，《新青年》上登出一封王敬轩的长信，后附也是很长的复信，是那一期的编辑记者刘半农所写的。从信上看来，王是一个十足守旧的三家村学究，忽然见到了《新青年》的言论，觉得无一不荒唐奇怪，便来加以辨正，虽然说得很是可笑，态度可是非常诚实。刘那时正是二十七八岁的青年，接到这封怪信，自然又气又笑，拿起笔来一一加以批驳，一口气写上万把字，年少气盛，笔写得滑了，有些地方很不客气，虽然说痛快也是痛快。这封信发表了之后，反响不很好，大家觉得王敬轩有点可怜相，刘半农未免太凶狠了。

其实这是难怪的，因为王敬轩并非别人，实在就是钱玄同，他和半农商量，这样的串一下子双簧，彼此用不着什么顾忌，假如真是来信，回答也就不能那么率直了，但是这通信的影响不很好总是实在的，编者也自承认。不久林琴南出头与《新青年》为难，先致书蔡孑民，在《公言报》公开攻击，不能取胜，又在《新申报》上发表小说《荆生》，即指徐树铮，暗示用武力打倒狄莫（胡适）、金心异（钱玄同）等，又在《妖梦》里说那些人都被神道吞吃了。这时候想起刘半农答王敬轩书来，这才觉得没有什么过分之处，因为他比较林琴南要和平得多了，一个只想驳倒说服对方，一个却要兴思想文字狱杀人，这或者也正是新旧思想分路之所在吧。

（一九五〇年七月九日）

辜鸿铭

偶然翻出一张十五年前《大公报》的文艺副刊来，那时大概还是沈从文主编，上边有胡适之的一篇《记辜鸿铭》，有两千多字，似乎写的颇卖气力，读了却觉得是空洞洞的。这未必因为是胡博士的文章写得不好，实在还是老辜没有什么分量的缘故吧。他外国文很好，也懂得多，又有机智，对西洋人不客气的嘲弄，大家以为很痛快，如这里所记对了法国客人大骂徐世昌，说，法国送他博士学位真有点不害羞，即其一例。但是一会儿讲到他复辟同志张大辫，也是一样的要开玩笑，民九张勋过生日，他送去一副对联云：荷尽已无擎雨盖，菊残犹有傲霜枝。胡问傲霜枝当然是张大帅和你老先生的辫子了，擎雨盖是什么呢？他说，那是清朝的大帽。

他反对革命，著英文《春秋大义》等书，身留辫发，又特地招有大辫的壮汉拉车，似乎是个十足顽强的王党，可是他并无诚与热，他的怪论与怪相末了成了职业的装扮，有如西洋小丑的大鼻子而已。在这一点上他不能与他同乡李卓吾相比，他们都是泉州人，都有那一套怪论怪相，但卓吾因反礼教，以七十老翁死于诏狱，是有革命家的骨气的，在老辜却是全没有（胡文中记他说话自称老辜）。这里我又想起现代的一个闽南的人物来。他也懂得外国文多，有聪明知识，懂得幽默，却是英美文化的包袱太沉重，至今还背了在外国走着。诸公不闻傅大胖子尚且要离台了么，林语堂诸位何不脱去洋服而爽爽快快的回中国来乎？

（一九五〇年七月十日）

短衣三便

友人广觉现在北京为人民服务，他不是正式的公务员，并不每日到署办公，但是有时也须前去接洽编辑上的事情，一星期中总有好几次非去不可的。他的名字像是个得道的高僧，其实当然不是，相反的乃是翩翩佳公子，烟也会抽，酒也会吃，以前还总是穿洋装的，近来看见他已经换了一套人民服，虽然以质地以格式论还得说是漂亮，比起别一个在华大的友人真君那么臃肿拖沓的棉袄裤来，简直是不可同日而语了。

这种服装便于工作，便于走路，确实有好些好处，但是据广公说还有一点，他觉得更于他有用的，乃是便于访问。中国从前的社会是只认衣衫不认人的，凡是衙门公馆，假如你衣服褴褛，或是穿了短打，即使你是乡下来的舅公，在门房总难免要遇到白眼，至少通报也要慢几分钟的。现在这种情形是没有了，你穿了破衣短衣，到处一样的招待，可是翻过来若是穿的太好，长衫或是西服，却觉得不免有点儿蹩扭，因为这表示不在什么岗位上，就是从前所谓闲人，固然并无闲人莫入的禁牌，自己心里总有点虚，觉得会不会要受点差别待遇。他花了七十斤小米制了这一套衣服，穿起来很是舒服，觉得到处可以行走了。

这种心理是否普遍，我不知道，但是他说的很有意思，据说还写了一篇小说，不过他不曾拿出来，所以也不能说内容如何，虽然好是一定写得好的。

（一九五〇年七月二十七日）

进京香糕

齐公在《亦文章》中报告香糕无恙，这是一个好消息，像香糕这种乡土风物的传统得以保存，可以想见一般商工业之并不衰落了。我离去故乡很久，其年数已与齐公高龄一样，可是对于香糕的感情还是很好，大抵可与麻糍并列吧。

香糕本来是很简单的东西，可是制造甚难，这里工料是很重要的问题，两者之中小不合式，就做不到那么细腻香窜了。茶食店中有近似的一类，如琴糕、八珍糕、鸡骨头糕干（是哄小孩的很好的食品，比百子糕还要经济）、咸糕干等，却没有那黄而松的香糕。我想就是故意回避，因为那种专门出品别人是不易模仿的。清明时节山头松树开花了，那时的松花香糕有一种特别的清香，非常好吃，但就是平常的那种也很不错，他自有别的茶食所无的淡远的风味，或者可以说是代表和平的乡村的空气的吧。从前有人装了竹篓带到外边去，所以招牌上写道进京香糕，南货担子上也常有带卖的，虽然货色并不怎么道地，近来篹篓担已看不见，这也早已绝迹了。

北京有杨村糕干，是京津路上的名物，一间门面的店铺专做这一门货物，其实只是琴糕之流，却也站得住脚，照这情形看来，北京的“香糕知音”很可能会多有，假如他们有机会尝到孟大茂的出品。现在国内统一，经济复活，各地的土宜名物，渐次流通，香糕之再进京当不是不可能的事吧。

（一九五〇年七月十五日）

香酥饼

绍兴塔山下有两样名物，其一是香酥饼，其二是炒芽豆。小时候大人叫往塔山买芽豆，很高兴的跑去，但是买香酥饼时便有点儿踌躇了。香酥饼只有塔山下才有，两三家相近的开着，记得名称都是沛国斋加什么记吧，一间干干净净的店面，柜台里边疏朗朗的没有什么东西，只是几个大的瓷瓶，装着货色，那就是有名的香酥饼。这是寸许直径的小饼，样子很像上坟烧饼，大概用麦粉所做，稍有糖馅，质甚轻松，加上一种什么香料，与那名称也还相称。价值从前大抵是两文一个，也不算贵，不过因为个儿小，买了一百个也只是小巧的一包，送人不大好看，但是加上一句说明是塔山下的名物，自然就敷衍得过去了。

这店里又有一个特色，是女人管店，虽然并不怎么描头画角，也没有什么风说，但总之不是老太婆，乃是服装不坏年纪不大的女人，客气的接待主顾，结果自然是浮滑少年喜欢多去，我们真心买香酥饼的而在年岁上易有嫌疑的人，便难免反而有点不好意思。这很有点像书籍碑帖铺的样子，里边不知怎的有一种闲静的空气。我想或者最初有什么姓刘的流亡到那里，本来是文化人没有职业可做，只记得些点心的做法，姑且开个小铺对付度日，后来却有了名，一直就开了下去。这是我空想的推测，是从那店的上下四旁看出来的，所缺便只是那实在的证据，这除了沛国斋没有人知道，所以于我也是无怪的了。

（一九五〇年七月二十八日）

女师大旧事

余苍先生在《工馀遗笔》里说到杨荫榆，引起了我的关于女师大风潮的一点记忆。民国十三年校长原是许寿裳，不知怎的忽然倦勤，便推荐了杨荫榆来继任，说是女教育家，很替她鼓吹了一阵子，却又不知怎的杨与学生有了意见，逐渐发展成为驱逐校长的风潮。那时杜威来中国讲学，许校长也高唱教育与德谟克拉西，但学生们不服他，送他一个浑名叫作德谟克拉东。杨校长的事情不知道，大概有如婆媳似的意见相左，或者是其主因吧。

这种事情本来也不久可了，但是杨有北大东吉祥派的后援，陈源带头在《现代评论》上出马挑战，与鲁迅在《语丝》上冲突起来，研究系的《晨报》也擂鼓助战，宣传杨的不错，说“正人君子”都赞成她，由此之故，这正人君子和学者二语，在鲁迅文章中都成为丑名了。在这样僵持的时候，有二三学生走来找我，说学生要求极为单纯，只在去杨，请设法教当局谅解此意，那时是马夷初次长代理教育部务，我便打电话告诉了他，何必为个人而延长风潮呢。马次长说去杨可以办到，只是有一个条件，要不是易培基继任校长。我不知道去杨之后还有拥易的话，这是东吉祥派的造谣还是事实我也弄不明白，所以只将回信告诉了学生。后来学生方面没有什么具体决定，内阁改组，马夷初下来，换了章行严，是《现代评论》的朋友，于是风潮恶化，结果是老妈（姨娘）队攻破女师大，鲁迅在教育部被撤职，不得不离开北京了。

（一九五〇年七月十八日）

香瓜

家里的人出去买菜，因为刚收到一笔进款，便给小孩们买了些水果，有桃子杏子，新鲜玉蜀黍（虽然俗称还是老玉米），和两个香瓜。这香瓜在房间里搁了一会儿，我并不去注意他，还是写我的字，可是鼻子里时时闻到一阵阵的香气，很是好闻，随即过去了，要过一些时光这才再来。我倒也不引起要吃的欲望来，只是觉得很高兴，原来瓜是那么香的，这在平常并非不知道，不过这么切实的了解仿佛还是第一次。瓜这东西是很好的，但不是重要的食物或副食物，至少青瓜王瓜以外的甜的瓜类都算是果子，是不是多少有点奢侈品的意味，与民众不免稍有距离呢？我想，这是未必然的。要严格的说来，茶酒与烟也不是必须的日用品，可是事实上在极大多数已经是不可缺的了。果子能供给维他命，也就有必须品候补的资格。好吃的东西只要能普及于民间，不管怎样我想都是好的，不必再歧视他，反正在一般民众购买力所及范围内，说不上是奢侈的。对于挑担推车卖的吃食我一向很有好意，觉得这都是民众性的食物，因为小时候吃惯了，感觉爱着，大概也是一部分的理由。

（一九五〇年七月二十九日）

堕民的生活

小时候买玩具，最普通的是烂泥菩萨，一种戴纱帽的是官，还有一种女的是老嫚，即是堕民的妇女。堕民俗称堕贫，是绍属特有的被差别待遇的阶级，据说起于明初，规定不准应考试，不准与平人通婚，这禁令在前清雍正时已经取消，民国元年再度声明，可是一般生活大概还是没有更变。他们聚族而居，在郡城的中心部分，总称三埭街，男的专业做吹手，做戏，以炒豆麦糖（俗称堕贫糖）换取鸡毛破布烂铁，钓田鸡似乎也是他们的事，因为儿歌中有“满天月亮一颗星，田鸡来亨钓堕贫”之语，虽系反话亦是一证。

俗谚又云，“人生路不熟，看见堕贫叫阿叔”，这种经验却是许多人都有过的。有一次往木栅山送长辈的葬，船抵埠后有好些山路，我同几个本家少年不愿坐山轿[1]，便自走去，走了好久看看情形不对，山窝

【锺校】

①“轿”原作“桥”。

里又无处问路，好容易才遇到对面来的一个人，正挑着换破布的担子，由同行叔辈中年长的出头去请教，才知道再下去要到破塘了，谢谢他的指点赶紧回转，才[1]及时走到坟头（这里所说是三四十年前的事情，现在情形如何却不知道了）。

（一九五〇年八月一日）

【锺校】

①“才”原作“还”。

懒惰头

我们买玩具的烂泥菩萨，为什么其中特别会有老媪，这个理由似乎值得考虑一下。说是民间特别注意堕民的生活么？这未必是如此，假使要表现他们，钓田鸡岂不是很好的题目，为什么单做一个老媪的呢？据我看来，烂泥菩萨中戴①纱帽的大家知道是官或状元，那么这女的正是官太太，他们本来应该是一对的。乡下传说清初有“生降死不降，男降女不降”之谣，人死后于顶上梳髻，着斜领衣，洗尸买水，示不受惠（其实买水之俗南宋已有，见于《岭外代答》）。妇女不穿旗袍，引为例证。别的不管，中国妇女的衣裳近古那总是真的，特别是新娘子的那种服装，就只可惜头发的式样容易变，比较的走了样了。堕民的妇女服装受了差别制度的影响不大能变化，她们外出时

【锺校】

①“戴”原作“载”。

的正装玄色衣裙长背心乃是法定的“青衣”，头上梳的“朝前髻”我想当是元明时的式样，这可以妇女居丧时的结发证明之，名称也正相同。这是人工所制的高髻，服重者上缠白头绳，罩着后头髻上，亦有年少美发者以真发系成，名“懒惰头”，如其人圆脸稍有姿色，便极似唐俑，可以想见古人的面影。烂泥菩萨虽不见得写实，但总有一点传统，大概仿佛明代衣冠，男的纱帽在戏台上看见是认识的，知道是官，女的高髻便只知有“朝前髻”，不会是带孝的女人那么一定是老嫚了。现在看来官太太与老嫚原是平等的，但玩具中的混合却是别有理由，上边的话或者可备一说吧。

（一九五〇年八月二日）

马面鬼

中国向来不大赞成无鬼论，至少如书中所记录，《晋书》的阮瞻，《玄怪录》的崔尚，《睽车志》的宗岱，著了《无鬼论》，终于被鬼现形所折服，其论亦遂不传。我虽然做不出什么论，可是也不相信有鬼的，这样我说得稍为客气点，留出馀地让人家可以也相信有鬼，我自己则深信形灭神不能独存，也没有见过鬼形听到鬼声的经验。这种经验是可以有的，我们见闻好些这一类的报告，并不一定是虚谎，有一部分是精神错乱的幻觉，一部分是疑心生暗鬼的误会。二者之中以后者比较的为多，譬如说看见一团白物，这可能是白衣人或一只白狗，听见吱吱呷呷的鬼叫，这或者本来就是老鼠蝙蝠以及鸭子。先君是不信鬼的，却见过鬼，有一回在光绪初年他在亲戚家吃酒，回家时已过半夜，提着一盏灯笼独自走着，走进一条小弄的时候，忽然看见不远地方站着一个矮鬼，身子只有三尺，脸狭而长却有一尺多，披着长头发分散两边。他心想这回倒好，有运气看到鬼了，一直走上去，那鬼也不退避，还是站在那里，及至走得很近，举起灯笼来在鬼面上一照，这才呼了一声掉转头跑了去了。原来外边是个废园，泥墙半坍了，有一匹白马在缺处伸出头来观望着。后来先君常说："我好容易见到了马面鬼，就只可惜乃是一匹真的马。"他很顽固的主张无鬼，说他死了也不会变鬼的，在他三十七岁故去的时候还说一无所见，这个庭训我总是真心遵守的。

（一九五〇年七月三十一日）

许寿裳之死

一两个月前有人告许我，许寿裳的被杀是有政治关系的，我想这也很可能，但是详情未能知悉。近日有一个朋友来访，他是许的后辈同事，在重庆曾同住很久，一直又同在台湾，才于去年跑回来的，我问他许君一案，他说在那边谁都知道是政治的暗杀。许常批评国民党政府，很不客气，在重庆考试院时便是如此，久为特务所侧目，戴家胡里胡图的时候（戴好弄玄虚，捧章嘉活佛，有人造对句曰：章嘉呼图克图，戴家胡里胡图），还有点庇护，及至换了蒋秃的老帮闲张伯苓，形势更是不行了。陈公侠往台湾便拉他同去，设立台湾编译馆，叫他做馆长，那时台湾长官好像是个诸侯，底下匪特虽然密布，总还有点投鼠忌器，因此许得以暂且安身。陈公侠走后，魏道明一上任，立即把编译馆裁撤，这是明显的给许一点颜色看，叫他以后可以识相点了吧，但是他毫不在乎，改在台大教书，依旧对了学生大放厥词，即使因语言关系打一个折扣，这在国民党匪帮总是极不痛快的。许又常写文章，有好些关于鲁迅的短文，陆续在《台湾青年》上发表的着实不少，这也是国民党所很讨厌的一件事。国民党要除去许君的意思是很明了的，他的手段却很复杂，他不明显的由内地来的特务行动，却转个弯叫本地人来下手，结局再把他牺牲了事，可是在巧的里面也显出拙来，搜查犯人这一节所以也反而成为伪政府主动的一种旁证了。

（一九五〇年七月十六日）

许寿裳之死（二）

许案发生后，国民党政府手忙脚乱的有一番布置，却是到处显出破绽来。第一是宣传说是桃色案件，因为许不赞成他女儿与某大学生的恋爱，所以被杀，丧心病狂的想锻炼成逆案，可是毫无事实，当然不成功。其次断定是窃盗杀事主，中央通讯社帮他造谣，宣传台人生性野蛮，受了日人感化，动不动就要杀人，其实那里的人原是闽广移民，并无特别的地方，在本地窃盗杀伤事件也不多见，这些宣传自以为是妙计，其实正是欲盖弥彰了。至于破案的手段也用的很是特别，大有《龙图公案》的风味。伪官方既认定是窃贼伤事主，可是凶手也找不到，于是忽发奇想，由警官到许的灵前磕头，请求死者显灵，指示破案。结果是怎样？过了一两日之后，突然从外边隔墙扔进一把破扫帚来，警官们说这是许君显灵，因为扫帚是仆人所拿的东西，便断定凶手是旧听差，不知从那里抓了一个人来，说是他干的事，那人也招认了，但是判了死罪，那人还要说什么，却不让他说，含糊的执行了事。这一案的详细内容，许君长子诗英自然清楚知道，但是因为在台湾教书，一句话也不敢说，问起来时也只好唯唯诺诺说是窃贼，别人更不必说了。有的同乡同事，胆小怕事，或热心作官的，自然更是恭慎，难免跟着做官的尾巴，很背了帮凶的嫌疑，其实据那朋友说也是冤枉的，因为许的反伪政府的言论是公开的，再用不着什么告密，我想这话似乎说的还公正。

（一九五〇年七月十七日）

《闲话皇帝》

俗语云，莫言闲话是闲话，是非多从闲话生，我就知道有过两件闲话的官司。其一是《闲话扬州》，作者易君左，关于女人说了些不很客气的话，被扬州人群起而攻，几乎捉将官里去，后来大概是道歉了事。其二是《闲话皇帝》，作者未详，有一两句话说着日本的天皇，引起严重的交涉，国民党政府张皇失措，把编辑杜重远关进牢里去，好容易才算完结。那文章当初谁也不注意，后来要看时却找不到了，只在北大的一个朋友那里有一份，他遇见日使馆的清水董三，问闲话事件为什么那么闹的严重，答说我也不知道呀，又问你看过那文章么，答说不曾见，告诉他我倒有一本，他很高兴要借读一下。里边犯忌的地方只是这样说，听说昭和喜欢研究生物，假如让他自由去做，比给军阀做傀儡实在于他更是幸福些，为了这句话那么小题大做的闹起来，清水看了也为之哑然。不久之后，吴佩孚在北京，有一次在宴会上，不知道主人是那一方面，座中有几个日本人，都是参赞书记官之类，吴大发议论，说日本为泰伯之后，是他的同宗，而且辈分可考，昭和是第一百二十四代，他是一百二十三代，意思是说正长一辈哩。这在日本当然是大不敬，但是因为是他们所爱的北洋派巨头说的，认不得真，那些书记官都懂得中国话，弄得啼笑皆非，只好假装不懂算了。至于计算世代，昭和是从神武天皇算起，吴从泰伯算起，一样的靠不住，那又是另一问题了。

（一九五〇年七月二十一日）

《闲话皇帝》（二）

日本的天皇对于杜重远这回总算是威风十足了，可是他在家里却也未必怎么阔气。议员尾崎行云近时在一篇文章中说，日本夸称忠君，其实何尝如此，德川家康专政时给天皇的禄米每年二十万石，那个由强盗出身给德川帮凶封为诸侯的蜂须贺小六则有八十万石，三百年中大家视为固然。再回溯上去，十三世纪初后鸟羽上皇因北条义时横暴，讨伐不成，反被流放于隐岐岛，又百年后，后醍醐天皇同样的被北条高时流放于该岛，当时史书上记之曰“天皇御谋反”。就是在明治王政复古之后，政客想借他压服军阀，军阀又借了欺骗人民，但老百姓还是心里明白的。御用新闻记者报道兵卒战死高呼天皇陛下万岁，老太太们辄曰，好说，事实却不如此，他们死时总是叫妈的。又有教育敕语，学校仪式必须恭读，青年小学教员捧之上楼，至楼梯曲折处倏夹于胯下，与生徒共哄笑，旋复恭捧以至礼堂。这种小事情不曾公表过，只是私下却也普遍的流通着，显露出民间真正的空气，是很值得注意的。此外还有些关于明治大正的传说，一般社会大都知道，但是因为是黄色的新闻，也不便记述，大概他们对于这几代皇帝与中国人从前看昏太后呆皇帝（西太后与光绪）相差不远，只是并非异族，便看作一个胡涂的家长罢了。

（一九五〇年七月二十二日）

乾隆的恶诗

皇帝究竟还只是一个人，作恶时他可以特别有力量，但是说到学问艺术，须要个人实力，到底并非“天纵之圣”，高低也自显然，好处难得水平以上，坏处因为当时没有人敢说，有些便是很可笑了。顶明显的例是乾隆的诗。这位十全老人弘历妄自夸大，实际却是十不全，至少在诗文上是不通的，他的《御制诗集》殿板四十册，从前市价才几元，我可惜没有买，现在只好在碑刻上去找。我曾在西山养病，看见碧云寺有两块碑，刻着御书的诗，还记得上边有句云清泉绕砌溪，又云越岭遂以至碧云。又记起《知不足斋丛书》中《唐阙史》卷首有题词，首两句云，“知不足斋何不足，渴于书籍是贤乎”，够了，这十足可以代表十全派的作风，别的不记得也无妨了。

可是介绍他的诗风最好的要算是《绿野仙踪》的作者，冷于冰投宿三家村学究处，主人请他看诗，有一联云，“媳钗俏矣儿书废，哥罐闻焉嫂棒伤”，第一句勉强可懂[1]，第二句全不能懂。主人乃给他解说道，兄爱花，无花盆而以瓦罐种之，嫂则深恶眠花宿柳之人，乃以棒将罐打破，以示惩戒云。读此一回大家就明了这里是说乾隆的御诗，现在《绿野仙踪》已鲜见，读者也难了解这讥刺的意思了吧。书中还有一篇《馍馍赋》，大抵是挖苦御制文的吧。但那小说还是十几岁的时候偷看的，事隔多年，记不起赋里的文句来了。

（一九五〇年七月二十三日）

【锺校】

①“懂”原作“能”。

馒头

南方人到北京来，叫人去买几个肉馒头，这便成了难问题了。北方称有馅的为包子，馒头乃是实心的，现在叫他买有馅的实心馒头，有如日本照《孟子》例称热水曰汤，冷水曰水，留学生叫公寓的人拿热的冷水来，一样的一时有点想不通，没法子办了。但是仔细想起来，肉馒头这句话并没有错，因为古时候馒头是可以有馅的。宋人笔记说宋仁宗诞日赐群臣包子，但馒头之名更早，诸葛孔明之说固不可靠，唐梵志诗云，城外土馒头，馅草在城里，一人吃一个，莫嫌没滋味，可知馒头有馅唐时已然。又有人说，蒸饼也即是今之馒头，案：宋时避仁宗讳，呼蒸饼为炊饼。那么武大郎所挑卖的也就是这物事了，《水浒》里只说他做几扇笼出卖，看不见裹什么馅，大概那也是实心的吧。

我们乡下的馒头都是有馅的，不是猪肉，便是豆沙白糖，虽然南京茶馆的素包子的确也不错，可惜那里不知道做。说也奇怪，从前新式茶馆没有开设的时候，乡下卖[1]馒头的只有望江楼上一处，专卖元宵大的“候口馒头”，做点心极好，反正并不当饭吃，所以实心馒头是没有什么用的。北边面食是正当的饭，包子有点近于奢侈品，要讲好吃的馅更是奢侈了，正宗还是馒头，而且是实心的大个的，这蒸得好的实在不错，但在南方却是不容易遇见的了。

（一九五〇年八月四日）

【锺校】

①“卖”原作“买”。

赶尸

中国古来传下许多怪话，直到现在，知识阶级的人也还相信，至少是喜欢讲。其一即是赶尸，据说如有人客死异地，无力归葬，最好不要收殓，立即去找赶尸专家，作起法来，把尸首赶送回家，比搬运棺木便当简单得多了。这办法很有点像戴院长带领李逵作神行法一同走路，那尸首直着脚在前跳走，赶尸的跟在后边，走上一天在客栈住下，尸首则让他站在门背后，大概他是不能躺倒的。

现在台湾做伪外交部长的叶公超，从前在清华教书，他就很有兴趣谈这事情，说在湘赣道中是常见的事，大路上跳着直脚的死尸，小客栈里在房门后挺立着，自然都是有人遇见过的，虽然并不是他自己，他也只是从“可靠的来源”听来的罢了。听讲这话时是在故友许地山的雪池寓中，屈指十六七年了，可是现在幻想所说的情形，倒觉得很有意思，假如这画成漫画，来形容蒋介石和李承晚，岂不是天成的材料么？蒋李二位仁兄的尊容不必再经漫画化，就像是棺材里钻出来的了，只消后边加上撒姆娘舅手执一枝赶驴的鞭，赶着他们在岛上奔跳，那已经不是神怪的而是写实的一幅时事画了。叶公超这次总算亲眼目睹了，原来赶尸就是这么一回事。

（一九五〇年七月三十日）

《天京录》

卢冀野先生寄赠所著《天京录》一册，是《金陵秘笈》之一，木刻竹纸印，至为可喜。书有前年十二月自序，共三卷，分宫城建置，朝野逸闻，大事年表三项，记太平天国时南京旧事，极有历史价值，我们只作笔记看也很有意思。卷二云："天京风俗人死不用棺殓，殓以棺者是为妖，谓死为升天，喜事也，不当哭。"升天云云本是基督教的话，无甚道理，唯葬不用棺一事极好，可惜不知道他们的葬法是怎样的。

中国的厚葬是封建的遗风，弊害很多，近见《山西文艺》中一篇《新文人周小发》，说因葬父向地主赊了一口价值十元的棺木，须终年给服役以代利息，等于长期为奴，亦其一例。蒋超伯笔记中集录六朝人遗令数篇，都主张薄葬，但仍用棺，唯前汉杨王孙遗令裸葬，明末李卓吾令用芦席垫盖，又宋时张角派信徒用白布袋盛尸，见于记载而已。太平天国虽有禁令，恐民间亦未通行。闻父老说余春生为书吏，“长毛”时颇见宠任，“小长毛”忌之，乘首领外出，令余枕门槛上而斫其颈，昏厥而未殊，首领归叹惋，命予以厚葬，乃从人家舁大寿材来，顿放于地，一震而余苏，遂复活，唯自此头遂歪云。风俗之改革至不易，如要薄葬须由公家主办，有如管理秽土下水似的，简单的举行土葬和火葬，实在这也可以说是公用与卫生事业的一项呀。

（一九五〇年七月二十六日）

冷开水

夏天喝一杯冷水是很舒服的。可是生水喝不得，要喝必须是煮沸过的水，等冷了再喝，最好是用冰镇过的冰水，不过现在不能那么奢侈，普通人家用不起冰，也只好算了。花一点钱去喝汽水自然也好，但甜得没有意思，照我个人的意见来说，不但不宜有甜或咸味，便是薄荷青蒿金银花夏枯草以至茶叶都可以不必，顶好的还是普通的冷的白开水。这并不是狐狸的酸葡萄的说法，实在我常吃的便是这一种，不只是夏天，就是冬天三九二十七的时候也是如此，那是个人的习惯，本来是不足为训的。

这个敝习惯也是一利一弊，利是自己便利，冷饭凉茶一律吃下去，吃时并不皱眉，吃后也不肚痛。弊则是出门作客，天热口干，而新泡的茶不能入口，待至半凉，一不经意，倏被殷勤的工友一下泼去，改斟热茶，狼狈返顾，已来不及矣。

我好茶也喝，但没得喝也可以，只要有冷开水就好，北方没有天落水，以洋井的水代之，此又一习惯也。北京的土井水有咸味，可煮饭不可以冲茶，自来水虽卫生而有漂白粉气味，觉得不喜欢。洋井如有百尺深，则水味清甘大可用得，古时所谓甜水井甚为希有，城内才二三处，现今用铁管凿井法，甜水也就随处可得了。

（一九五〇年八月五日）

藕与莲花

有友人从山西回来，说那里少水而多藕，称之曰莲菜，这与莲根的名称似乎相像，可是规定为菜，这意思便是特别的了。其实藕的用处由我说来十九是在当水果吃，其一，乡下的切片生吃；其二，北京的配小菱角冰镇；其三，薄片糖醋拌；其四，煮藕粥藕脯，已近于点心，但总是甜的，也觉得相宜，似乎是他的本色。虽然有些地方做藕饼，仿佛是素的溜丸子之属，当作菜吃，未尝不别有风味，却是没有多少别的吃法，以菜论总是很有缺点的。擦汁取粉，西湖藕粉是颇有名的，这差不多有不文律规定只宜甜吃，想来藕的本性与荸荠很有点相近，可以与甘蔗老头同煮，可以做糕，可以取粉，可以切片加入荤菜，如炒四宝内是一根台柱子，但压根儿还是水果，你没法子把他改变过来。

莲子最好是简单的煮了吃，其次是裹粽子，或加在八宝饭腊八粥里。荷叶用于粉蒸肉，花瓣可以窨酒，圆明园左近海甸镇出有莲花白酒，本来就有荷花香的，今年售万九千元一瓶，可是只有药气息，虽然甜倒是很甜的。莲花与桂花在植物中确是怪物，同样的很香，而一个开花那么大，一个又那么小。可惜在中国桂花为举人们所独占，莲花则自宋朝以来归了湖[1]南周家所有，但看那篇《爱莲说》，说的全是空话，是道学譬喻的一套，看来他老先生的爱也是有点靠不住的了。

（一九五〇年八月六日）

【锺校】

①“湖”原作“河”。

谈梅子

中国风雅之士向来与梅花很有情分，第一个自然要算宋朝的林逋，他对于梅花简直发生了恋爱，这是我们所难以了解的。后来的诗人当然也有在下雪天戴了风帽坐船出城去看梅花的，就是闭门高卧，终年不见梅花面的，吟起诗来，说到冬天总也要什么月明呀林下呀的来他一起。至于画家似乎画梅品格顶高，文人画中圈圈点点的最为常见，梅兰竹菊中其地位本居于一等。这些事且不管他，我所觉得奇怪的，是诗画中只说花，不及梅子。在我俗人看来，与其请我去赏梅或送我一把画（姑且说是着色的）梅的扇子，也还不如送几只[1]梅子来得好。唐人诗中有“绕床弄青梅”之句，宋词中有“红英落尽青梅小”“青梅如豆柳如眉”“闲穿绿树寻梅子”诸语，画里边却很少

【锺校】

①“只”原作“乎”。

见，不知是什么缘故，其实青而圆大的梅子岂不也很好看，胜过东方朔的桃子么？

乡下有一种大青梅，土名青榔头，叫卖的大声叫道："青榔头，大梅子！"大的径可二寸，放在桌上，只用拳头砰的敲一下，他就碎裂了，这有那么的脆，自然也那么的酸，有人用糖蘸，或用盐以至有用旱烟丝的，这些都不对，正当的还是大胆的一口咬，酸是酸，却有他的新鲜味，为别的吃法所没有的。晒干煮酱，以便久藏，也是好的，但这只如杨梅烧，与鲜杨梅的味道差得就很远。

（一九五〇年八月七日）

竹席

齐甘君很替北京的天气说好话，穿着布衣，戴有舌头的帽子，也不曾出汗，床上也还没有铺上草席。这些话自然都是真的，可是是用什么代来的呀？阵雨大大小小的，有时小瀑布似的冲上一小时，一天里多的时候来上三四回，天气焉得而不凉，然而老屋要漏雨，马路要积水，也有许多人感到不便。即如舟山岛的朋友，来观光的，有一天下午在故宫躲了小半天雨，晚上去看戏，夜半回旅馆时，大雨中在天安门华表前翻了车，裤子不但撕破而且浸湿了。

话再说了回来，七八月的雨到处都不小，能够因此换到天凉，这也就很好了，中伏天气却还可以不铺草席，在长江以南确是不大有的。我在北京颇久，差不多夏天都不睡席，只是白天却总在席上坐，炕上桌子前面铺了一张福建的竹席，胡坐在上边看书写字，比坐软椅子还舒服得多，四周可以乱放书册，看得烦了也可仰面躺倒，便利很多。齐君当初也利用炕，近来说是因为爬出蝎子来，所以同房东商量拆去，改放桌子做了书房了。其实蝎子并不住在炕里，他随处都可以爬出来，便是在书桌下也会得有，大概因为齐君坐不惯炕想改换桌椅，把这责任推给了蝎子，这我觉得是很有点冤枉的。

（一九五〇年八月八日）

湿蜜饯

故乡因为最是熟悉，所以总觉得他有些事情比别处好。其一是糕点，小时候与他最有交往，当初并不觉得，可到北方后再也看他不见了，未免有点寂寞，后来在苏州木渎的小街上忽然看见一爿小糕店，不禁欣喜，虽然也并不买吃什么。其二是糖色店，是专卖糖果蜜饯的。北京琉璃厂有一家信远斋，他的酸梅汤四远驰名，蜜枣杏脯也很名贵，货色当然要比乡下的好得多，不知为什么觉得很疏远，不及故乡的几处小铺更可怀念。那些铺子大抵都聚族而居的挤在大路（地名）口内，一间门面，花样却很繁多，一半是糖色即糖果，新年加上糖菩萨，这与糖人不同，那是用软饴挑担吹卖的，一半则是蜜饯，可以说是古时候的罐头水果吧。水果本来宜于生吃，但是非时异地很难得到，煮熟晒干也是没法，装进白铁罐，更可致远，实在与黄沙罐也差不多，只是不会得撒[1]出来而已。黄沙罐里装的是湿蜜饯，底下大部分是紫苏生姜片，犹如菜的垫底，至多果品有一半，枇杷桃子很占地方，此外是樱桃半梅金桔，顶上大都是一爿佛手柑，小时候看见了这一瓶，比什么都还欢喜，其实讲到味道，不及一苗篮的甘蔗。

甘蔗真是果中英雄，除生吃外只可榨汁煎汤，制成宝贵的糖，却不能做蜜饯制罐头，荸荠还可切片糖渍，比起来也还不如了。

（一九五〇年八月九日）

【锺校】

①“撒”原作“撤”。

《醉酒》

雪窗于三伏中读《红楼梦》，大概也是在下午七时前后“火气”正盛时，抓住宝黛二人，挨次予以打击。这是很痛快的事，使得那些红楼迷愕然失色，说的话也很严正，虽然我要加圈时却只想圈那头一篇。多情公子本来是阔嫖客，因为他有本钱，漂亮殷勤，没有花花公子抢姣姣的那穷极相，其实他们原是一伙儿的。至于薄命佳人，生来多病多愁，很有点不好伺候，俞理初云妒非女人恶德，吃醋捻酸，也就更加显露。宝钗大方，袭人机警，都是通世故的，正是做正太太与姨太太的好材料，黛玉晴雯任性使气，自然都要吃亏了。

我在这里与雪窗的意见不得不有点分歧，我觉得黛玉的妒忌是她性格上所应有的，而且还有极大的证据，可见妒忌也可以做成上好的艺术。我于京戏是全外行，但知道有一出《贵妃醉酒》，普天下看官无不称赏，古今一致的，据说即是表现杨妃因吃醋而呷酒，醉步蹒跚，与高力士调笑，出她的闷气，由此观之，妒忌岂非亦是小说戏曲中的很好的成分么？《醉酒》的艺术上的价值我不懂不敢瞎说，但据梗概与批评看来，或者是赏鉴那懒洋洋软绵绵的女性体格美吧，要严正的说，自然这也不对，有封建社会玩弄女性的形迹。古代希腊雕刻，表示男性美的比女性为多，后来才专重女子，法国巨匠罗丹的破鼻子的男人的雕像，所以就很少有人要看了。

（一九五〇年八月三日）

作文与讲演

文章好做，书也好写，唱戏说书却是大不容易。这两路的行业一样的要观众，不过有间接直接之分，所以情形也就很不相同了。

写书与文章的人有如无线电广播，看不见观众的面，尽管吧哒吧哒的把收音机关闭了，还可以唱下去，只要有书店肯出版，不妨自说自话的胡写，结果单是书本躺在栈房里休息罢了。若是讲演，对面有人，便不能那么随便，有人上去说我只有三十分钟的话说，一讲却有两个钟头，苟非有说书人的口才，难免为听众所讨厌。一个人每说必曰我有三个感想，每个又往往要分甲乙，别个人从旁看出这办法不好，令人感觉太冗长太繁琐，他便改良说，鄙人有几点意见。岂知这更加不好，听的人不知道他到底是有几点，说不定可能有五七点，于是愈起恐慌，更是骚动起来了。

这种情形是给写文章的人的很好的参考，虽然面前没有许多烟通似的鼻孔，却应当想像是存在着的，自己的唱功尽管推板，总要留意如普通招贴所说“不误主顾”，至少也不可取厌于人，这是很要紧的。唱戏说书的诸君，正是他山之石（稍有语弊，勿可吹求），他们了解大众的意思，在这基本上供献自己的技艺，为人民服务，这在我们写文章做书与讲演的人，都应虚心学习，也要做到这样才好。

（一九五〇年八月十日）

味之素

据说袁子才有过两句关于做菜的格言，叫作“无味者使之入，有味者使之出”。这的确是老厨师的经验之谈，虽然我曾经翻过《随园食单》，却没有找到。有味者使之出，不过是各尽所能，还是平常，唯独无味者使之入，那便没有不好吃的菜，可以说是尽了治庖的能事了。无味者的代表是鱼翅，其次是冬瓜吧，使之入便是用汤汁帮助，鸡汤火腿汤以至肉骨头汤都是，据说预备这些汤在大司务是不惜工本，也煞费苦心的。近四十年来味之素上了市场，一方面给予家庭主妇与旅客以不少便利，一方面也使得大饭馆渐趋于堕落，因为有了这个，无味者使之入不是难事，更不要什么作料与手段了。

十多年前有过一件笑话，日本的御厨房派人到北京来调查，到东兴楼学习，研究锅贴豆腐的做法，可是回去试做，却没有那么好吃，心想一定是什么秘诀不肯传授，备了重赂再去请教，回答说，你没有搁一点味之素么？家庭或旅行中只有粗菜，夏天胃口不好，用上一小勺，便是一碗高汤也可以吃得很香，它的用处就在这里。若是东坡肉锅烧鸭都加上这个，反使有味者失了本色，有如把水粉厚厚的涂脸，只是一片白壁，更看不出美人的花容了。听说有些有名饭馆是不用味之素一类的东西的，却不知是哪几家，大概总是有的吧。

（一九五〇年八月十一日）

家族意义的称呼

中国社会上的许多称呼，从它的字义上去看，大都是从家族里转化出来的。尊称如老爷，明朝称老爹，宋朝有岳爷爷之称，都是对于父祖的称谓，因此而有老太爷、少爷、大爷等，吾乡独呼跟班曰二爷，不知何故。先生大人不是直接的，但与后辈及小人相对待，即云尊长，尊卑原是以长幼为准，也是同一根源的。对于女人，有娘娘（皇后）、奶奶、少奶奶、姑娘，小姐宋时称小姊、娘子，乡间的老大娘、太娘、大娘，妓女亦称小娘，俗语呼妓院为小娘店。女仆曰老妈子、妈妈、娘姨，未嫁者曰大姐，吾乡总称曰白吃饭，大概昔时是没有工钱的，在清末已给钱约及男[①]仆之半，对称则用其名字曰某姑，小孩叫长工亦用其名字称为某叔。乡下多有聚族而居的村庄，平

【锺校】

①“男”原作“女”。

常请[1]人帮忙，来者都是本家，或长三两辈者，虽是雇工，而相见时必尊礼之，称之曰某公公或太公。

从这种背景看来，家族称呼的通用是很容易了解的，引申而及于一般的人，如云老太公、老太婆、老婆子，以至三姑六婆，虽后来为人所贱视，朱柏庐列入《治家格言》中，深致告戒，当初却也是一样看待，大概是年少称姑，年老称婆吧。中国各地方言尚未详细调查，有如丰富的煤铁埋在地下，很是可惜，将来材料出来多了的时候，这种文章是可以推充到百倍以上的长的。

（一九五〇年八月十八日）

【锺校】

①“请”原作“情”。

坏文章

我自己知道有好些缺点，因为才力不及，有许多东西不懂。最重要的是艺术，书画我也看，也有喜欢不喜欢，不过那只是个人的偏见，譬如齐白石张大千我就不觉得它好，这岂不是画盲了么？从前盲诗人爱罗先珂赴北大纪念会，对于学生所演剧深致不满，写了一篇感想发表在报上，魏建功其时为学生会干部，作文回答，题曰《不敢盲从》，虽为鲁迅批评其刻薄，大受打击，但我对于艺术的瞎了眼乌珠是自己承认的，所以赞成魏君的这口号，不希望有人来给我附议。

其次是文学，诗词歌赋，小说弹词，随手抓来，也看过不少，可是那时只当闲书看的，正经书是四书五经及其八股文，却是看不进去，到得新文学运动发生，文学有了新意义，回过头去看，多少还是那么的印象。关于韵文部门，可以说是与书画差不多，只有主观的选择而已。可是在散文特别是古文的方面，不知怎的自己觉得有了确实的辨别力，看一篇文章可以说出好坏，而坏的尤其明了，好的就多是在挑出了坏的之后而显出来的。

百馀年前有周济编词选共十卷，原稿在黄河中遗失，后来重新录出首二卷行于世，其馀不传，最可惜的是第十卷，原是选录恶词当标本看的，为从来选本所无的东西。我们在书房里读了不少坏文章，现在才有点认识，虽是代价出得太大，总算功不唐捐，也是可喜的事了。

（一九五〇年八月二十一日）

坏文章（二）

看见近人笔记中引何平斋的《春明梦录》，说在清末检阅十库事，云南薰殿茶库中藏书画，有历代帝王像及李杜小像，李太白面白而须稀，杜子美面黑而胖。这画的未必有什么根据，但是我看了很觉得有意思，仿佛这两个人的相貌可能近真，虽然我们想像或者杜子美不必一定黑胖，而李太白之不该是瘦子乃是必然的。我只可惜那里边没有韩退之，他的尊容是红黑圆大，唇厚，眼小如猪，我从前猜测他好吃猪肉，身胖喜睡，后来看什么书始证实他确实如此，从这里再具体化一下，便应当是那样的一个容貌了。

他是封建文人的代表，热中躁进，顽固诞妄而胆小，干谒宰相，以势利教儿子，满口礼教，因谏佛骨谪官，立即上疏哀鸣，登山怕下不来，号哭写遗嘱，这些行动正好配上那么的外表。我找坏文章，在他的那里找代表，这即是《古文观止》里人人必读的那两篇，《原道》与《送孟东野序》。《原道》是讲道统的八股，单就文词来讲，如云“幸而不见正于文武周公孔子也”“亦不幸而未见正于文武周公孔子也”（原文不及查，大抵如此），正是十足的八股腔。《送孟东野序》开口说“物不得其平则鸣”，而后边就说“伊尹鸣殷，周公鸣周”，直至“和声鸣盛”，话都说得前后不兜头。音调铿锵，意思糊涂矛盾，这是古文的特色，上边两篇是最道地的。古文多坏，而古文的正宗为韩氏，此又是韩氏的代表作，可以够得上称为标准的坏文章了吧。

（一九五〇年八月二十二日）

老朋友的话

前天有一个老朋友来访，他是我更老的朋友的侄儿，他们都是属猪的，那老叔可惜早归道山，他也已须眉皓然了。他原是研究外国的语言文学的，这回谈话中间忽然感叹说道，现在缺少一个刊物，给中小学教员看，叫他们注意于乡土的自然研究的。我的博物知识本来也只有中学的这一点，因为小时候在乡下，认得若干草木禽虫，对于它们稍有兴趣，后来偶然翻外国书，觉得这一类的译名最为困难，学名外国名与中国名字，古名与俗名，都斗不拢，很是懊恼。有时候也气愤，难道中国生物学家都只知道学名外国名的么？这当然未必如此，但看译名的成绩上也难怪人要这样想。《三C传》中所说的伪中正大学校长胡先骕，据说是植物分类名家，但是虽然拔起一根草来或者说得名字，这却也是学名或英文罢了。他反对白话文，与胡适之打了十多年笔墨官司，那么他又怎么会看得起俗名呢。

的确如我那朋友所说，要动员中小学教员，会合了学生去动手，这才可以使得儿童发生自然研究[①]的兴趣，一方面实物的名称的调查也于学术上很有帮助。天荷叶、狗尾巴草、赤包儿、豆腐粘、红蜻蜓、油胡卢这些东西与儿童生活多么有关系，从前上书房的时代你禁止他也还是要偷偷的去搞的，如今有老师领了去做，那里有落后之理，所以我想一定是为小朋友们所赞成的。

（一九五〇年八月二十四日）

【锺校】

①“研究”原作“究研”。

勾践的绍兴话

有人说，听见绍兴师爷讲话，令人想起越王勾践，仿佛在同文种等人商量，若曰：“亨个夫差个娘杀啦嗄，有朝一日总要收拾伊勒。”这话说得很有趣，可是改变一下子，还不如说看见乡下人患流火的脚，想起治水时的大禹来，比较更近于事实，因为传说禹脚被水泡肿，不良于行，后来道士有禹步法，与大脚风的情形很有点相像。疾病在四千年间可以存在，语言容易变动，恐怕支持不到千年之久吧。

语音与声调的改变是一方面，社会影响又是别一方面，而力量更大，所以近五十年中的变迁可能比过去三百年为甚。大概绍兴师爷的话或者可以比得毛西河，但与鲁迅便未必相同，虽然他们还是同一世代的。

我又想到方言可以在文学上有很大的用处，但有时也有限度，譬如拿勾践的事来编话剧，把前面那两句话用在里边，那便很有小丑气，勾践的印象仿佛是一个戴灶司帽的昏君，与本题大不相称了。勾践的剧自然是当用国语写的，方言可以表现地方色，却不免缺少重量，不及国语之有力，若是喜剧里方言俗语用得好，那又自擅胜场，想起绍兴戏的《五美图》、目连戏种种场面，不禁绝倒，这都不是国语所能做到的，因此我对于绍兴话又不能没有乡曲之见了。

（一九五〇年八月二十五日）

赤脚

北京人相信有地风，于人体很有害，所以保护下肢最为用心。他们冬天固然是棉裤扎脚，穿“老头儿乐”的毡鞋，就是在夏天，虽是单裤也要扎脚，鞋袜穿得整整齐齐的，决不赤脚。现在都是三轮车了，这种情形已经没有，从前用二轮人力车的时候，夏秋暴雨，路上积水，拉车人鞋袜被水浸透，沿着裤腿上来，大半条都湿了。他们不肯光脚，因为这样将为地风所侵，会得变成“寒腿”的。北伐那一年，广西军队来北京，有些赤脚着草鞋挑着担子，沿路的人都瞪着眼呆看，觉得非常希奇，其实中国东南西南的居民多是这么样子的。

我们现今不再断发文身，入水与蛟龙斗了，可是水乡的人终究与水有情分，光了脚和水土接触极是寻常，到了有地风的区域也还是这个习惯，所以多少年来，我总是冒了寒腿的危险，赤了脚过一夏天的，直到天气寒冷起来为止，平常有客来也不穿上袜子，除非来的是女客，而女客却又往往是无袜的，这可以说是一个矛盾。一个月里难得有两三次出去买纸笔邮票，那时也非着袜子不可，算起来一总不过穿了十次八次，这一季里至多换一两回袜就够了，在现今线袜也很贵的时候，这节省也不少。实在这只是一种枝节的托词，原因还是在于习惯，盘脚坐在炕上竹席上边，倒是很凉快的。

（一九五〇年八月二十七日）

赤背

电车上挂着几条规则，其一是禁止赤背。（不知道上海有没有，这里说的是北京本地。）我并不一定反对赤背，但在公众场所，尤其是挨挤坐立着的地方，赤背的确是不应该的。其理由之一是不卫生，油汗沾污人衣，是很讨厌的事。其他还有一个迂阔的理由是不好看。从来中国保健不讲究，许多人都是病态的，有些是营养不良，往往骨瘦如柴，胸肋间像是生理标本似的一根根的可数，看了不愉快，所以应当加上一层遮盖才好。这样说来，赤背又是有条件的了，除公众场所外，在别的地方坐立行走可以无妨，只要这并不难看，就是身体健全自然。

资本主义国的伪君子很重礼节，而有古代传来的裸体美术，一致承认它是美，这倒也并不限于女性，有好些都是男体，而且在古代希腊罗马雕刻中男像还要占大多数吧。假如肢体匀称，筋肉发达，不必要用青铜大理石做成，即此也合于美术，披衣固属守礼，光着脊梁也尽不妨，看的人即不称赏也总不会嫌恶的，若是加一件背心，自然更是不成问题，因为这样那背就不算光了。我这话虽然给光背的开了一头门，但也不无缺点，若是一定照那第二理由讲去，有光膀子权利的有些人恐要见怪，觉得那条件难免定得有点太苛了。

（一九五〇年八月二十九日）

吃蟹

现在并不是吃蟹的时候，这题目实在乃是看了勤孟先生的文章而引起的。我虽不是蟹迷，但蟹也是要吃的，别无什么好的吃法，只是白煮剥了壳蘸姜醋吃而已，不用自己剥的蟹羹便有点没甚意思，若是面拖蟹我更为反对，虽然小时候在戏文台下也买了点拖油炸的小蟹吃过。我反对面拖蟹，因为其吃法无聊，却并非由于蟹的腰斩之惨，因蟹虾类我们没法子杀它，只好囫囵的蒸煮，这也是一种非刑，却无从改良起。大臣腰斩血书惨字的故事我也听见过，又听说有残酷的草头王喜欢把上半身立即放在拭光的漆桌上，创口吸着，可以活上半天云。这些故事用以形容古时封建君主的凶残是可以的，若是照道理讲来大概不是事实。

腰斩是杀蟹的唯一方法，此外只有活煮了，别的贝类还可以投入沸汤，一下子就死，蟹则要只只脚立时掉下的，所以也不适用。世人因此造出一种解释，以为蟹虾螺蛤类是极恶人所转生，故受此报，有人更指定蟹是犯的大逆罪，因为小蟹要吃母蟹的。这话自然不能相信，我们吃蟹时尚且需铁槌木砧，小蟹的钳力量几何，乃能夹开硬壳而吃老蟹之肉乎？

假如要吃蟹，实在没有别的办法，面拖蟹则大可不必吃，这是我个人的意思。

（一九五〇年八月三十日）

吃蟹（二）

螃蟹是不是资产阶级的食物，这回答很不大容易。像正阳楼所揭示的胜芳大蟹，的确只有官绅巨贾才吃得起，以前的教书匠们也只能集资聚餐，偶尔去一次而已。可是光绪年间在南京读书的时候，曾经同叔父用了两角小洋买蟹，两个人勉力把蟹墩吃了，剩了半锅的肥大的蟹脚没有办法。现在说来虽然已是古话，这可见又是并不贵了。

吃蟹本是鲜的好，但那醉的腌的也别有味道，很是不坏。醉蟹在都市上虽有出售，乡间只有家里自制，所以比较不易得到，腌蟹则到时候满街满店，有俯拾即是之概，说是某一季的民众副食物也不为过。腌蟹通称淮蟹，译音如此，不知道是那里来的，形状仍是普通的湖蟹，好的其味不亚于醉蟹，只是没有酒气。俗语云，九月团脐十月尖，这说明那时是团脐蟹的黄或尖脐的膏最好吃，实际上也是这顶好吃，别的肉在其次。腌蟹的这两部分也是美味，而且据我看还可以说超过鲜蟹，这可以下饭，但过酒更好，不知道喝老酒的朋友有没有赞成这话的。腌蟹的缺点是那相貌不好，俨然是一只死蟹，就是拆作一胛一胛的，也还是那灰青的颜色。从前有人说过，最初吃蟹的人胆量可佩服，若是吃腌蟹的，岂不更在其上了么？

（一九五〇年八月三十一日）

《四库全书》与《康熙字典》

乾隆编纂《四库全书》的目的假如一半真是为的要收书，那么至少一半也是为的检查并销灭中国人民的反抗思想。收到的犯忌的书，老实不客气的禁毁了（没有送来的，奖励人来告密），古书则叫翰林改过，如皇侃《论语疏》“夷狄之有君”一节的话，知不足斋初印本里是原文，后印本则是别一番话，乃是依《四库》本改正，是假冒的了。关羽原谥壮缪，乾隆要改叫他忠武，上谕命将《三国志》中原文改掉，蜀汉的事实，陈寿的文章，也可以由皇帝随意来变动的。有一年（据说是一七六六年），他在御园看见麈角于冬至皆解而麋角不解，命将书中麋角解均改为麈字，段玉裁在《说文解字注》中记其事于麈字下，不敢明言他的谬误，只婉委其词云：“臣因知今所谓麈正古所谓麋也。”岂不即是说他误叫麋为麈，却要妄改古文么？王筠在《说文句读》中便更不客气，在一个什么字底下说《康熙字典》引《说文》云云，为原书所无，颇为荒唐，乃云筠案此盖内府秘本，外人所不能见者，挖苦而又俏皮，实属大不敬，如在乾隆时必将为人所告发而捉将官里去了。

康熙比较乾隆学问稍好，因为他还肯同几个西洋人搞天文数学，但敕撰的官书都由些翰林们胡乱去弄，与坊本一样的糟，却顶着皇帝的招牌，没有人敢说话。到了民国以后，皇帝的这些纸老虎才渐渐戳穿，可以希望不大有人再相信它们了。

（一九五〇年八月六日）

西施

乡下老太婆没有学问，但是她们记得几个美妇人的名字，其一是西施，其二是貂蝉。西施是美的代表，豆腐店的内掌柜描头画角，便送她一个别号曰豆腐西施。貂蝉却不免有点冤枉，大概她们通读作刁钻古怪的刁，所以对于伶俐的少女的恶评曰“像貂蝉介”。此外虽有别姬之虞兮，醉酒之阿环，她们不复齿及，绍兴戏文中固不演她们的事，其实即是西施在小说戏剧中也极少见，不知道为什么特别记得她，或者这由于乡曲之见也未可知。不过绍兴的内容，不问在废府改县的前或后，总只是山阴会稽两县，而这西施乃是苎萝村人氏，是属于诸暨县的，正像是豆腐店隔壁的吏部尚书等，未免有差一号之感了。

诸暨向来文风很盛，做《铁崖乐府》的杨廉夫，《儒林外史》里看牛的王元章，都出在那里，画长头人物画的陈老莲更是特别，只有徐文长王季重张宗子诸人可与相比，则是山阴人也。我因此想到孺牛因齐甘是山阴人而硬要剥削他，是不对的。会稽不是没有人物，多少有点不同，它是浙东派，龙脉是从全谢山一路来的，如章实斋李越缦诸公，结实不成问题，但若将李公与他表兄弟山阴平景孙相比，便觉得文学的风味有点不相如了。

（一九五〇年九月三日）

蓑衣虫

同江幼农君闲谈，说动植物名最不好办，不但中外古今难以沟通，即同一俗名也常有地方的界限，不能通用。例如蝼蛄，我们一听这个名称，即立想到那替曲蟮叫了一世的形似蟋蟀的虫，北方则不能通行，郝懿行在《尔雅义疏》的注里特别添上北边的俗名“拉拉蛄”一项。

虫旁瞿叟二字我们乡下也认识，读作其休，是蜈蚣似的多足虫，江南云蓑衣虫，北方称钱串子，或曰钱龙，以前者为更普遍。

江君云别又有所谓蓑衣虫，系蛾类的幼虫，织碎叶小枝为囊以自裹，负之而行。案：此即《尔雅》之蚬，缢女，因为它附枝下垂，古人观察粗率，便以为缢，郝氏断之曰，此虫吐丝自裹，望如披蓑，形似自悬而非真死，旧说殊未了也。我们乡间称之曰袋皮[1]

【锺校】

①“皮”原作“支”。

虫，《尔雅翼》云俗呼避债虫。披蓑有渔人或农人的印象，袋皮已沦为瘪三，避债的联想更为滑稽，缢女则太悲惨了，我们想起山西省妇女自杀的统计，觉得这种事实还未消除，难怪古人那么的说。我不知道这在北京叫作什么，仿佛没有看见过，要有也未必叫蓑衣虫了吧，因为在北方蓑衣极少见，其实秋天雨并不小，虽或缺乏棕皮，但也可以用别的草制的，不知何以不用。唐人诗云，“孤舟蓑笠翁，独钓寒江雪”，这种情景在黄河以北实在是难被了解，不但寒江不能钓，就是蓑笠也是很生疏的东西，读了不会发生什么兴趣。

（一九五〇年九月六日）

拿手戏

听说有些外国文里叫著作者为“写字的人”，这与文士有什么异同，是不是不敬，现在无意去查考，只是觉得我们常写文章而实在没有什么自信的人用这个名称来叫，倒是很确当的。

这里说我们，乃是为了说话的便利，其实并没有第二个人的委托书，所以只能代表个人，不得随意用多数的代名词，所以下文都只是说“我”了。

我在《亦报》上写文章，本来自己定有两个标准，一是有意思，二是有意义，换句话说也即是有趣与有用，可是事与愿违，有如鱼与熊掌，不但二者不可得兼，想要抓住一个也还着实不容易。写的时候只图交卷，登出来后再看，多少用点自我批评的态度，觉得不是乏味便多生凑，可以打上六十分的一星期里难得有一篇，其馀实在只是写了些字而已。

现在连街头艺人都翻了身，写字的人如为人民服务，也是很好的事，无奈写字难以成为一艺，他没有师父传授，并无基本技艺，只是每日随时说说唱唱，费力多而成功少，并不一定是吃一行怨一行，的确乃是实情。某甲先生有一句名言云，著作等身不如拿手戏三五只。这话说得真好，戏越唱越好听的人也越喜欢，写文章不能翻陈出新，摆起摊来殊无把握，写不出时亦无皮蛋泡汤加白糖之类可以帮忙，此其所以不如之至也。

（一九五〇年九月七日）

笑话的技术

我很佩服那能说笑话的人。这有几种理由，其一，笑话是暴露人类的愚蠢的实例。若干年前我买过一册西文书，名曰《人类愚蠢史研究导言》，题目很好，可是这四折大册中说的多是空话，我看了不大喜欢，便送给学校的图书馆去了。后来翻看[1]冯梦龙的书，我特别注意《古今谈概》与《古今笑》以及《笑府》，忽然觉得这岂不是人类愚蠢史的一部分么？《古今笑》是史书上的事实，《笑府》则是假作的故事，寄托人间种种可笑可鄙的事，因为是自由造作，所包括的范围自然比实事更为广大了。大多数的笑话不免是低级或下流，但也有些严重的意义的，虽然表面上那么的说得轻松。例如明末赵南星的《笑赞》中第五十一则，云赵世杰半夜起来打差别，看

【锺校】

①“看”原作“着”。

的人先要笑赵世杰，不过他的愚蠢是代表男性的，所以这一鞭落在赵世杰身上，普天下的男子都要感到一点波及。在近代文艺上，笑话的地位却渐让给了漫画，这在关于有政治性的问题上更为有力，例如说蒋二秃子无论怎样挖苦，总不及在他那皮包骨的光头上交叉贴着的橡皮膏，打击的尤其直捷痛快了。

我佩服能说笑话的人有几种理由，上面只说明了其一。其实这几种的几字乃是生意经上的虚头，本来一共只有两个，前回说过其一，现在只剩有那其二了。这理由是说笑话有技术，是我们所值得注意的。凡百技艺本来都要技术，譬如唱戏说书，技术差一点也便要失败，可是说笑话还要进一步，所要的技术乃是属于危险演技这一类，最好的例是走索。一个人在索子上走，平常的挑着担子以取平衡，好脚色单拿什么扇子之类，走得故意倾斜，好像要掉下来的样子，正如披萨的斜塔，它还保持着重心，看得危险却仍能站得住，其间的分寸是极微妙的，稍一过度便真是一失足成千古恨，这是在别的演技上所没有的危险。说笑话正是一样，他不能只挑了担在索子上来回一趟就算，必须大大的歪一下，仍保得住重心，这表现才完成，略一不小心偏过一分去，那么立刻吧哒的一下人和他的笑话本一齐落在地上了。

我们写小文章的无须这样微妙的技术，但是在说幽默话，或关于两性的，或是讲自己的事情的时候，这也是一种很好的参考，不过话虽如此，要做得到几分实在很不容易。

（一九五〇年九月五日）

猪肉

各地民族食物，除谷类外，所用肉类大抵因风土习惯的关系，各有所偏重，如欧美用牛，蒙回各族用羊，日本多用鱼，中国则用猪肉。我对于猪这动物很有反感，可是猪肉用处之多却也是事实，不能加以否定。在西餐以及专门吃食店里，牛羊肉可以有几种好吃的做法，家庭里便很有点困难，在乡下平常就没有牛肉买，羊肉只好加萝卜红烧，味道实在还不如现成的白切蒸羊，夏天用鲜荷叶包来，从前只要十二文一包，确实价廉物美。说到猪肉便大不相同了，干腊方面有火腿、家乡肉、腊肉等，各有不同的风味，鲜的且不说北京沙锅居的白肉席，全用猪身上的东西做成几十种菜，舟山的朋友曾去尝试，吃到两样甜做的，同我说起时还显得惊奇与狼狈。我们只说东坡肉与粉蒸肉这两味，实在非猪肉莫办，至于肉丝与肉片的功用，更甚广大，笋丝韭黄的小炒与笋片京冬菜的中炒，又是多么的不同呀。

那个猪头看去不雅，却是那么有味，十多年前友人苦水请我新年吃饭，他是武松的乡亲，依照本乡习俗拿出特制的馒头（并非包子）和猪头来，虽然说来有点寒伧，那个味道我实在忘记不了。陆放翁记什么地方的庙里揭示云，祭神猪头例归本庙，加以嘲笑，当初我也以为然，但现在反复一想，对于住庙的和尚却也要表示同情了。

（一九五〇年九月八日）

希特勒们

《十八春》第十章之八中有云："石翠芝这人是一点幽默感也没有的，你去逗着她玩，她不要认真起来才好。"这是一句很平常的话，因为这里边警句太多了，如下文云："每次看见两个初见面的女人客客气气斯斯文文的谈着话，他就有点寒凛凛的觉得害怕。"两相比较似乎平常了，可是我就觉得很有意思。

我自己是最怕没有幽默感的，这好像是从前的红头火柴，用手指一拈便有硫磺气，不小心时就会嗤的爆了起来。我想不起幽默感在中国俗语里叫什么，但事实上有这东西，他不去硬碰硬，却是用软碰硬，减去他一部分力量，再作打算，大政治家大抵都有这点本领。要举实例，我们顶好从反面来看，即是有哪些是没有幽默感的人，他们干了些什么事。这里有一大批，希特勒、墨索利尼、东条、蒋介石，都是很好的代表，而且那不懂情理，任性胡为的性格完全表现在紧张的脸相上，挂在相面摊上当作恶人的模型，真是十分合式的。

此外还有一个杜鲁门，他本是百货公司的卖衬衫的小伙计，爬上了政治舞台，已经跌了好些跟斗，这回遇见朝鲜问题，弄得他满地乱爬，可以证明他也是那一路的人，只是急转直下的滚下坟墓。不过这也是难怪的，帝国主义整个只有这一条路，不像是个人，如现今逃在香港台湾的人们，要愿意时就可以回得转来的。

（一九五〇年八月十二日）

吃白食

我时常记起潭杀猫来。潭读作去声，俗语意云水淹，潭杀猫即是淹死的猫，是一个无赖的浑名，他专吃白食，后来被饭馆所吊打。我只模胡的记得有一段唱潭杀猫的故事，罗列他所点的菜，里边有臭霉豆腐剥皮多加醋这一样，很是特别。日前看《亦文章》，才知道原来出于《七美图》或《八美图》，由二花脸扮演，还有剢[1]螺蛳过酒这一场，可惜我不曾看见过。

社会上有许多事情，正经或高雅的文字上都不说及，只有到戏文说书山歌笑话里去找才能看到，这吃白食便是一件。潭杀猫的吃法可以说是最无技巧的了，他只是吃了管他娘的办法，与普通瘪三一样，吃饱了再准备挨打吧。此外还有些较高明的，多少用点技术，戏剧小说我说不上来（《水浒》的英雄都是白

【锺校】

①“剢”原作“琢”。

吃了再打人，但与瘪三们还是一路），有些佛印的故事，和笑话里的拔把眉毛当点心，都是很好的例。

笑话里又有卖粪一则，云买者还价太少，主人怒曰，有如此贱粪，难道是狗撒[①]的！买者曰，又不曾吃了你的，何须这等发急？乡下人买肥料，吾乡称曰换料，但在都市反要出钱给粪夫，便不知道这种风俗了。收买稻草灰者名曰换灰，恐灰堆中垫有瓦石，故必挟一竹竿，戳之以验浅深，石天基《传家宝》中有一则笑话，即说此事，唯语不雅驯，不能转录了。

（一九五〇年八月十三日）

【锺校】

①“撒”原作“撤”。

谈卖糖

本报载《从唱小热昏到文代代表》一篇访问记，读了觉得很有意思，特别与我有关的是徐和其的话的一节云："听众有时候欢迎听故事，不愿意听说教，他必须用种种技巧，不使太成为教条，说服群众。"我知道自己的毛病是喜欢说教，而最不擅长的是说故事，所以我写的文章容易脱离群众，假如在街头出现，一定会得像笑话里所说一样，只剩一个人在等候拿回他的板凳去。既然自己知道，我也曾想用一点技巧来帮忙，可是不大能够有什么用处。

我从苦药甜吃的原则上来打主意，一是金鸡纳霜的糖衣丸药，二是一瓢桔子水上的蓖[①]麻油，这方法是好的，不过吃的人也会吮完糖衣而吐出核心来，或者闻了油味就不呷桔子水的，那末我也就无可如何

【锺校】

①"蓖"原作"萆"。

了。最好的办法自然是专来卖糖而不卖药，这话等于晋惠帝的何不食肉糜，只要有也就早已吃了，问题是在于饥民没有肉糜，正如我之无糖可卖，因为糖即是故事，而我是不会说故事的，更无论故事原料我有没有。我很佩服孺牛以前写的那些连载故事，不晓得为什么不写下去了，假如我有这本领，一定是走那一条路了。或者白脱油气味不及猪油的香，牛公若有趣味来写中国事情，自必更当纸贵洛阳，鄙人凭轩南望唯有羡慕而已。

（一九五〇年八月十四日）

放焰头

齐甘君的文章里说到戏文里的变脸，可是回想起来，关于变脸的印象很是模胡，只仿佛记得活捉张三里有这么一场，张三最初是白面孔，忽然用手一抹，变成纸灰色了。小时候看戏文我最[①]喜欢是放焰头与目连嗐头，这种嗐头即喇叭，只用于目连戏和大戏，焰头则是各式戏文里都有的。小孩子望见上场门口站着一个赤背的人，手执明晃晃的纸撚[②]，立刻紧张起来，知道要出现妖怪了。那人将一包硫磺之类向纸撚的火中一撒，发出一道火焰，霎时间从后台窜出或爬出一件东西来，有时是老虎，赭黄色的布包了全身，四条腿爬着，只是尾巴挂在后边却是死的。有时又明明是一个人，蒙着白布，从顶上长出一根细长的香肠

【锺校】

①“最”原作“明”。

②“撚”原作“燃”，下同。

似的白的东西，仔细看时乃是蛇头和身子，原来这是蛇精。虽然明知道里边是一个人捏住那香肠似的物事，可是看去很是奇异，仿佛觉得有一种邪气，比一条大活蛇，还似乎可怕。

看见外国讲儿童演童话剧的书，有许多鸟兽都以硬纸剪成头部，鱼蟹则是整个的，戴在头上，仍露出脸面，很是好看，所以如古埃及王那样额前伏着一个蛇头，也可以表现得好。但是这也当分别而论，例如思凡的蛇女与囫囵吞人吃的蛇王，其性格完全不一样，那末上面所说的白东西，似乎也不能说它是全无是处了。

（一九五〇年九月九日）

《西游记》

我有一个长辈是前清翰林，他的学问大概与一般的太史公无甚差别，也没有留下诗文著作，只在上海盛行诗社时[①]，什么“几生修得到客”等人轮流主社征诗，他也做过些《惜花四律》《水月电灯曲》之类，又编了若干笑话，发表在社刊上，那时代大约是庚子前后吧。他却有一种奇怪的意见，说小孩专读经书八股，容易变成呆子，必须先教他看小说，思想灵活了，有了看书的兴趣，再引他回过去用功，才能前进，至少也可免于淤[②]塞不通。小说中间他说是《西游记》最好，小孩喜欢看，书也做得巧妙，举的例不知道是哪一回，说孙猴打败逃至一处，变成一座庙，只苦于尾巴没法安顿，只好化作一根旗竿竖在那里，

【锺校】

① 原无“时”字，今增。

② “淤”原作“污”。

可是追的人来到了立即看破，因为世界上没有过在庙后边单竖一根旗竿的。《西游记》虽是说取经的故事，却极少佛教的空气，玄奘[1]了一个无用的和尚，读者的注意完全集中在妖怪身上，八十一难的故事差不多都是童话的分子，其为儿童所爱好正是当然的事。印度是故事的源泉，自是例外，此外各国恐怕没有这样的长篇童话小说，只有俗称《天方夜谈》的《一千一夜》，或者可以相比。《一千一夜》因为是从市场出来，讲得很是圆熟也紧凑了，《西游》则成书后才[2]讲说，书本显得简单，假如能够找到说《西游》的名人，照他所讲的笔记下来，那一定可以成为一部大著，为八岁至八十岁的人同样所爱读吧。

（一九五〇年九月十一日）

【锺校】

①“奘”原作“藏”。

②“才”原作“在”。

朝鲜文字

在报上见到虹口学生集会庆祝八一的记事，有留学复旦大学的朝鲜学生洪安义的签名，汉字左侧有朝鲜文拼音，用行书体所写，很是好看。朝鲜字母本名谚文，据云一四四一年制定，已有五百年的历史，虽云取法梵字，而甚为简要，凡子音十四，母音十一，其中各有四音系孳乳而成，故形式简单实可谓天下第一了。它有正书行书两体，正书亦颇结合遒劲，不嫌散漫，行书则如报上所见，不亚于罗马字之便利秀逸，只是直行罢了。

中国的注音字母，因犯国民党的忌讳，一时改称为注音符号，成于一九一四年，在亚洲诸国中最为后出，标注国音，帮助儿童及失学成人学习汉字，效用颇大，有些人批评它像朝鲜文，不满意，其实这是不对的。它的形式近似朝鲜文而无其浑成，这是不及朝鲜文处，乃是缺点。若其拼法系用三合，即每字不超过三个字母，也即是朝鲜文的成法，实在是一个优点，虽然有时不免有勉强的地方，如天字照所写字母读去当是替安二字合音了。阿与雅，厄与也，倭与喈，乌与由，本来应各有字母或孳乳的字母表现，如朝鲜及苏俄文字都是如此，中国人狃于英文，以为母音只能有五个，反而弄得不大合适。中国如尚用汉字时，我想应以注音字母为辅。说到新文字，我倒是赞成用希腊来源的俄文字母，因为复合母音各有字母，我觉得是最合理也最适用的。

（一九五〇年八月十五日）

东方朔

有一个塾师在家里开馆，教几个小小蒙童，读《论语》至“有父攘羊”一节，便以“父攘羊”三字出课题，学生对不出，老师乃为书曰“叔偷桃”，中间不加红圈，表示这不是学生的成绩。这塾师一时因此大失信用，说他不知道东方朔，虽然他本来是世袭云骑尉，乃是武职，其国文欠亨是不足怪的。不过老实说来，东方朔的奇事很多，顶有意思的还是偷桃这一事，而东方叔的称呼也比朔好得多，至少是更为亲密了。

编《无双谱》的金古良是颇有见识的人，在那里边收有东方朔，所取的也是那一点，我虽久已不看此书，还记得那所画的像，说是什么岁星之精，却是很有些贼相。中国的神仙故事大都是方士所造，有些很是低能，《列仙传》的大部分都如此，东方朔要算最是天真的，那里的西王母与《西游记》的太上老君相像，变成了人间的和善的老婆婆了。《山海经》里的西王母豹尾虎齿而善啸，在《穆天子传》中为穆王作歌“白云在天”云云，已是《旧约》的示巴的女王，到了汉武帝时辈分愈老，很有点贾母的样子，这里也可以看出神仙的变迁。我们看班固的《东方朔传》，他是一个在宫廷卖艺的滑稽之雄，是帮闲文人的一属，却与叔孙通司马相如等又自不同，如醉入殿中小遗殿上这种事，是他们所干不来的。传赞中虽然力言后世好事者之奇言怪语不足信，但由我看来，东方朔故事的可取倒还是在这奇怪的一方面的。

（一九五〇年八月十九日）

《天河配》

文化部组织戏曲改进委员会，曾讨论审定旧戏问题，有一项决议云：“审定工作应注意区别迷信与神话，因为不少神话都是古代人民对于自然现象之天真的幻想，或对人间社会的一种抗议和对理想世界的追求，这种神话是不但无害而且有益的，至于写阴曹地狱、循环报应等来恐吓人民，那些才是有害的。”这个决议我觉得非常可佩服，不但是通达的理论，也是高明的政策。世间对于神话与迷信很少区别，容易并作一谈，现在这样明晰的规定，许多民众娱乐里的神话分子可以得到保障了。

我们且举《天河配》的故事为例，天上有二星，名为牵牛与织女，便假想为人，可是隔着天河，不能在一处，因此推想因了什么事情，以致分离，于是说他们欠了天帝的聘钱，只许一年相会一次。这里以牛女为分居的男女，是对于自然现象之天真的幻想的很好实例，因欠聘钱而分居则是对于人间社会的抗议，这在骨子里与《孔雀东南飞》是一样的悲剧，只因他们是仙人，所以得免于破灭罢了。欠聘钱的原因也想得妙，很有点农民的素朴气，若是出于士大夫，那也总是很寒酸的秀才吧。张骞使西域，后人便附会说他从黄河上溯，直到天河，遇见织女，送他一块支机石压那木排，说得很是像煞有介事的。人间用的支机石我曾经见过，多雕刻作小狮子什么的，但在现今，知道的人恐怕也已不大多了。

（一九五〇年八月二十日）

砖上的手迹

苏联将要举行一个中国艺术展览会，故宫博物院等处已将资料预备好，先在北京展览一次之后，即行选定运送前去。据报载其中有清西太后那拉氏所着的绣袍等件，当时虽是专制帝后的奢侈的服饰，现在当作中国人民的工艺出品，别有价值。这个意思说得极好，艺术上有些问题就可以这样的得到解决了。

古物里边我所喜欢的是古砖文的拓本，这比砖的本身还有意思，一因为轻便易收藏，不像实物的笨重，二是清楚，便于翻阅。这些砖上的文字及花纹有什么意义，难道单是为的是古么？古自然也是一种原因，更重要的乃由于这是古来人民的手迹。石刻中有些小品，如小形的造象和墓志，并非出于名家手笔，也只是匠人随便雕刻的，不过这只是少数，不像砖瓦那样全是工人所作，充满了平民的质朴味。《弘农家[1]墓遗文》的“某人死在此下”，是后汉徒隶的墓标，算是很古了。我曾见北魏的买地砖记很有意思，去今也已有一千四百多年。其文曰：

魏延昌元年，太岁壬辰，十二月丁巳朔八日甲子吉，土下女青[2]诏二千石并[3]州故民孙抚、孙妻赵丑女用银钱百万，买墓地四方十顷，土下诸官莫横使侵夺。时人张坚顾[4]，李定度，急急如律令。来时恍忽，不识古[5]人。

阴间买地大概最好请古人见证，如张果老李铁拐等，现在因不认识所以找不到，末尾八个字说的更是巧妙。

（一九五〇年九月十日）

【锺校】

①“冢”原作“家”。

【蒋校】

②“青”原作“清”，据砖文改，下同。

③“并”原作“荆”。

④“顾”原作“显”。

⑤“古”，砖文作“书”。

师爷笔法

小时候在书房里学做文章，最初大抵是史论，材料是《左传》与《纲鉴易知录》，所以题目是“管仲论”“汉高祖论”之类。这些都是二千年以前的人物，我们读了几页史书，怎么了解得清楚，自然只好胡说一起，反正做古文是不讲事理只凭技巧的，最有效的是来他一个反做法。有一回论汉高祖，我写道，“史称高帝豁达大度，窃以为非也，帝盖天资刻薄人也”，底下很容易的引用两个例子，随即断定，先生看了大悦，给了许多圆圈。这就是师爷笔法的一例，虽然天下文章究竟并不是在绍兴，总之文风原是一致的，不妨就以此为一派的代表名称。

记得是纪晓岚说的，查遍《阅微草堂笔记》却找不到，大意是老师爷讲述办事的经验，诉讼要叫原告胜时，说他如不真是吃了亏，不会来打官司的，要叫被告胜时便说原告率先告状，可见健讼。又如长幼相讼，责年长者曰，为何欺侮弱者，则幼者胜，责年幼者曰，若不敬长老，则长者胜，馀仿此。这样的舞文弄墨，真是厉害得很，不愧称为刀笔，《神童诗》述文人的本怀云，我有笔如刀，良非虚也。

但刀原是没有属性的，古人称它活杀自在，杀人是恶，杀敌则是活人，刀的用处便是好的了。师爷笔法在中国文章里存在着，难以尽去，只要转而为人民服务，成为匕首似的文章，也是很有用的一种东西吧。

（一九五〇年九月十二日）

目连戏的情景

俗语云，尼姑本是女人做，师爷虽是为世诟病，毕竟也是从人民中出来的，他本身传受了师爷事业，其从父祖遗下的土气息泥滋味还是存在，这也是可以注意的事。师爷笔法的成分从文人方面来的是法家秋霜烈日的判断，腐化成为舞文弄墨的把戏，从人民方面来的是人生苦辛的经验，这近于法家的世故（特别是老子），为二者之中的主要分子，可以称为人民的智慧。民众娱乐底下都有这个做骨干，显得壮健而明朗。

虽然人民一直过着阴暗的生活，却保留着他们的弹力。从前乡下每到夏天有目连戏，也是照例坊社保平安的演剧，由农工自己扮演，专讲目连救母的故事，中间穿插[1]路上所见情景，处处可以看出民众的

【锺校】

①“插”原作“拆”。

诙谐与讽刺，不过这是在封建社会中生长的，自然只是针刺而非匕首罢了。太阳出来红溯溯一段语不雅驯，姑且从略。如张蛮打爹一场，爹逃到台口说白云，现今人心大变，从前我打爹的时候，爹逃了就算了，现在却还要追着打哩。又如某人（人名已忘）挑水一场，诉说云，当初说好一担十六文，不知道怎么一来变成一文十六担了。这些都不能随便说是低级趣味，观众听了哈哈一笑，却是感到一点苦味，留下在心头的。孺牛所说冷笃笃呆踱踱的幽默在目连戏里多得很，只可惜我还是小时候看见过，记得的就只是这一丁点儿了。（戏中所演情景，均见于《目连宝卷》中。）

（一九五〇年九月十三日）

魏龙常

近人笔记记山阴魏铁三事，语多奇诡，有似古侠客。如云魏身负异技，最善七节鞭及壁虎功，壁虎功者能以背游，缘墙壁以上，二丈高楼能耸身跃过。某岁公事附轮北上，一西人侮华工，魏怒直前殴之，一拳而仆，见江中别有一船方鼓轮行，相距六七丈，竟超跃而过，见者咋舌。魏本名龙常，光绪乙酉举人，后改名有旁或字三撇（恐铅字未有，故分析言之）。民初为张勋幕客，死于复辟之前，北京山会邑馆有他的新题额，北伐后认识他的长子公盂，知道多藏古墨，亦未及请观。

我所知道只这一点，但幼时常听先君说起魏龙常，也有关系他的武勇的事，现在记得完全的只有这一条。据说魏为秀才时，落拓不羁，尝挟妓登镇东阁饮酒，府署人役前往拘捕，魏叱令去，差役不逊，魏乃起，两手各提差役一人，从阁上窗间跃下，阁为吴越时故迹，高若城楼，差役及地虽未[1]受伤，却已惊骇几死了。此事虽奇异，尚或可能，若跳远及六七十尺，恐非事实所有。二丈高楼耸身越过，殆即是镇东阁事的传讹，跳高及于二丈，又要越过相当阔大的楼身，岂非奇迹乎？攀援上墙壁，或亦有能之者，若云能以背游，则不知身体与墙壁如何附着，即真是壁虎亦需用脚指下的吸盘着力，背脊不能爬墙也。中国文字多夸饰，因此往往近于虚妄，使读者疑信差半，不能不说也是著者的一个损失。

（一九五〇年八月二十六日）

【锺校】

①“未”原作“差”。

俞恪士

《花随人圣庵摭忆》中引陈伯弢笔记云：

岁辛丑余需次江宁，僦居[1]乌衣巷，一日饮集同人，待俞恪士观察不至，旋以诗来辞云：

寒风吹脚冷如冰，多恐回家要上灯，

寄语乌衣贤令尹，腌鱼腊肉不须蒸。

×

轿夫二对亲兵四，食量如牛最可嫌，

轿饭若教收折色，龙洋八角太伤廉。

轿饭，京师谓车饭钱，虽每名只犒一角，然南京宴会如座客有道台五七人，亲兵之外尚有顶马伞夫，开销动辄百馀名，跟丁则每名倍之，或竟有需索者，廉员请客固不易也。

俞恪士有诗集名《觚庵诗存》，曾得一册，我不

【锺校】

①“居”原作“倨”。

懂诗，因其署籍山阴所以收存，这两首诗当然没有，但由我看来或者要算是最有趣的了。《摭忆》说俞那时在南京办将弁学堂，他办过将弁本是事实，但在辛丑那年恐怕已任陆师学堂总办，因为鲁迅在附设的矿路学堂于是年冬毕业，陈师曾寄住校内，被大家称为官亲，已经很久，可以为证。

候补道是打杂的差使，可能给清政府做了些帮凶的事情，但在那时南京官场中俞恪士与蒯礼卿算是两个开明的道台，通文理，讲新学，对于学生还算爱护的，赵伯先不能安居于水师，转到陆师而得毕业，可以说是由于这个缘故。蒯的文集我见过忘记了，他的《文字蒙求广注》却是一部失败之作，真是叫人看了之后要更加胡涂的，这里说的是正经话，虽然信不信由你。

（一九五〇年八月二十七日）

《祝福》

听说东山剧团将北上出演，所演剧中有《祥林嫂》在内，我是不懂戏剧的，也并无什么乡曲之见，要替越剧宣传，但听了这消息觉得很有意思。《祥林嫂》的本事据说即是《彷徨》集中的《祝福》一篇，祝福是方言，专指岁暮祀神的大典，与你们有福了那普通用语不同。这故事是礼教吃人的一例，男子号召饿死事小，失节事大，企图专有女性，穷苦女人为生活而再嫁，受社会的歧视，而最为凶恶者乃是同性，助纣为虐，真是人间最可痛心的事。写出《祝福》(还有《风波》) 固然是作者的伟大，演出《祥林嫂》，更公诸广大民众之前，越剧团有她的伟大，这也可以说是的。

中国妇女在生活上的痛苦很多，这要她们自己来举发，来争取解放，要期望那一千年来睁眼看着她们缠脚不说一句话的男人来帮助是未必可能的事，可是事实上略为说说话的还是只有男子，女性似乎很缺少努力，很是可惜。知识女性与劳苦女性脱了节，力量分散了，单使乡村的妇女去作①抗争，难免为旧势力所压倒，山西去年妇女自杀的统计便是证明。政府颁布了婚姻法，这对于被压迫的女性是一个福音，可是社会上封建残馀的乌烟瘴气没有消除，就难得彻底实行。越剧团关于这事肯助一臂之力，再请知识女性向她看齐，一同前进，这也是她们自己的事，是义不容辞的吧。

（一九五〇年八月十六日）

【锺校】

①“作”原作“任”。

姑恶鸟

鸟的叫声有些特别一点的，听的人随意加以解说，或者加上一种传说，这就是所谓禽言，总数有百十来种吧，不过说得巧妙的很少，文句好的又大抵与原来叫声并不相像。乡下有一首儿歌，形容燕子的声音云：“弗借那盐，弗借那醋，只借那高堂大屋拨我住住。”颇有呢喃之趣，那谓你们，拨者给也，写作古字可以作俾。清朝女诗人吴藻有一首词，即用这个典故，她是杭州人，可见那里也有同样的歌谣。此外斑鸠俗称野鹁鸪，叫声有长短两样，可占晴雨，短者曰渴杀鸪，主雨，长者曰挂挂红灯，主晴，或则谓其雨前逐妇，雨后呼妇，却非事实，不知文人何故忽然妄加诋毁。

春夜有鸟且飞且鸣，如云姑恶，俗名姑恶鸟，云有妇为姑恶虐而死，化为鸟，自诉冤苦，苏东坡陆放翁均有诗，可知在宋朝已有此传说了。妇姑的关系似乎自古以来就不能好，这有点像徒弟学手艺，自己做了师父时照样去教人，如铁索节节相衔，不是中间缺却一环，这索子永不会中断。“五四”时代有人说过，为青年争取婚姻自由，现代中年人须要奋斗，自己这一生便准备牺牲，忍受不自由的痛苦。这话说得很好，为妇的如能这样，那就把环打断了。可是情欲与愤恨同样的难以驾御，理想终归是空话，还只有时间能解决，即是大家庭的解散，但在乡村里这个时期现在恐难预料何时可能到来吧。

（一九五〇年九月十四日）

田螺精

幼时闻儿歌有云“剥剥剥，氓那妈格田螺壳，金金金，氓那妈格田螺精”，此外文句不知有否，却是记不得了。仿佛有一件本事，穷书生独居，有仙女替他经理家事，后发见系水缸中田螺所化，春间齐甘君说外出时同院小妇为整理房间，文中引此为喻，可见他也是知道这故事，他年青得多，一定记得的也更为完全吧。

《搜神记》云福州谢端得巨螺大如斗，置之于家，出归则饮食盈案，端潜伺之，有一好女子具馔于室，执而问之，曰吾螺女，水神也，天帝悯君孤子，遣[1]为具食，君已悉，我当去，乃留空螺曰，君有所求，当取于其中，因出门不复见。这与歌语相合，但是为什么说你妈的田螺壳呢，岂不是乡下人留她作使娘，

【锺校】

①“遣”原作“遗”。

这口气是对田螺的儿女说的么？我故事记不周全，只是推测，得不到什么根据。

《道山清话》中云，苏东坡有一帖，首数语曰，岁行尽矣，风雨凄然，纸窗竹屋，灯火青荧，刘贡父看了说道，此乃是夜行迷路，误入田螺精家中来。可见这类故事宋朝也有，但这里田螺精是有家的，与上文寄居人家水缸里的不同，而且后来有些什么事情，我们也不知道。这与白蛇故事大抵都是一类，古人这种的幻想很多，《太平广记》中有水族化人一门，占有两三卷，不过那只是变化，自然不全是恋爱的故事。

（一九五〇年九月十五日）

南京绍兴饭馆

据说二十年前在南京有这么一家饭馆，专做绍兴菜的，这在什么地点，是什么字号，告诉我这话的人不曾说，或者说过是我忘记了。他是北大旧学生，跟了蒋梦麟在教育部有好几年，这其间是常到那里去吃饭，或是碰钉子去的。绍兴府属的人去光顾，或者为的乡里之见，但别的官老爷们也不少，却不晓得为了什么缘故。据云一间店堂只有两三张桌子，父子二人包办一切，坐客不但要等桌子有空，而且还要拱候菜来，饥肠辘辘，忍受不了，催促一句，店主即反唇相稽云：等的来不及，请走好了。做的是什么菜，大概只是家常便饭，我想香菇笋干炖豆腐，或者如有大蒜煎豆腐，那总是很可以吃的吧。种类本不多，而且点菜也有限制，假如三四个人，点上四五样菜，堂官便说，太多了，吃不完的，硬把末后的一样取消了事。

这饭馆的作风很特别，常给顾客钉子碰，出名的原因恐怕一部分也由于此。

绍兴的农民一样的受封建社会的压迫，却多分存留着倔强气，虽然俗语有太太生日阿寿拜，阿寿生日拜太太的话，事实上并不像北方的打千磕头，只说一声恭喜，拜寿哦，就算拜了。

讲话也率直无文饰，对称都是一样，但如上文所说的店主父子，在国民党的首都开店，仍保存山村的古风，这却也是很难得的，可以说是畸人了吧。

（一九五〇年八月三十一日）

关于沈尹默

说到沈尹默，我也来补充几句话。沈君原籍吴兴，乃是在陕西生长，老太太是四川人吧，所以也带点川音，他爱吃面食中的硬面锅块，全是北方影响，但他又不吃四只脚的肉，则不知是什么来源了。二马之中，马幼渔说话稍有江北口音，但仍是宁波人的话，马叔平也同样的不见得有什么变化，他们九昆仲之中我认识五个（其馀已不在人间世了，所以没有机会遇见），都是这样印象，这一点我与余苍先生仁智之见略有不同。沈士远我觉得是老实人，他在考试院里混过几年事，还不大能算官僚。沈兼士靠了朱家骅，胜利后充当教育部专员，来接收平津区的教育文化机关，却发挥国民党的作风，第一去接收棉业改进会等，被经济部追讨回去，成为笑柄。

尹默于旧诗词原来很有工夫，“五四”时曾做过些新诗，登在《新青年》上，后来刘半农影印的

《初期白话诗稿》中收存了好几篇，可是他觉得新诗不好做，以后就停止了。去年夏天我到横浜河北岸去看他一回，他拿出近几年的诗稿来，着实不少，可惜我匆匆没有细读。他眼睛不好，从前只写行草，可是近时却能奋发写小楷，可见眼疾也好起来了。他比我年纪要大一岁，去年相见，觉得他的容貌与二十年前无甚差异，头发也还是那么黑而多，望之如四十许人，这也是难得的。

他本号君默，因为有人名叫默君，便把君字的口削除了，以示区别，但老朋友叫惯了，如马幼渔后来也还有时叫他君默。

（一九五〇年八月十八日）

旧日记的用处

近来写些小文章，除了偶尔记述传闻之外，大抵只凭自己的记忆，以为都还可靠，可是考究起来错误也不能免。例如我说孙伏园曾在北大图书馆任书记，前回遇见他，他说那是他的兄弟福熙，经他一说，我也觉得有点糊涂起来了。好容易找出了旧日记来看，民七的九月中记着他来北京，此后只有一项，十八日给他写信给文科学长，介绍他入学，关于图书馆的事果然什么也没有说到。

又如“五四”后的六三事件，我也写过一点回忆，查当时日记，三日上午往校，值军警占领法科，至晚尚无解决，四日下午二时至理科赴职教员会，又回至文科，门外已驻兵五棚，五日下午三时半出校，步行至警厅前，有学生讲演，不能通行，忽有马队驱民众[①]

【锺校】

①“民众”原作“众民”。

退，遂由天安门甬道出城回寓。根据这些记载，中小学生因讲演被捕，监禁北大法科，与警察马队驱逐民众，是两件事，我把它并在同一天里，也是错的。七日项下云，下午赴职教员大会，五时散。我曾叙述会中有丁先生发言，在热闷的空气中，听他断续重叠的单语，大家急得心里冒火，忽然刘半农在外边顿足大喝一声混账，虽然骂的是法科学长，因为他不肯核销六三的茶水账，但丁先生也愕然中止讲演，解了这场大难。我在《红楼内外》上估计是六月五日，现在也可证实那实在是七日下午的事情了。

（一九五〇年八月二十八日）

朝鲜的陶器

朝鲜的陶瓷器是很有名的，特别是李朝这几百年的出品，不过这里我们并不来谈美术，只是从陶器上看，与中国有些异同，觉得很有意思。

朝鲜受中国文化的影响很深，所以比日本也更与中国相近，祭器中也有爵和尊彝等，却用陶瓷的，日常生活中多用大小有盖瓮类，不但食物，有地方还安放衣类，防潮湿虫鼠，还[1]比箱笼为强。坐火车经过朝鲜乡村，或从图画上看去，可以看见民家廊下多有瓦缸排列着，腌藏食物，这种缸在中国常见，但在日本却是极少的。陶枕也是中国古物的遗留，又有枕隅，系陶制两端，中间仍用布制。

日本古时曾有溲瓶，盖沿唐代之旧，后已无有，在朝鲜则今尚有之，称曰育康，或写作汉字溺江，有

【锺校】

①“还”原作“不”。

似溺盆者，似夜壶者，乃差不多即是乡下的所谓“搭地扑”了。有养齿器，上下两层，上为碗形，用以盛水，下形如圆痰盂，盥漱及饭后用之，中国古时从佛教传入齿木，疑此器亦已有，今但存于朝鲜耳。

但也有些东西与日本相似，如乳钵名为磨子器，用作瓦棱，与折钵完全一样。又姜板作畚形，上着硅石细粒，用以揉擦生姜大蒜，虽系药用器具，亦与擦山葵根的金属器无异。馔盒四方，重叠数层，即日本所谓重箱。又有药味瓶，以两个小瓶并列称为双并，有多至三四个者，中贮胡椒、辣椒末、芝麻盐等，列于食桌上，此则又有西餐上五味瓶的意味了。

（一九五〇年九月十八日）

故乡的雨

说月亮是京城里的好，虽然见于旧笑话，其实这乃是事实，据去过西欧的人说，北京的月亮比起巴黎伦敦来要清明爽朗得多。说到雨，我可是不敢恭维北京了，我觉得雨还是故乡的好。第一，院子不会积水，不会水进屋子里来。乡下都用石板铺地，底下一部分是空的，成为很好的阴沟，无论怎样的狂雨落上两个时辰，明堂里不留半寸的水，这都从石缝流去转到河里，假如河水不满，总不会漫到路上以至门里边的。在乡间河岸较低，偶然也有水满平岸的时候，大家说“涨大水”了，但这只要等三江二十八洞的闸门一开，就可以放出去，楝树下的三洞小闸或者也可以发生一点效力。

住在北京便随时要防屋里浸水，张勋复辟那年夏天，我住在南城的会馆里，中间旧有补树书屋的小木匾，名称倒是很清雅的，实在却并不高明，夜中听雨声醒过来时，只见地上都是亮晶晶的，幸而地面不平，放铺床的西北角稍高，所以床前的一双鞋子还是安全的像是在孤岛上，不曾变成两只船儿在水面上漂荡。北京的下水道也造得颇好，不过有些胡同里却没有沟，住家往往在院子里挖掘大坑，容纳积水，只是容量有限，一遇到大雨长雨，就受纳不下，有泛滥之虞了。但是住家的条件并不只是雨这一项，所以对于北京我还是有好感的，虽然它的秋雨觉得很是讨厌。

（一九五〇年八月二十三日）

三样的题目

我不知道是先有文章后有题目的呢，还是先有题目而后才有文章的。这个问题虽然没有鸡和鸡蛋那么难解决，但在我总是至今还不懂，至少不能断定哪一方面对的。许多古典名著都是没有题目即是篇名的，例如《论语》《孟子》的《学而》与《梁惠王》，《庄子》的《马蹄》《秋水》等，可是一面也有《齐物论》《养生主》这种篇名，而且又是定得那么的好。我想古人写文章未必先定题目，但下笔之先，题旨总是有的，以这为重心，上下四旁的去引申发挥，还是收到这圈子里来，标出题目来，明白了当，这是一例；其杂记成篇，或头绪稍多的，两三个字包括不了，便用篇首的字为题，不管他讲不讲得通。这个方法倒是很好的，可惜现在不能采用，因为通行的习惯，每篇文章必须得有题目的。

我自己的经验正如上文所说古人一样，有时主意明了，立即题上，很是干脆，有的没有一定中心，却又不好径标作无题，被人怀疑是讲恋爱的，必要设法加上一个题目，这就难免有勉强杂凑的时候了。定题目时，如第一类的题如其文，固然顶好；即不然而文不对题，有点儿张冠李戴，指东话西，虽然稍为不老实，我也觉得还有意思；至于再三搜索，勉强加上的，连那文章也像是赋得，自己不及再校阅错字，像是考场交卷似的赶快寄出就算完事。

（一九五〇年九月二十二日）

南北的花木

小时候的习惯与经验很有力量，以后对于一切事物，往往以此为批评的标准，不容易有改变。即如关于花木的小问题，我至今还是以从前所见的为正常，其不同者为变。最好的例是梅花，我所见过及古今画中所有的都是高过屋檐的梅树，这便成为梅的正常观念，看见北京只有盆梅，冬天也是放在房内才能开花，若搁在院子里便同别的草木一起冻死了，心里觉得这是不对的，虽然对于自然力原也无可如何。

我总觉得只有种兰花以及珠兰、茉莉，才要收藏以避霜雪，可是草兰在山里的时候，也还是在石边树下过冬的。桂花、石榴、橘子树，南边随处可种，长的很高，在北京都是盆栽。杜鹃花在乡下称为映山红，春天上坟时节开的漫山遍野，山里人把它同小松树一起砍了当柴烧，每年老根抽条，常有枝叶恰好的一株，想要拔取，却发见根株如儿臂似的，现在花园里种在盆里，一对要卖很贵的价钱，真觉得是荠菜花当盆景，很有点可笑了。竹在北京也不能下地种，却又不好种在盆里玩，只有一种细的苦竹似乎还能耐点寒，五七棵一丛的可以买到，种在西北墙角，不被风摇，也能勉强生活，不过看这样瘦弱的竹并没有竹的意思，也还不及芦苇好看。北京多槐树，这一种树很好，南方却不知利用，种在院内门外取阴，这是可惜的事。

（一九五〇年九月二十三日）

《绿珠坠楼》

在报上看见齐甘君发牢[1]骚，说小人[2]书编者的烦恼，接着又是牙齿痛，很是同情，便去问小孩们借了一册《绿珠坠楼》来看。这回我不想来捧，因为如齐君所说，六十四条说明缩成了三十四幅图画，其不得要领是不可免的了。我看了一遍之后，对于编者的同情却渐渐转到画者方面去了。画上有好些[3]缺点，而这并非全是他的错误，不是他个人所能克服的。编者照《晋书》写成白话文，这办法很是高明，也是容易，但在画家却碰着许多没法解决的难问题了，房屋、器具、服饰，那时候是怎样的，这如无有实物或图样可参考，单凭想像是无论如何画不出来的。

多谢古来的正人君子和学者来讲礼教和道学，建

【锺校】

①“牢”原作“劳”。

②原无“人”字，今增。

③“些”原作“点”。

立玩物丧志的圣训，对于历代古物不加保存，也不研究，历史有了四千年之久，考古学到了民国以来才有，至今差不多写了且夫两个字而已。作历史画的人只好向戏台看齐，士大夫一律戴幞头，还够得明朝模样，房屋器具都是近代的，石崇家厨房里有铁纱罩，未免太是现代化，但这只是时代差误，若是囚车里的鳗似的一股头发，戏剧气太重，大概古时也只是科头吧。学问艺术都靠通力合作，要画家自己来考古，有如做甜馒头的先要自种甘蔗，如何能行，这须得由科学院和博物院来努力，做好考古工作，历史画才能发达，到那时候连环图画的画家也就得到帮助，可以不愁画不好了。

（一九五〇年九月一日）

绿珠的时代

绿珠的时代是在西晋之末，约当西历三世纪末，在现今一千六百五十年前。中国文化没有中断过，人民的生活古今都有一些①共通处，但在这样长的时期中间，有些地方总要变化，看去很不一样了。

其一如桌椅，这是后起的东西，大概在宋朝才通行，古时只有几榻，榻也是坐的，但这里是盘膝而坐，汉代还是跪坐，六朝时当已杂用胡坐了吧，至于现在的坐法那时还不作兴，史称侯景僭位，垂脚而坐，特地记了当作洋鬼子的怪相讲，可以知道。这榻大抵如无靠背的太史椅，人坐在上面，几个人可以扛了走，与卧榻有别，反过来说，也可以说太史椅即是加了靠背的榻吧。

其二是车马，中国古时马只备骑乘，《秦风》中

【锺校】

①“些”原作“点”。

所说战车当是用马的，平常拉车都是用牛，《世说》记王导惧内，或戏言将进九锡，有长柄麈尾，短辕犊车，可以为证，又日本朝仪悉用唐制，至今皇帝出丧仍用牛车，亦其一例。

这样枝枝节节的事情查明的渐多，拼凑起来，于衣食住行方面了解的差不多了，这才可以有用。若是单知道一点一滴，例如图中牛车可以改正，但是房屋服饰，以及生活方式不清楚，要画一个宴会的场面便不能成功，榻上虽坐得不错，也是没有用处的。埋头于古器物、古书古画里，专做考古工作的人，看去似无实用，可是没有他们的工作，历史画画不好，历史剧也演不成，关系着实不小，只可惜这冷门一时热闹不起来。

（一九五〇年九月二日）

瓜熟蒂落

从前有些信男善士，刊行许多善书，到处分送，我也见到过若干种，看了很感觉头痛。更觉得这些都写得不好，不是低能便是卑鄙，其中有一本《达生编》，是旧医书讲生产的，我以为还有可取，其中记得的也只是一句，即是其主要的格言曰瓜熟蒂落。这本来说生产只要任其自然，便自顺遂，产婆妄加催迫，乃多难产，我这里拿来说明作文，也有同样情形。老笑话里说，生产原是肚里有的，秀才做文章乃是肚里没有的，所以更为困难，这话说的不为无理，所以我的意见也要补充说明，便是说有了一点意思要写文章，最好让它自己成熟，否则即使不至难产，也总是生摘的瓜不甜的。

我写小文章，常苦于没有题材，便留心寻找，看报翻书，或和人家谈话，偶然遇到一点材料，立即记住，或写在碎纸片上，可是这只是种子，要他发芽长成，还得等待时机。有时抓住了就想往纸上放，结果往往不佳，不是生硬，就有点油滑，写了一半再撕去，白糟塌了一张稿纸。过了几时之后，忽然想到，再写下来，还是大同小异，却总可以说得过去，也就可以交卷了。此外也有一种开顷刻花的，有如故事里所讲种梨的道士一样，一颗核种下去，一会儿结出极好的砀山梨来，分给大家吃，我看别位大都有这本领，若在下则一年之内难得有一二回，那要算得特殊的“神佑”了。

（一九五〇年九月三十日）

何为父范

齐公在《何以怨爷》一文中提出了很好的一个问题，他说凡私生子与孤儿都是有母无父的，大都有出息，能刻苦求进，奋发有为。但是我们很少说得出那个大人物没有了母亲，而是由他爸爸一个人苦苦造成的。对于他这个问题，我立即想到了一个答案，这即是孔门的曾子，名参字子舆的，他的故事见于宋儒所编的《二十四孝》里，想大家都还记得。凡有父无母的孤儿，大抵成为最大的大人物就是孝子，不过造成他的，在他爸爸之外照例有个助手，即后母是也。男人死了妻子，第一是计划续娶，这还是最安分的庶人，若是阔一点的平常就有三妻四妾，孤儿即由不是生他的母亲去照顾，根据棒头出孝子的原则，其造成大人物是无可疑的了。

齐公说一般的父亲都比较自私，这话说的比较客气，虽然也很深刻。从动物的本性来讲，男性只顾传种，女性则管生育，家庭的意义在男性只是占领配偶，在女性乃是养育子女。人类文化虽然前进，可是男子至今未能克服或修改他的本性，结果养育儿童的责任也只有女子能够担当。“五四”前后有人说，比师范更要紧的是办父范学堂，可是这范哪里去找，我们不好同意于义大利的勒阿巴耳提，说早死的父亲最好，或者只能且以肯为儿孙作马牛的穷人（富人便要多妻了）充数吧。

（一九五〇年九月三日）

喇叭的回忆

中国旧时用喇叭的时候很多，乡下鼓手演奏《大开门》时使用两种喇叭类的东西，其一俗名唔头，吹起来其声唔唔然，状如粗大的圆筒，陈师曾画北京风俗中吹鼓手即负此器，穆庵题诗云，“头顶帽似钵，肩荷号如斗”，是也。其二俗名嗐头，亦因其吹声立名，实即号角，又有名目莲嗐头者，专用于目莲大戏，及道士作炼度道场时，声甚凄厉，其干数节，引伸长七八尺，常用的唢呐俗名梅花，则是此类中顶小的一种了。

中间弯转的喇叭则是新的胡乐，是从西洋传来的，初用于武学堂，辛丑以后在南京学堂里五六年，听的是英国式的吹号，同时陆师方面所用乃是德国式的。冬天的起床号和集合号，的确听了有点讨厌，但别的也并不如此，吃饭号一响，大家便豕奔狼突的冲去，息灯号可以不理，若关饷时怪声怪气的号则又是大家所爱听的了。

学校的号手大都是扬州人，有一年前辈封德三写信来，说秋女士在绍兴办大通学堂，要我代找一个号手，便托我们班里吹号的介绍他的朋友前去。甲辰三月秋瑾从日本回国到南京来，在辛卓之处看见她，到悦生公司聚餐而散，以后大概就回去招集山泽英雄办学堂，所以这事当在甲辰乙巳之交吧。丙午徐锡麟案发，秋女士被害，那位号手于包围学堂时翻墙而逃，到了辛亥我回乡去才知道，于是这喇叭的故事总算完结了。

（一九五〇年八月三十日）

在过塘行

从前道路不良，政治腐败，所以旅行是件苦事，我看清初石天基的《传家宝》中所说，以至老辈的训话，都谆嘱出门的人怎么小心，要防骗子闷香麻药等。但是只要略为有点经验，在官塘大道走路，不到边远偏僻的地方，也还并不怎样难，不能算怎么苦，因为就是在后来轮船火车通行了以后，旅行总不免多少是苦的。我走过的路线很短，往返过几次，知道一点情形，只有从家乡至南京，以及经由浦口至北京这一节路。想起中间某一段落，觉得颇有意思，特别是在杭绍之间。渡过了钱塘江，进入西兴镇，在一个过塘行里落脚，姑且说是俞五房吧，那时便有小饭馆的老板走来，请你吃饭去。

俞五房左邻饭馆老板的尊容，我至今清楚记得，虽然这中间至少隔了四十年的光阴了。他很客气说，请吃了饭去开船刚好，饭新煮好，来一个烤虾，或是煎鱼，一碗蛋花白菜汤，好不好呢？他当然不是请我白吃的，但听了他的话，也觉得还实惠，盛意难却，就跟了他过去坐在板桌旁边，不要劳他送到行里来吃了。吃完了饭，假如你有块把钱多馀，便可以托过塘行雇一只不大不小的船，开夜船回绍兴城去，若要省钱则有航船可坐，普通只要一百文，俞五房的埠头便泊着东桑桥的航船，只须招呼船上一声，替你把行李搬下去，真是方便得很。你在过塘行坐上半天，末了叫声吵聒径自上航船去，没有给他一点好处，他并无什么不高兴，这种古风不知道现今尚存在否？

（一九五〇年九月二十七日）

钱塘江

范啸风在《越谚》卷末附有论文五篇，其论涨沙中有云：

> 咸丰元年辛亥二月初吉，送胞兄赴皖，至西兴石塘上话别，但见洋洋水阔十里者，钱塘江也。以石塘为渡头，兄跨脚上船，一帆径去。明年秋初予赴皖，亦渡钱塘江，由石塘上船，隔水沙二里许矣。月涨年高，予亦数数往还江上，三十年间已由芦茅棉而稔瓜豆。其涨沙之地上接闻堰，下至海宁对岸，昔年十里江面，今惟中流一泾矣。

我初次渡江在一八九七年，所见与范君相同，大抵在江东边须走过沙地若干里，次为水沙，凡历跳板又若干条，乃至船上，而江西岸则跨脚上岸，即是杭州的松毛堤了。至一九一九年末次去绍，由小火轮拖过江之后，即不再与钱塘江见面，想其情形还是那样，只是涨沙更远了吧。我曾轮渡长江数次，黄河是走铁桥，却有一次在阴历十一月坐船渡河，那时郑州的桥正在修理，虽然搞了一下午，冻得半死，却并不觉得怎么危险，至少没有钱塘江的那么样。这原因大半是那边有潮有风暴，又来往频繁，不免有瓦罐不离井上破之感吧。黄河我倒不觉得有什么，因为靠近北岸，望见岸边大块沙土，像绿豆潮糕似的松泼泼的，整块往水里掉，不禁有点骇然，这又是钱塘江边所没有的了。

（一九五〇年九月二十八日）

十三与五十二

美国人忌讳十三，因为耶稣在最后的晚餐时，师徒共十三人，所以迷信凡十三个人在一起，其中便有一人要遇到不幸。不是基督教徒的中国人，本来可以不必忌讳，但是因为半殖民地的关系，许多知识阶级与小市民也多看样，十足表现出西崽习气。老百姓中间当然没有这些，我只知道乡下避免五十二的数目，却不明了什么缘故，仿佛有什么黄色意义，却是记不清楚了。

此外说人痴呆常云十三点，不知是否由于骨牌点数，与普通所云二百五相同，虽然二百五的意义也不可了解。有些老人不喜欢明说确实的年纪，如年五十八岁，不云去年五十七，便云明年五十九，又有人六十岁时辄云恰好，犹言整数。关于这事，书上有过一个笑话。书呆子出门雇驴，争论价钱，出至八十文，驴夫曰，那么给个刚刚好吧，问这是多少，说即是一百文。半路上问驴夫年纪，答说刚刚好，书呆子大惊道，一百岁么？驴夫举起三指，则愈惊骇曰，三百岁，真没有想到。这里形容旧读书人的糊涂很是深刻，现在的知识阶级不会得如此了，他却去背上美国人的迷信害怕十三，这也够得上说是糊涂了吧。

（一九五〇年九月十六日）

夜航船里

平常坐惯软席火车卧铺的人，对于航船或者觉得有点不喜欢，但在我们穷学生时代，这已经很不算坏了。当初南方没有火车，小火轮多花七角钱可以不坐烟蓬，轮船的统舱那鹁鸽栅本不舒服，有时在走路上睡地铺，情形不比航船更好，而且还有一个缺点，即是旅行者的人海中的孤独感，这在航船里是没有的。

那船往来于杭绍（说得严格一点是绍萧）之间，乘坐的大都是从绍兴出去或回来的人，所以即使你不参加谈话，听大家谈天，有如坐在乡下茶馆里一样，一点都不感到寂寞。乘客是十人十色，但根本都是老百姓，女人照例睡在头舱，她们却一样享受中舱的谈话与玩笑。只有知识分子，实在也只是酸秀才黑幕友而已，大概可以说是另一阶层，他们多少要夸示他们的优越，但是结果也往往是出丑。

明朝人讲过一件故事，云有一僧人与一士子同宿夜航船，士子高谈阔论，僧畏慑，蜷足而寝。僧听其语有破绽，乃曰，请问相公，澹台灭明是一个人是两个人？士子曰，是两个人。僧曰，这等，尧舜是一个人是两个人？士子曰，自然是一个人。僧人乃笑曰，这等说起来，且待小僧伸伸脚。金圣叹批小说戏曲，特别是《西厢记》，时常骂那妄改曲文的人，说秀才该扑，也正是指的这些士人，可见在明朝已是那么样了。

（一九五〇年九月二十一日）

妾的故事

宋朝人笔记中说广州太守徐君猷姬侍甚多，所最宠的名叫胜之，屡见于东坡词中，及东坡北归过南都，则君猷故后其人已归于张厚之了。厚之开宴招待，东坡见到胜之，不觉掩面号恸，“妾乃顾其徒而大笑”，东坡每以语人，为蓄婢之戒云。这里东坡十足显示出士大夫思想，以为玩弄女人，就永远属于他们，大抵曹孟德的遗令可以算是他们的代表意见吧。但是我觉得胜之的大笑却是更有意思，这笑得率直而大胆，真胜过一篇猛烈的抗议文了。

明末张岱在家传末尾说及他仲叔的事，有一节云：

> 仲叔姬侍盈前，岱曾劝叔父出之。姬侍曰，奴何出，作张氏鬼耳。仲叔喜，亟呼岱听之，姬侍对如前，岱曰，幸甚。甲申岱同萼弟奔丧，姬侍林立，请曰，得早适人，相公造福。岱笑曰，

张氏鬼，奚适耶？姬侍曰，对老爷言耳，年少不得即鬼，即鬼亦不张氏待矣。萼弟笑而遣之。

张氏兄弟本来也是士大夫阶级中人，这里却很通达人情，比东坡要好得多。

旧时读书人凭借富贵，其次是才学，自己陶醉，以为女人皆愿为夫子妾，实际不免为胜之所笑。山盟海誓，都只是对老爷说的而已。这两段故事真有牛黄清心丸的效力，等得婚姻法普遍的了解并实行了，这些故事才算失却了它现代的意义。

（一九五〇年九月十七日）

北平与辽宁

地名和人名本来都只是记号，要能适用便好，可以不必深求，但是有些变更名称，有不同的动机与原因，所以这就有三种结果，一是改了没有关系，二是改得好，三是改得坏的。

当我们老乡还是断发文身，在钱塘江与蛟龙斗的时候，自称那地方曰於越，官话则称曰越，秦汉六朝通称会稽，唐又改为越州，这都没有什么关系，到了泥马渡康王，决心在杭州城做小朝廷的时候，浮夸的改叫作绍兴府，以至于今，这就改坏了。

但是改得最坏的例，还得向国民党政府里去找。满清在关外时有奉天，入关后又将北京一带改作顺天府，但北京之名也在通用，到了民国顺天府变为京兆，奉天则相仍未改，北京与南京更确立为正式的地名。北伐成功，国民党趾高气扬，完全现出封建的作风，以为南京是帝都，别处不得混称，立将北京改为北平，奉天改为辽宁。改去奉天是应当的，却要用辽宁字样，与北平（虽然是古名）一样显然是表示胜利，与绥远镇番是同一用意，无怪对日惨胜的时候更露出本色，以老百姓为“伪人民”，大肆其劫收了。

解放后北平复为北京，沈阳名称保留，而取消辽宁，这才是改得好的例子。但是此外绥远镇番这类地名也还不少，即使当地人民不计较，也总是不合理的，内政部文化部科学院似乎应当研究，来改正它一下吧。

（一九五〇年九月二十日）

国乐的经验

我是不懂音乐的，国乐也在其内，所以这里的经验当然不是弄音乐，乃只是听的经验，而因为不懂的关系，这些实在都是听不懂的经验罢了。听不懂虽无可说，但经验还是实在的，这里最大的一个是我听古琴的经验。第一回在民国七八年，北大开了一个古琴演奏会，蔡孑民主席郑重介绍古琴专家山东王露先生，地点是三院大礼堂，实际只是一所大房子，可以算是风雨操场，也可以当饭厅的。排坐在板凳上的人看见王露先生上来，开始弹奏，场内鸦雀无声，大家都拉长了耳朵听着，却听不到什么声响，只远远的望见他的手上下移动着，好像是在打着算盘。

第二回是民国十八九年，我同了女儿到女子文理学院去看秘书郑颖孙先生，他也是古琴专家，承他的好意特别为我们弹了一曲。在他办公室内，只有主客三人，琴声是听得清了，只是丁一声东一声的，不敢说不好，也总不知道它是怎么好。大概弹的人弹给外行人听也已弄惯了，似乎并不怎么样，在我却不禁心里很是抱歉，也有点惭愧，因为不懂古琴总是不大名誉的。俗语不是有一句对牛弹琴的话么，可见只有牛才不知道琴的好听，可是我实在不能懂得，那么除了自己承认之外也就别无办法了。

（一九五〇年九月二十五日）

朝鲜的雕刻

前几时听说朝鲜人民军解放了东海岸的重要港口浦项，心里很是喜欢，我想那么庆州也一定不久可以解放了吧。

我没有机会去过庆州，可是知道在那里的吐含山上有一个石佛寺，今称石窟庵，内有佛像大小三十八躯，系新罗时代遗物，成于西历七五一年，正是千二百年前，亦即是唐天宝十载，在马嵬之变前四年。据柳宗悦著《朝鲜与其艺术》中所说，那中间释迦像的美妙，中日均无其匹，十大弟子的浮雕都是大光头，高鼻，长下巴，拖耳朵，却是多么显得特别的美呀。在插画中我只见到十大弟子之四，和别的六七张照片，实在觉得是非凡，柳氏说中国雕像中只有一个略略相近，这收在印度库玛拉斯伐弥著《佛陀与佛陀的福音》里面，题作比丘像的。庆州若是已解放了，可以免于李承晚匪帮的毁坏，固然很好，但是野兽似的美帝的轰炸不知道会不会把庆州放过的，我们关怀平壤与汉城，但对于这新罗故都也不能不同样的怀念。

柳氏说或谓朝鲜美术在种类与量上甚为鲜少，却不知这量的鲜少的原因，实为好破坏的倭寇之罪，事实具在无可抵赖。柳氏为日本人，而能承认丰臣秀吉等为倭寇的行为，李承晚乃勾结美帝来本国肆行屠杀破坏，于此可以见人类之不齐了。

（一九五〇年九月十九日）

鱼腊

风鱼腊肉是乡下的名物，最有名的自然要算火腿与家乡肉了，但是这未免太华贵一点，而且也有缺点，虽然说是熏腊，日子久了也要走油“哈拉”，别的不说，分量总是要减少了。在久藏不坏这一点上，鱼干的确最好，三尺长的螺蛳青，切块蒸熟，拗开来肉色红白鲜明，过酒下饭都是上品。但是我觉得最喜欢的还是鱼腊，这末一字要注明并非臘[①]月的臘字的简写，就是那么从肉昔声的字，范寅《越谚》注云“音昔，夏白鲦用椒酒酱烹烘”，范君这注有点电报式的，须得加以补充，这就是说夏天取白鲦较小者，用酱油加酒和花椒煮熟，炭火烘干，须家中自制，市上并无出售。这鱼风味淡白，可肴可点，收藏在磁瓶里，随时摸出几条来，不必蒸煮就可以吃，味道总是

【锺校】

①“臘”是“腊”的繁体字，按文义应予保留。

那么鲜美，这是它特别的特色。

秋高气爽，大概是宜于喝老酒的时候吧，我说这话，未免显得馋痨相，其实这只是表面如此，若是里面则心想鱼腊，眼看的却是自己的文章，这些写下来才有一个月之久，登出来看时多已生了白花或是青毛，至少也有霉顯气，心想若能像风鱼腊肉那样经久一点，岂不很好，其中理想自然以鱼腊为第一，而惜乎其不可能也。新鲜一路的文章也很好，如齐公的《在北京吃肉》，我十分佩服，却是写不来，那东单的李记小店我也还是第一次听到，其门口的朝东朝西当然更不知道了。

（一九五〇年九月二十九日）

戏文里的考试

中国的考试制度，自唐讫于清末，历时千二百年之久，其影响极大且深，值得后世郑重的研究。这类资料所最难得的是考试制度与情形，较成片段的只有艾千子的序文，讲搜检夹带的情形，因为还是在写古文，恐有不实不尽之处。《儿女英雄传》中文康描写乡试状况，那可以算是很好的材料。旧戏文中常表现考试，却显得很滑稽简单，这想来也是很对的。

戏文里一个小生赶考状元，本是极微小的节目，宁可在路上遇见小姐游后花园，或是与花花公子的帮闲相打，拉得很长。若是细细说他场中做文章，交卷放班，考官阅卷等情，即使中间出现魁星，做出噱头，结果还是无聊得很。聪明的办法便是一笔勾消，只须一个场面，在考官面前对一个课，便龙虎日看榜，状元及第了。这对子假如是“日月光天德，山河壮帝居”之类，还有点封建气，与科举相应，倒也罢了。戏文里却要变得更为好玩，我忘记是什么名目了，考官出了一个七字对，总之是好吃的东西，姑且说“南湖鸡头西湖藕”吧，小生答说，“把与试官来下酒”，考官大喜，立即定为状元。还有一名陪考的小丑，这回的试题是“街头马勃与牛溲”，他学拍马屁，答道“把与试官来下酒”，考官一声大喝，两个家人便将小丑叉出辕门外去了。这大概是一出[1]绍兴戏，不知齐甘公也看见过否？

（一九五〇年十月一日）

【锺校】

①“出”原作“只”。

不是病

每年到秋天，总要发一种病，或者说不是病，却也无不可。这理由因为是，在我这还算是轻的，好像只是小感冒，打嚏流鼻涕，最高到眼耳咽喉都有点发炎，不至于发热，所以算不得什么病。可是也有人很严重的，发烧，喘息，身上发风饼，这病从前通称干草热或花粉热，说是闻了这些气味而发作的，现今医药上定名为变态反应，原因可能有七十几种，但还没有医治的方法。用注射试验反应，再来防治，是最科学的，不过这要很多的时间与财力，平人难以请教，比较轻微的只好随它去，反正它是节气病，大概立秋后来，到秋分后准备走了，听得风吹在纸窗飒飒的响时，这种感冒也就自然中止了。

我这经验虽然不到四十年，但一半总是有的了，今年照例也是如此，伏中暴雨骤凉，又真的感受了风寒，加上一种咳嗽，这虽然是有药可吃，却也费了好些时光，才算弄清楚，可是几乎成为一场大感冒，仿佛自己有了病人的感觉。假如我是旧式诗人，那么写出些诗来，并不是无病的呻吟，也是很好的，但是我只想写点小文章以便交卷，而这是不宜于呻吟的，往往接连三四日只顾得擦鼻涕，一篇文章也写不出。有些存稿暂时搪塞，日久也要发霉，似乎是次货，心里过意不去，日后再写新鲜的来补上吧。

（一九五〇年九月二十四日）

文盲问题

从前称为长衫帮的知识分子，假如又住在城里，自然与老百姓很有点疏远了，可是在各乡村都有亲戚，那里多是聚族而居的，近亲固然也是知识分子，在他们本家中可以遇见许多农工人等，论辈分还都是尊长，大抵要叫作太公才行。同这些人往来是很有意思的事，他们几乎全是文盲，也不懂得士大夫的那一套规矩，却是通达事理，所以同他谈天，人情世故他了解得很清楚，偶然处分族中的纠纷也无不妥贴适当，赛过一般读书人。我因此省悟，世间所谓不通的人计有两种，其一是文理不通，即是文盲，其二是事理不通，论文字可以点翰林，论学问可以成专家，但是不懂情理，自说自话，说他低能似乎欠妥，总之精神上有什么缺陷，成了这种毛病。不识字的是全文盲，认识几十几百字而不能应用的是半文盲，大家容易明了，太史公能做八股写大卷，遭见乳母托写一封家信便手忙脚乱，有如双睛炯炯的“有眼瞎”，也正是大大的文盲，这在以前科举时代是不少概见的。文理通了而事理不通，另是一种病，但那似乎是士大夫特有的阶级病，为文盲的老百姓所没有的。

（一九五〇年九月二十五日）

语体的古文

前几时写了一篇小文章，题目是说鱼干的，就看见高唐先生的话①，说报上多讲吃食的文章，怕得读者看了要觉得腻胃，我把自己的小文审查一遍，随即放心寄出去了。鱼干当然是可吃的东西，但我写的是语体的古文，题目只是个幌子，有如刘伯温的《卖柑者言》，不能算是讲那温州橘子的。

小时候读过《古文析义》，其实并不用功，可是不知不觉的很有些影响。古文的小题大做，或指东话西，说得莫名其妙的做法，倒是有点用处的，却不曾学得，只是好发议论，无论谈什么不雅驯的事，总归结到说理，这种习气有如抽纸烟，学上了之后便有点不容易放下，以至于罚咒戒除也没有用。有个同病的友人，深自感觉这个缺点，可是很难改过，有时还是

【锺校】

①“话”原作“诗”。

要写，虽然写了也不预备发表，他有一句妙语，说如鸡生蛋，生了才轻松，这个比喻说得很有意思。从前有秀才娘子看看丈夫作文苦思，比作难产，秀才反对说，因为文章在肚里本来是没有的，所以更难。现在如那朋友所说，作文章如生鸡蛋，那么这情形要比秀才好得多了，倒是差强人意的事，只可惜出品不佳，不及鸡蛋的有用罢了。

我的本心实在倒是希望写单纯的纪叙事物的文章的，无如这总写不出，大概因为中国向来在古文中缺少这一类给我们作样本的缘故吧？

（一九五〇年十月二日）

中药可用

中医我是不相信的，但中药我承认它有力量，仍可以用，只要用的恰当。中医的学理是在医学史上已经过去了的一段落，与现代的医药是今昔前后的关系，并不是对立的，不过他用药的经验还很有参考的价值，药是物质，它的草根树皮的效力长是存在的。巴豆大黄、附子麻黄这些东西的力量，久已证明，不必再试了，就是个人也总实验过苏叶薄荷医好感冒吧。庚子以前，乡下还不知道有西药，我的兄弟生痢疾，只好给他查《验方新编》，这一项下医方多得很，无法挑选，姑且拣顶简单的抄下一个来，共有两味药，一样忘记了，一样是厚朴。

很麻烦的所谓白痢，居然给这剂药治好了，我以后对于厚朴就很有好感，自己也用过好几回。陈仲安给胡适之看病，用大量的黄芪党参，据说治好了肾脏病，这也是值得研究的。

中医对于病理的解说虽有谬误，但认识是某病时用某药治愈，这经验总是确实[①]的，这药也就很有化验试用的价值了。当归麻黄已经提炼制药，黄芪厚朴等也何妨临床先来试用，有如金鸡纳皮在当初岂不也是那么煎了汤喝的么？中医能够接收现代的药理，一面以科学去整理中药，中国的医药界乃可大有进步，这才不至于有老医生用唐朝的医理来诊病，新医生除西洋来的药剂外无可用的那种现象了。

（一九五〇年十月五日）

【锺校】

① 原无“实”字，今增。

戏文里的写信

小时候在乡下看戏文，台上表演写信，只拿了笔在纸上凌空上下移动几次，便已成功，看信的人也只把脖子直了几下就算看完了。现在想起来很有意思，心想我们写文章假如也能那么样，那岂不很是方便，何必又要攒眉苦思呢？在戏台上那个做法却又是适合而必要的，写信只是很小的节目，没有价值去细做，阻碍了本事的进行，这样扭上几笔过去已尽够了。

可是在说书里，这些琐碎事情的仔细描写，似乎也是一个手段，用得好时很可以得名，有如柳敬亭说武松进酒店大喝一声，酒缸都嗡嗡作声，这样说吃酒准可讲上大半天，听的人滋滋有味，忘记了武松吃了酒还有事要干哩。照这个样子，说人写信也可以从磨墨讲起，一回书说完，信纸还没有折好装入封内，若是戏文，全出（仿高唐先生法）早已演完了。

因此觉得看的与听的艺术有点不同之处，小说文章虽然也要用眼睛看，但文字总归是间接的，所以还是说书的一类，那种方法有时也很是有用的。

（一九五〇年十月四日）

《党太尉赏雪》

《缀白裘》中有《党太尉赏雪》一出戏，金桧门观剧诗内有之，不知近来尚有演者否，他的大名或者已经有点生疏了吧。党进是宋初的大将，其粗卤恐或过于张宗昌等人，虽然他只是军汉出身，有名的谆谨，不是那么胡来的。传说他尝听平话说韩信，即行斥逐，或问其故，曰对我说韩信，必对韩信亦说我，是乌可听。又说他令人画像，看了大怒问画师云，我前时见画大虫，犹用金箔贴眼，我岂不消得一对金眼睛么？这两件事读书人传为笑柄，其实于党进别无损害，只是表明他老实缺少世故而已。

翻过来说，这种做法在那说平话人与画师等艺人虽未免太冤一点，但整个的来对付帮闲文人却是很好的。他们来讨好对你说韩信怎么样，便怪他要去对韩信说我，画图写文章说得你方面大耳有福气，又气他没有像画老虎似的眼睛贴金，这班清客真是再也没有办法了。他因为得罪了当时知识分子，死后没有人给说好话，留下那么一个老粗的印象，但是那两个故事也并不坏，便是赏雪这一场也不比陶穀学士差什么吧。

（一九五〇年十月七日）

姚长子坟

在[1]绍兴的倭寇遗迹，有一个姚长子坟，在钟堰之寿家岸，是很可纪念的。姚长子是山阴王家的佃户，因为身长，便通称为长子，佚其本名。嘉靖间，大概在一五五二年顷，倭寇由诸暨至鉴湖铺，长子方踞稻床打稻，见寇至，持稻叉与斗，被擒，以藤贯肩，曰引至舟山放汝。长子引之经柯山，至化人坛，盖火葬之地，状如孤岛，四面皆水，断前后两桥，则死地矣。途遇乡人，乃以土话告之曰，吾诱贼入化人坛，亟往断前桥，过后再断后桥，则贼可擒矣。倭见桥悉断，始知被绐，寸斩姚长子。困守数日，饥甚，为明兵所歼，凡百三十人云。

张宗子撰《有明越人三不朽图赞》，共一百八人，分立德立功立言三项，与其选者大都皆士大夫，独姚

【锺校】

①“在”原作“是”。

长子以老百姓列于义烈九人之中，宗子文集中又有《姚长子墓志铭》详记其事，可知其特别看重。铭有云，“醢一人，醢百三十人，功不足以齿；醢一人，活几千万人，功那得不思”，立论亦甚正确。长子坟殆早已不存，但得张宗子为表彰，张氏之书如尚存在，姚长子亦可以不朽矣。

（一九五〇年十月六日）

买墨的教训

原来并不为搜藏的目的，有一个时候曾经买过些旧墨，后来大半又卖掉了，或是给了人，留在手边的不过十分之一二罢了。我向来写字用毛笔，买墨来用总觉得贵而又不好，友人说新墨都用洋烟，须得光绪中叶以前的才可以用，便去买上有年代，是光绪初年以前的来用，价并不贵，东西的确好得多了。看了墨上种种花纹，制墨人的姓名和年月，觉得很有意思，便在实用以上多买几块，以自制款为主，反正只限于清代，够不上说古董，花的钱也不多。俞曲园、谭复堂、吴清卿等人的墨，至今还留着几方，有时拿出来可以看看，别的有些比较更好一点的倒也并不可惜，便在粗砚上磨了，随便写些无聊的文章，或是给朋友的信了。

关于买墨，我觉得有意义的还是在于它的经验，这在最初须得花费若干时光，若干钱财，才能学会一点辨别物品高下的能力，好像是徒弟学艺一样，不能速成，是很好的一个教训。记得在开始一年之后，取出所买的墨来看，这样蹩脚东西为什么买了来，但在当时却是还当作好货哩，想起来煞是好笑，但知道上当，即此便是有了进步了。

（一九五〇年十月八日）

双日开市[1]

中国到处都有市集，有的每天都有，还是古时“日中为市”的遗风，不过因为买菜的便利，大都是早市罢了。乡村里多称赶集，多少天一次，古人亦称“趁墟”，至今陆放翁故里还叫作“鲁墟”。张南轩的老太爷与金人打仗，丧师十万，自己还是呼呼大睡的地方，至今名符离集，大抵坐过津浦车的人都可能记得的。北京有东西庙市，每旬各开两日，西庙是七八，东庙是九十吧？开庙之日，百货云集，凡衣服饮食，花鸟虫鱼，以及寻常日用之物，星卜杂技之流，无所不有，大概与上海老城隍庙可以相比。这种庙市，大势所趋，不免将日益不景气，但小吃与杂耍总还相当繁昌，现在并不再供游手好闲的人消遣时光，在工作之暇得休息，有如抽一支香烟，也还是可以要

【锺校】

① 本篇及以下四十二篇刊上海《大报》，文末括弧内为《大报》刊出的年月日。

得的。我们摊开纸笔来写文章，觉得仿佛也是在市集中占一席地，摆列点什么东西，等候普天下的主顾，可是既不能于筷子上叠两只鸡蛋，列于卖艺之林，而随时写出一篇来，又有异于告地状，所以只可自比于摆小人书摊的吧。小人书着实不容易写，这里毫无看轻的意思，所以如是说者只以摊小而表示客气而已。但是货色缺少，也不能天天摆摊，姑且择取民间的惯例之一，规定双日开市，这一节话就算作旧小说中的楔子罢。

（一九五〇年一月十日）

读书人的今昔

今天要查考故典，翻看《南史》，偶然见到一节，说齐武帝萧赜[1]信任刘系宗，尝说道：

> 学士辈不堪经国，惟大读书耳。经国一刘系宗足矣，沈约王融辈数百人于事何用？

这几句话骂得文人学士一钱不值，其实却也很是公平，说他们没用，也并不没杀他们的长处，便是说大读书。本来读书是好事情，现代国家急于普及教育，希望人人都能识字，若是能多读些书，岂不更好。况且像沈王二君，都是有名的文士，不说别的，沈德潜的《古诗源》，张琦的《古诗录》中，便收了他们很多的诗，为什么会得那么没用的呢？

读书的好处原是为得书中记录古人的经验，我们把他吸收过来，懂得物理人情，能够活用，用现今的

【蒋校】

①“赜”原作“道成”。

话来说，便是要搞通了才行，假如搞不通的话，那么虽然读过许多经史，做得上好诗文，对于现实社会别无用处。古时读书人目的在于做文学侍从之臣，自然只够帮闲的材料，结果也仍然为皇帝所看不起，正是活该。现今知识阶级有了改进的路，一手拿着新民主主义的政治的灯，一手拿着唯物论的科学的镜，走进书堆里去，随处都能搞通；再从书里钻了出来的时候，不但不再是士大夫，也还不是特殊的知识阶级，只是识字读书，通达情理，于社会有用的人民了。

（一九五〇年一月十六日）

禹恶旨酒

看到一册抄本的《酒话》，题平蝶园著，清乾嘉时浙江山阴人，共四十七则，曾请吃酒名家乡兄看过，据云说的颇有道理。其第十四则云：

禹恶旨酒，旨字当作甜字讲，不必如《诗经》作美字讲。仪狄造酒，禹饮而甘之，遂疏仪狄。盖酒以苦为上，酸次之，甜为下，禹恶旨酒，是人之所恶恶之之意尔，若云禹恶美酒，是恶人之所好，拂人之性矣。又此恶字对好善言看，恶是好之反面，恶之云者不过不好此物，并非断酒不饮也。子曰，菲饮食而致孝乎鬼神，菲，薄也，薄酌也，即邵尧夫所谓"美酒饮教微醉后"，得饮之妙也。吾断禹以为非涓[1]滴不饮者。

【锺校】

①"涓"原作"滴"。

这里固然言之成理，可是硬把后世必有以酒亡其国者这句话（本来也未必真是禹所说）去掉，难免有点儿强辞夺理。但同时博明的《西斋偶得》中有“物理”一则，却可作旁证。他说中国经训中诫酒之文无多，而浮屠则引为首戒，岂狂药之不足虞乎？盖饮食之味日益加浓，酒醴亦然，今之火酒，乃元人传自西域，而海舶所载尤醇浓辛螫，非内地曲糵[1]所可比，想彼土（印度）当时已然。《尚书》中有“酒诰”，想见殷末君臣沉湎于酒，失政误事，以至亡国，禹的故事大概即由周人造出来的，但事实上后来因酒亡国的实在没有，岂殷人特别量小而酒性恶乎？现今火酒盛行，社会上尽有斗殴杀伤案件，可是都不由于酒醉，至于踉跄道上或倒卧路旁的也绝不见，似乎中国人已有了不为酒困的本领，所以诫酒之文就可无须了。

（一九五〇年一月十二日）

【锺校】

①“糵”原作“蘖”。

绍兴酒的将来

《西斋偶得》中说饮食与音乐变化最快，越数百年便全不可知，《东京梦华录》所记汴城食料，南渡后杭城所市食物，张沂王进高宗食单，大半不知其名，又尝见名人所刻书内有蒙古女真畏吾儿回回食物单，思之亦不能入口。后又云：今天下盛行三事，绍兴酒、昆腔曲、马吊戏，皆起于明之中叶，绍兴酒始见于《谰言长语》，谓入口便螫，味同烧刀，此酒一出，金华浙闽诸酒皆废矣。明朝中叶大概可以算作十六世纪初，到现在已将四百五十年。昆曲久已为京戏所压倒，再也站不起来。马吊也被马将牌所取而代之了。绍兴酒总算还是健在，实在很不容易了。

不过就上边那一节看来，他也并非毫无变化。据《谰言长语》说他入口便[1]螫，味同烧刀，假如这不

【锺校】

①“便”原作“使”。

是作者因为喝不惯而随口胡骂，那么一定当初绍兴酒的确是那么样了。现今再请教普天下吃绍兴酒的看官，目下是否如此，我想这答案总是说否，他和烧刀总不是一样的。所以我们可以推定绍兴酒最初乃是辛螫的，后来变得温和，像现代的那么样。但是将来如何，我们可不能知道，说不定他又非变得像烧酒那么不可，这话无甚凭据，只是觉得并非不可能罢了。绍兴酒的价格不比烧酒便宜，吃起来却更为耗费，岂非失败之道乎？至于这要如何使他变化，可与烧刀竞爽，那是酿造上专门的事情，不是我们所能知道的了。

（一九五〇年一月十四日）

红番薯

吃的东西随时随地变化得很多，只是平常不注意，不大觉得罢了。近日吃煮白薯，忽然想起小时候吃过的红番薯，煮的是不大看得出了，在水果摊上摆着的，一文钱一大片，桂红色的肉，白色的边，外面红皮自然已经削去了，这样番薯现在早已不见，有的都是黄白色的了。

查书看时，又似乎是古时吃的皆是白薯，如《广志》说“皮肉肥白”，又《甘薯疏》说“色白味甘”。那么红的殆是后起，流行了一时，末了又复没落了的吧？

据一个植物学者说：白薯就有甲乙两种，甲名厄杜利思，乙名巴太达思，形状相似，性质颇有不同；甲种茎叶都带紫色，乙种则是浅青。但在吃的人，只好看根块，色无多区别；只是甲肉色黄白，肌理粗糙，蒸了则干松味美；乙肉色白，肌理细腻，可是蒸时却多水分，味亦较劣。番薯同是外来的东西，唯甲在前，乙则后来从南美传入，很占势力。因为它易种不怕旱，收获多，冬天收藏不易腐烂，虽然味道不好，也就占了优胜了。

西人吃番薯，反正不是烤了煮了吃的，白打油炸了加盐当副食物，淡而无味的马铃薯已很好了，所以乙种就被叫作甜马铃薯；若是中国那么吃法，自以甲种为佳。这里只是纸上谈兵，不知市场上究竟哪一种为多，须要实地考查才能明白。

（一九五〇年一月十八日）

咬菜根

一

古人有一句话："咬得菜根，则百事可做。"这话很有名，也实在有理，别无什么问题。我这里所要说的，只是这菜根是些什么。照字面上说来，那自然是菜的根，我们在乡下的白菜有[①]白菜头，芥菜有芥菜头，油菜是没有的，这可以鲜的煮了吃，也可以霉，更有滋味。但是这些单是一时的东西，不能长久的吃，至多可以搁上五七天罢了，所以经常所咬的菜根，应当还有别的物事，推想起来，大概是白菜类的萝卜和芥菜类的芜菁吧？（这里所谓类，虽然根据李时珍，却是外行人的看法，不可以植物学相绳。）这些的根是大可以吃得的，尤其腌了久藏不坏，他的用处实在很大。

萝卜的盐制品我是百吃不厌的，这自然有条件，

【锺校】

①"的白菜有"原作"有白菜的"。

要我的牙齿还好的时候。南京于萝卜头之外有萝卜鲞，我尤其喜欢，虽然前清时在学校里咬了五六年，可是感情还是不恶。后来得见福州的黄土萝卜，也是极好，只可惜远在华南不可常得。芜菁的根乡下叫作芥辣头，南货店中供给五香酱制的黑色的一种，但北方还有一种盐渍白色的，名曰水疙瘩，黑色的则名曰酱疙瘩，以个人的经验来说，水疙瘩更为有味，大抵用盐的肴馔总比酱油好吃。这之外假如再能有酱生姜、醋浸蒜头这些别一类的东西配搭，那么这菜根席已很丰满，我相信大家都可以咬得来吧？

（一九五〇年一月二十六日）

打差别的笑话

好些年前得到一册中华书局出版的《清都散客二种》，系明赵南星所著《芳茹园乐府》及《笑赞》各一卷，看了觉得很有意思，惟原本木板漫漶，复刊亦字句多缺，往往不能成句读，读之闷损。后于友人处借得一部，虽亦是后印，而漫漶处尚可辨识，校录一过，《乐府》中只有两个字缺其半边，《笑赞》则一处缺一字，又一处缺一行十三字而已，可称善本。《笑赞》共七十二则，杂记笑话，有些也是实事，各为之赞，其题词云：

书传之所记，目前之所见，不乏可笑者，世所传笑谈，乃其影子耳。时或忆及，为之解颐，此孤居无闷之一助也。然亦可以谈名理，可以通世故，染翰抒文者能知其解，其为机锋之助良非浅鲜。

赵君东林贤者，以直谏落职，后又忤魏忠贤充军代州，称为一代正人，却以笑话谈名理，与孔子说月攘一鸡，孟子述宋人揠苗，岂非先后同揆欤？其五十一则云：

郡人赵世杰半夜睡醒，语其妻曰：我梦中与他家妇女交接，不知妇女亦有此梦否？其妻曰：男子妇人有甚差别。世杰遂将其妻打了一顿。至今留下俗语云：赵世杰半夜起来打差别。

赞曰：道学家守不妄语为良知，此人夫妻半夜论心，似非妄语，然在夫则可，在妻则不可，何也？此事若问李卓吾，定有奇解。

看客勿以此系笑话，赵世杰实乃封建道德的打手，为夫为妻纲保镖者也。男子妇人有甚差别，在解放时代说来，只是极平常的道理。然而多少人因此半夜被打，岂不冤哉！

（一九五〇年一月二十四日）

生活力

世间常有些事实发现，看去虽似奇异，实在并没有什么神秘，详细情形不能说明，大概原因还是可以知道的。我有一个侄儿，在三十年前方才周岁时，得了肺炎，并发肋膜炎和脑膜炎，睡在病院里，医生也无法可施，看看死下去了，手脚身体已渐渐冷却，可是冷到差不多的时候忽[1]然停住，而且回复转来，呼吸复通，这就是说又已活了。医生承认说，这是他自己活过来的，医药并没有功劳。后来又见一位长辈亲戚，年纪有七十多了，生了什么病，十分严重，医生认为已无希望，暗嘱家人预备后事，并且说要注意潮退时间，因为人死与这颇有关系。但是次日医生不听到什么消息，走来看时，病人还是存在，后来已渐好转，又继续活了若干年。在前一个例子里，假如那时

【锺校】

①“忽”原作“匆”。

问卦求神，经咒祈祷，自然很容易归之于奇迹灵验，后者也可以有魂游冥府，积善放还的说法，可是当时并未惊动神明，而那长辈又是顽固的唯物派，常说没有鬼，即使有，我死了也不会变鬼的，所以那些美谈都不能有了。

石硬的事实是垂死复生，又不是医药的直接效力，在我们外行人说来，只是自己的生活力强吧。大概有好些微生物病在主客斗争的过程中有一定的最高点，假如病人的体力能够支持过去，病就败退，自然心脏的力量是最重要的吧？但是病人不自知，似乎医生也未能测知，所以看去很有点像是神秘了。

（一九五〇年三月二十六日）

古药方

美国人所写《药学四千年》，是一本通俗的科学史，各时代都写得有兴趣，现在只谈古代的一部分。

据说英国博物院有埃及写本药方，是五千多年前的东西，还远在轩辕黄帝之前，可惜未曾翻译，其已译出者有蔼贝耳思所得卷子本，长及二十码，云是三千五百年前物，当中国殷时，尚在盘庚前一百五十年。他们用各式的奇怪药料，有各生物的粪，中国北魏石刻药方中亦有之，叶氏《语石》中似曾说及，唯未曾有过蝇矢。埃及止小儿啼方则用此味，外加一种未详的草实，不知蝇矢如何收存？故著者颇以为奇。其治头秃方则甚平常，系用马、鳄鱼、河马、猫、蛇、山羊等的油脂，等分为膏，多搽自愈。书中批评以为或与现代各生发油可有同等效用，虽然比较更不易得，但仔细想来，此诸动物在埃及地方亦当并不难得也。

后来十世纪中爱尔兰的药方却更是出奇，其一云：乌鸦烧灰，入绵羊油脂中煮，涂秃头即愈。其二云：瓦罐中满装鼷鼠，泥土封口，埋火旁，勿太使火力接近，满一年后取出用之，但取时必须着手套，以免指端长出毛来。

记得看见过杂志上生发药的广告，画着一个人的手指像是牙刷的样子，这技巧大概是从这里偷来的。一千年以前的事情本来是不足奇的，但不知道这一类的医方现在还有人相信不。

（一九五〇年一月二十日）

华佗的麻醉药

偶然要查曹孟德的事，借了《三国志》来翻阅，在《魏志·方技传》中见到讲华佗的事，有一节云：

> 若病结积在内，针药所不能及，当须刳割者，便饮其麻沸散，须臾便如醉死无所知，因破取病，缝腹摩膏，四五日差不痛，一月之间即平复矣。

这是很好的根据，可以说外科手术在中国盖古已有之，因为这里所说即使稍有夸张，但记的是破腹大手术那是很明了的。本来手术虽有大小，根本上并不困难，割后组织自会愈合的，难的是在其一割时受不了痛，其二豫后容易不良，因为没有消毒法，现代医学的进步便是在这两点上得了解决，技术自然也要算是一分。华佗已经用了麻醉剂，留下麻沸散的名称，就可惜不知道这是什么药料了。

拉瓦耳的《医学四千年》中说及中古黑暗时代的

亚剌伯医药之发达情形，其时有一种吸入的麻醉剂，据云此或出自震旦。因华佗曾传此法，其药系用乌头，菲沃斯与风茄合成，后在十三世纪曾经复兴，称为麻醉海绵剂云。这里药的成分是有了，不过还有点儿疑问，第二味本名达去拉，原出印度，学名菲沃斯屈亚木斯，不知汉名云何？也不知从前有否？华佗与亚剌伯医生中隔七八世纪，药方如何传授？照乡下人的看法，只有说是流落民间，到了江湖上，成了《水浒》十字坡的迷子，再分到天下去。以时代论，这个说法倒是比较近理，可以成立的吧？

（一九五〇年一月二十二日）

鬼夜哭

古来传说仓颉造字鬼夜哭，既然是传说，我们只须姑妄听之，鬼有不有原不成问题，即使无鬼论者也不妨听听，本来如苏东坡叫人说鬼，许他姑妄言之的。总之问题是在于说得好，鬼尽不妨哭，只要哭得有理由，仓颉造字与鬼何干，至多把鬼的头画得尖尖的，这又值得什么哭呀？有人弥缝其说曰：鬼乃兔字之误，南山兔子预知将来要拔他们的毛做紫毫笔，所以哭的。这改得颇巧，有如改读《论语》曰：

厩焚，子曰："伤人乎？""不！"（使者答也）问马。

因为看去若巧，所以其实不免大拙了。前些时做的打油诗中有一首是讲这事的，现在便抄在这里。普通打油诗，多是七言近体，我却是五古，也并不是摹仿寒山子，只因意思多一点，绝句装不下，律诗对不成，便拉扯成那个样子，不但上去通押，而且不拘韵，此殆是打油中之最无规矩的了。

仓颉造文字，其时天雨粟。

亦有南山鬼，夜半号咷哭。
天意似欣喜，发廪散五谷。
有似雨香花，往例征天竺。
鬼意欲何为，诡秘殊难度。
或恐凿混沌，不能保纯朴。
或惧窥幽奥，如燃通犀角。
可惜小头鬼，识见尚不足。
唐有吴道子，变相图地狱。
清人罗两峰，鬼趣画满幅。
不必借文字，隐幽无弗烛。
更有张天师，画符如蚓曲。
一纸下雷部，狠过钟馗捉。
不比官文书，出入弄笔墨。
寒村穷秀才，旦夕捧书读。
摇头诵左传，周易背烂熟。
常被鬼揶揄[①]，耸肩如蝙蝠。
饼酸酒味薄[②]，生计遭逼迫。
虽持无鬼论，虚耗苦难逐。
此时鬼应喜，昼夜笑局局。

（一九五〇年二月二日）

【锺校】

①“揄”原作“揶”。

【原注】

② 为鬼偷吃故也。

难懂的白话

同一位乡兄在谈闲天，邻居的太太也来访问我的太太，听了一会之后问道："他们说的话，我一句也听不懂。"说也惭愧，我们本来是在说普通话哩，虽然是同乡兄谈天，却也并不打乡谈，彼此原是说的江浙的官话，一切以国语为本，只是有些北方特有的音发得有点可疑，音调也难免不大正确，但自己总以为大概七八成可以通用了吧，这回试验得个零分，殊属意外之至。我们回过来试用土话谈谈看，想说"你这样说是不成的"这句话时便感到了困难，不成或不行都非方言所有，改作"弗对"则意思也就有些不对，我们发见自己乡谈的程度也不大好，旧词汇不完备，新名词更无法翻译，说出来生硬不调和，很难期望本乡的老百姓能够了解。同时觉悟说普通话的字音声调不准固是缺点，而新名词新语法的夹杂也是别一种毛病，即使我们对了那邻居的老太太用心说话，努力把声音读得准些，但是内容还是我们谈闲天的那些话，什么关于、至于、必要、可能，这样说去，一定她也觉得同样的难懂的吧？我们用了十载“萤雪”之功，学到一点“知识”，可是这却成了一种行话，只有知识阶级同行中人才能领解，对于别的人想要传达十分困难，这种言语文字有什么用处呢？门槛外的人须要拉得住手，这才可以有用，两方面都要努力，打破现今白话中的阶级性。

（一九五〇年二月四日）

看笔记

从前读旧书的时候我很喜欢看笔记，新的从《阅微草堂五种》入手，旧的先借阅《唐代丛书》，后来只要能够拿到就都看。唐宋明清四朝的著作浩如烟海，就只乱抓乱翻，也看了好些；事隔多年之后回想起来，总觉得有一种不满意的地方，即是关于名物与风俗这两部门，古今来注意纪录的人实在太少了。

王菉友《蛾术编》中说理想的画家云：

> 汉魏唐宋各有其衣冠制度，齐楚燕赵各有其土俗民风，百谷百蔬百果各有其形状，六畜各有其性情。以至时虫候鸟，不得违其情；礼仪人事，不得乖其制。苟非胸有万卷，且于事物之情状纤悉无遗，不能作画。

南宗画兴起，专主气韵，上边的理想全然落空，拿来与文字方面比较，也正是一样。书中祖述圣贤，标榜风雅，夸夸其谈，像煞有介事；但是关于衣冠制度，土俗民风，欲有所查考，翻遍全部，无丝毫可得。王国维《宋元戏曲史》中宋朝几于了无材料，元曲留下这些，而戏台与演出情形均无可知，岂由于玩物丧志之戒，无人肯记录之故欤？往者不可谏，来者犹可追，此后写笔记的人希望能各尽所能，把自己所最了解，最有兴趣的东西，不论雅俗巨细，详加记述，保留其真相，目下虽若无聊，百十年后便是难得的资料。譬如越剧固盛极一时，终亦有衰歇之日，保存文献也不可缓。若关于已将遗忘的习俗事物，则随时记录，自属更是要紧了。

（一九五〇年二月六日）

关于《章氏丛书》

汪旭初先生在《寄庵谈荟》中答柳君非杞问，关于《章氏丛书》所见说明，今就所知略为补充。《章氏丛书》康氏排印本错字颇多，现今市中亦已难得，浙江图书馆本虽板渐模胡，想尚可买到。

此外《章氏丛书续编》，于民国廿二年在北平刊成，木板四册，共收书七种十七卷，《蓟汉昌言》及《体撰录》均在内，新出《三体石经考》系钱玄同手书，写刻精工，似比初编中的《小学答问》更好。此书系由章门弟子中若干人发起，出资刊刻，汪先生也在内，《春秋左氏疑义答问》上且列名校勘，不知何以说《体撰录》始终未刊，是否当时未曾收到刻好的全书？刊校印刷的事闻由吴检斋经理，参加的人各分得三五部，大家原意将书板寄赠章氏国学讲习会，后来听说未曾实行，吴检斋死后这事更无可考了。虽然据说吴氏经手印过一批，在旧书店中或尚可见到，但总之比较初编要难得多吧。

分载《国华》及《制言》中的文字，经孙世扬编辑，有《太炎文录续编》七卷，各卷多分上下，实有十三卷，于民国十三年在汉口排印出版，共四册，为《章氏丛书三编》之一部分，只印了五百部，未附分送名单，在重庆项下也有汪先生的名字。书虽印得不多，但在西南想应当还可找着，若在北方，则正与续编相反，很不易得，据单上分到[1]的只有五六部而已。以上据所见闻略述一二，以供参考，如承指示增广，至为欣感。

（一九五〇年一月二十八日）

【锺校】

①“到”原作“别”。

馄饨担

浙东民间歌谣嘲讽拙劣的戏班云："台上群玉班，台下都走散，连忙关庙门，两边墙壁都爬坍，连忙扯得牢，只剩一担馄饨担。"这在只看戏园里的戏的人听了觉得有些费解之处，第一是戏台下怎么会有馄饨担的，这因为原是社戏，大家出钱在庙里演剧给菩萨看，一般人都可以去白看，而且还大吃其点心，所以各样吃食摊在台下开张，馄饨担不过其中之一罢了。其次，馄饨担特别被扯牢，这是什么缘故呢？理由说起来很是简单，便只苦于我不会画几笔，要用文字说明，未免须得多费气力，而且恐怕终于难得十分明了。别的饮食担都已挑出庙门，而一担馄饨担独被拉住，这便为他的担子特别笨重，挑了走不快之故。不知道为什么，馄饨担要那么与众不同，于必要的缸灶水桶之外加上那些抽屉，朱漆描画，像是新娘嫁妆似的，其实豆腐浆担也用好些作料，可是担子却简单[1]得多了。在空庙里，好些人纠缠住挑着一副[2]佷伉的担子的人，这里老百姓显示出他们很好的幽默，只可惜不知道这担子的人也就不能充分了解。手边有一部石印的《太平欢乐图》，原本系乾隆庚子即一七八〇年方[3]兰坻所画，因进呈御览，负贩商民多戴羽缨帽，又拖小辫，也很触目，共有一百幅，画出挑担摆摊各种情形，亦可备参考，可是细细检查却不见有馄饨担，虽然元宵担是有的。吴友如在《点石斋画报》上所作图，主题是打架或翻车，多画市肆背景，极为难得，其中当可找到。又曾见《江南铁泪图》，戏台下似有馄饨担，但已记忆得不甚清楚了。

（一九五〇年二月十日）

【锺校】

①原无“单”字，今增。

②原无“副”字，今增。

③“方”字原缺，今补。

经学史[1]的教训

程伊川云：

> 今农夫祁寒暑雨，深耕易耨，播种五谷，吾得而食之。百工技艺，作为器物，吾得而用之。介胄之士，披坚执锐，以守土宇，吾得而安之。无功德及人，而流度岁月，晏然为天地间一蠹，惟缀缉圣人遗书为有补耳。

道学家总要摆架子，这里伊川却坦白的承认是一蠹，很是难得，但是无功德及人而缀缉圣人遗书为有补，那么也还是董仲舒正其谊不谋其利，明其道不计其功这一套思想罢了。

千年前的古人不必再说，在现今的人这种意见总是不行的了。圣人为什么可尊贵，这便因为他有道义，有功德，换句话说即是理论与实践合一，孔孟推

【锺校】

①"经学史"原作"经史学"，下同。

尊禹稷，正为他们为人民服务，不许一个饿死淹死，并不是为的能谈性与气，孔孟自己也主张黎民不饥不寒，这是中国人的根本思想。后来走了岔道，出了一种官派的圣人，即士大夫，以圣道猎官，自汉迄今二千馀年；又一种和尚派的圣人，即道学家，谈玄说理，自宋迄今一千馀年，终于归并，主宰政治与学术，为封建制度作支持，于是圣人之名扫地矣。于今要缀缉圣人遗编，便已一无是处，重要的是在整理批判，还他一个本色真相出来，这就是一种功德，是现今知识阶级中人所应当做的。

二十年前认识一个日本学生，大学毕业后来中国留学，他所专攻的学问是经学史，问他有著作么？他说："这哪里行，因为由我看来，自汉以来只见经学一直为专制政治所利用，据实写出来，就要被禁止出版的。"外国学生的话，颇足以备参考，殆因旁观者清的缘故吧！

（一九五〇年二月十二日）

鬼头

《太炎文录续编》卷一中有杂说三篇，首两篇说龙说鹏鹍，即是说龙与凤的，第三篇说鬼，我觉得最有意思。《说文》云鬼字上像鬼头，太炎由是推定本指山鬼精物，鬼魂之义系后起者。说云：

按鬼头非人所能见，且禺为母猴属，而禺头与鬼头同，今所见猴亦众矣，以为其头似鬼，则人所必不信，余以为鬼头既有形，初造字时必不谓是死者之灵，以声求之，鬼与夔正相似。《鲁语》，木石之怪夔罔两，韦解，或云夔一足，越人谓之山缫[①]，富阳有之，人面猴身，能言，罔两山精，效人声而迷惑人。若然，夔面似人，其声似猴，是亦猴之属，其能言则与猩猩相似也。禺头似鬼，正谓与夔头同，夔与罔两同类，能迷

【锺校】

①“缫”原作“缲”。

惑人。《楚辞》有《山鬼》篇，素未知山鬼何物，读杜甫《有怀郑十八司户》诗，言山鬼独一脚，乃知山鬼即夔，杜时盖犹见古训，《楚辞》称山鬼窈窕慕人，含睇宜笑，正与罔两迷惑人等。

这些话都说得奇辟可喜，后又云古谓夔一足，或如鹤有两胫，常缩其一，非真一足也，又替独脚魈做辩护，更有诙谐之趣。但据太炎先生在《民报》社讲《说文》时所说，似以鬼头即是死人头颅，弟子中遂有人傅会谓厶字即像零星骨殖，鄙意此说似更为直截，律以囟字之例，也正符合。

古时鬼的观念当是具体的，与后世说魂说气不同，所以可能最初即是死人或枯骨，鬼字形象足以当之，各民族原始图画中多以枯骸表示死神，可为旁证，而猴头深目塌鼻，亦有与髑髅相似之处，故可云禺头与鬼头同也。

（一九五〇年三月十二日）

主客谈诗

大寒中有老朋友枉顾，他毕业大学后在母校任教，专科是英文学，研究莎士比亚很久，可是喜谈中国旧文学，写过好些新诗以及小说，却已是许多年前的事了。他谈到新出的《大众诗歌》，卷头有毛主席题的“诗言志”三字，有郭沫若的短论，说旧诗白话诗都行，只有商籁什么模仿之作无有是处，主客很同意，觉得五言生命还很长，七言则绝句尚可做，律诗恐十九要失败，七古连古人都很少做得好的，只是演变下去，成为弹词调的过渡而已。

他很赞美汉魏的诗，说唐诗顶不成，还不及宋人，他只有起承转合，大概与科举有关，话虽奇辟，却不无道理。魏晋诗人他取阮嗣宗陶渊明，六朝则庾子山，唐代只有李义山，其中他又最喜庾子山，说真是爱国的诗人。有专弄文学史的同学和他抬杠，说庾无足取，他答说：“你不是说屈原是人民的诗人么？

拿《哀江南赋》与《离骚》来相比，有什么不同，我只觉得还要深刻点，有一点不同的就只是屈原投了汨罗，假如讲文学要把死不死加在秤上的，那么这也就无话可说了。”

这朋友的话我都觉得很有意思，虽然李义山不曾好好的读过，但屈原庾信的比较总是很对的，一个是宗室的忧国，近于箕子《麦秀》之歌，一个乃是在乱世受苦难的平人，有如不乐其生的君子，作《兔爰》之诗以悯周，自更易于引动人的同感了。屈（原）贾（谊）[1]往往并称，但自来对于贾生总要看低一点，可见死不死的成见，在世俗确是很有势力的。

（一九五〇年二月十四日）

【锺校】

①“贾（谊）”原作“贾（岛）”。

押不卢

前回我根据美国人所写的药学史，说中世亚剌伯人传得华佗[1]麻醉药方，却不知此说的来源。近阅王端履《重论文斋笔录》，卷一中有“押不卢”一条，引王肯堂《续医说》云：

> 《志雅堂杂抄》，回回国西产一物，状如人参，名押不卢，取者若伤其皮，毒气着人必死。取之之法，先开大坑，令四旁可容四人，然后以皮条络之，系于犬足，用杖击犬，犬奔逸则此物拔起，然后别埋地土中，经岁取出，别以药制之，若以少许磨酒饮之，即遍身麻痹而死，别以少药投之即活。昔华佗治病，先以酒服麻沸散，既醉无所觉，因割破腹背，湔肠涤胃，恐即此药云云。

【锺校】

①“华佗”原作“华陀”，下同。

药学史依照时代以为麻醉药当从中国传至天方，这里却又说疑是自西徂东，似乎说得更是合理。华元化的时代与中世隔得太远，而周草窗生于宋末元初，十三世纪末十字[①]军正告终结，马哥·波罗东游震旦，东西文化开始交流，所谓海绵麻药在西欧使用过一时，《杂抄》中押不卢传说显系来自元人，乃与华君发生关系，后来西人或又根据周王诸人之说，反谓回回国的药方源于中国耳。押不卢当即是曼陀罗，似何首乌而有毒，根似人形，俗传掘取时能叫喊，闻者立死，必须用狗牵挽，如上文所说，掘者须先用黄蜡封住两耳，以免与狗同毙，这比毒气更厉害了。但中国似无此草，曼陀罗今取对音，与旧传的曼陀罗花实是两物，盖中国有的只是闹阳花，毒在果实，此则毒在块根，其叶亦非茄科植物，因此麻沸汤中恐不能有此成分也。

（一九五〇年一月三十日）

【锺校】

①“字”原作“家”。

怕鬼

我虽然是怕鬼，可是不相信有鬼的。常人执着于生存，对于自己及所亲之翳然而灭，不能信亦不愿信其灭也，故种种设想以为必继续存在，盖有鬼论实是忧患的人生之雅片烟，人对于最大的悲哀与恐怖之无可奈[1]何的慰藉，“风流士女可以续今生未了之缘，绿林英雄则曰二十年后又是一条好汉”。相信神灭论的便有祸了，这种安慰一点都得不到。周安士在《阴骘文广义》中说，人若无有后世，不受轮回，则世间便有多少不平事，即圣贤议论亦有无征不信者矣。由是又可知这大有关系，欲使“上帝不受混帐之名，孔子可免无稽之谤”，必须有前世后世以为之弥缝才行。我都谅解这些意思，可是想来想去，无论是二气之良能，或魂升魄降，或万物（衣服鹅鸭在内）皆有鬼，

【锺校】

① “奈”原作“没”。

或如铜币置玻璃上久而生痕，我均不能懂，或未经验，觉得不能就相信，说无鬼未免稍近独断，总之凭了我的感觉至今未能获得有鬼的证明，则是实在的事情。

我不相信有鬼，但鬼还是怕的。没有的东西怎么会可怕呢？我实在小时候给鬼怪的故事吓怕了，骷髅、白骨、人头、尸体，这些东西代表了鬼与僵尸迫胁着我，使我总[1]于黑夜空屋中发生恐怖，这里《夜谈随录》很负责任，《聊斋志异》却没有什么关系。太史公曰："学者多言无鬼神，然言有物。"我所怕的正可以说是物吧。

（一九五〇年三月十日）

【锺校】

①"总"原作"终"。

裱糊房屋

震钧在《天咫偶闻》卷十中说北京有三种手艺，为外方所无，即是搭棚、裱褙与扎彩，关于裱褙之工的说明云：妙于裱饰屋宇，虽高堂巨厦，可以一日毕事，自承尘至四壁前窗，无不斩然一白，谓之四白落地，其栋梁凹凸处皆随形曲折，而纸之花纹平处如一线，无少参差。这里大意说得很对，但只重在做工上，若从居住的人说来，其好处又自不同，特别在我们生长江东，仰卧看惯屋椽，冬天也开着窗子坐的人。

北京裱糊好了四白落地的房间进去看时第一有明朗温暖之感，本来粉刷一新的墙壁自然显得明亮，与纸糊没有一定的关系，但那温暖的感觉却是特别的。木板的承尘很好，不够严密便易漏风，白垩的严密了但是冷冰冰的，实际的经验也是如此。此外重要的一点是纸窗的好处，乡下用的是推窗，十分之六是板，笨重而且黑暗，北京都用和合窗，上下全是花格子糊纸，考究一点的糊上仿制高丽纸，适度的能透日光与空气，早已有人说过，最为合用。普通人家下半大抵改用玻璃窗，上半仍旧，春季将窗纸二分之一改糊绿色冷布，再加纸帘可以舒卷，以当风沙[①]，这比全部玻璃还要好。裱糊的房屋好处的确不少，可惜只是耗费，如今百物踊贵，人工尤其增加了，一般人家有点不易负担，墙壁可以改用石灰粉刷，便只是顶篷为难，这一部分还得由裱糊匠来做。

（一九五〇年二月十六日）

【锺校】

①“沙”原作“纱”。

吃茶

有一个朋友进华北大学第四部去学习，当初十分谨慎，连茶都不敢吃，生怕受批评，虽然他一向好吃茶，而且吃的一定要龙井。他看同组的人有些吃纸烟的，这才提出问题：“纸烟可以吃的么?”答复是有什么不可呢。于是，他说：“那么茶也可以吃么?”那自然是的。这之后，他拿出茶壶来，泡起龙井来吃，他的故事就算完了，剩下来的是我的批评，这个朋友的拘谨真是太过，怎么他会怕茶也吃不得的呢？现今文明世界几乎没有不吃茶的国家，何况这茶又是出于我们中国，与蚕丝瓷器同是本国的光荣。可是说也奇怪，茶在国内显然有两派吃法，他在国外也正是如此。我们在北京进茶馆饭店去，堂倌必定要问吃红的还是绿的，这就是说香片还是龙井，也即是上文所讲的两派，如不说南北，或者可以分为吃麦与吃米这两路吧。欧美人只吃红茶，还搁些牛奶白糖进去，作为定食的一部份，日本朝鲜虽然也用于食后，但吃的是清茶，不但没有糖，也并没有香花，而且平时亦作款客之用，与中国完全相同。

北京大抵都吃香片，以为龙井不宜于卫生，而南方则以龙井为上品，又反对掺杂花香，可以算是吃茶的清教徒了吧？但是，话又得说回来，闽广吃工夫茶也是珍重红茶，所以地域或生活的区分很不能恰好，不过有那么两派存在总是事实而已。

（一九五〇年三月八日）

中国人的心脏

俞理初是清代嘉道年间的学者，与魏默深、龚定庵、孙子潇、焦里堂诸人相同，都是有新思想的。俞[①]君注意妇女问题，著有《妒非女人恶德论》等，在清末民初很为蔡孑民等人所称道。但是他相信鬼，因为经传上都说有鬼神，又在医学上信任《素问》《灵枢》的话，他不反对佛教，却很不喜欢天主教，因此也讨厌洋人的话，这也是无怪的，但在他总是可惜的事。集中有一篇《书人身图说后》，起首便云西洋罗雅谷龙华民邓玉函所译其国《人身图说》二卷，便已立定了华夷之辨。中间根据古医书所说与图说比较，结果是中土人心七窍，彼土四窍，中土人肝生左，肺生右，肝系在心系左，彼土心系在肝系左，案：即是中国人心正，外国人心歪也。次引宋朝《洗

【锺校】

①“俞”原作“愈”。

冤录》，髑髅骨男子八片，妇人止六片，肋骨男子十二，妇人十四，乃曰[①]况西洋地远，人秉禀不与中土同，不足怪也。此种谬论素为愚儒所主张，不知俞理初何以也会相信。

此文在嘉庆乙亥即一八一五年作于滦州，同时王清任有感于治病不明脏腑，何异于盲子夜行，在滦州每晨赴义冢就群儿之露脏者细视之，始知医书中所绘脏腑形图与人之脏腑全不相合，即件数多寡亦不相符，详见所著《医林改错》中，此书出版于道光庚寅，即一八三〇年，现行于世。“中国人自有藏府经络”之说至此已不能再成立，但旧医界恐怕还多是俞而非王，王君苦心著成的书大概也只有我们一二外行人加以称引，其在医学界中则旧派固要排斥而新派也并不知道也。

（一九五〇年三月十四日）

【锺校】

①“曰”原作“日”。

护生的意见

有老友常看佛经，案头有木刻大本的一册《卫生集》，问他这是什么，答说是劝戒杀放生的善书，前清乾隆时人所做的。问书写得怎么样，摇头说不佳，护生本来是好意，可惜说得下流，便容易把他讲坏了。他不是优婆塞，没有什么戒，但他很佩服食肉戒的理由，说是破大慈悲种子，又盗戒注空中飞鸟亦不得取，因为鸟身自为主，取者犯盗戒，这种思想够得上说伟大，与后世苛细严酷说报应的全不相同。《卫生集》中所收莲池大师诸文较好，《放生文》首两句云："盖闻世间至重者生命，天下最惨者杀伤。"说的很入情理。可是后来劝人发慈悲心，行方便事，仍以祸福耸人听闻，便多悠谬之谈，思之令人失笑，反为慢法。如有人生前曾吃鲜干百十猪腿，照例应以其腿请百十猪吃之，而该百十猪不知何时方得人身，乃可挨次吃腿，以了此案，此虽有好律师会计师恐亦不能算定。至于好报，延寿愈病生子尚属人情，若是救蚁中状元之选，鼓吹做官及取巧方法，简直是害人心术，一方面为士大夫所信守，历久不渝，也正是为此吧？

护生的思想人是应该有的，但是既然不能入山求道，则依然照世间法，利用厚生还是第一要紧，肉菜杂食终是常规，保健上对于鼠蝇蚊蚤虱的驱除不可或缓，即使他们能够成精现形，也顾不得他们的怨恨了。但是不必要的杀伤以至玩弄，那都当废止，例如西洋人那么汽车上坐些大小洋狗，也是可以不必的。这是我朋友的意见，自然我也是附议的。

（一九五〇年二月八日）

吃烧鹅

春天来了，一眨眼就是春分清明，又是扫墓时节了。小时候扫墓采杜鹃花的乐趣到了成年便已消失，至今还记忆着的只有烧鹅的味道，因为北方没有这东西，所以特别不能忘记也未可知。

在乡下的上坟酒席中，一定有一味烧鹅，称为熏鹅，制法与北京的烧鸭子一样，不过他并不以皮为重，乃是连肉一起，蘸了酱油醋吃，肉理较粗，可是我觉得很好吃，比鸭子还好，烧鹅之外还有糟鹅和白鲞扣鹅，也都是很好的。北京有鹅却并不吃，只是在结婚仪式上用洋红染了颜色，当作礼物，随后又卖给店里，等别的人家使用，我们旁观着看他就是这样的养老了，实在有点可惜。大概这还是奠雁的遗意，雁捉不到，便把鹅来替代，反正雁也就是野鹅，鹅的样子颇不寒伧，的确可以替代得过。

相传王羲之爱鹅，大抵也是赏识他的神气，陆农师在《埤雅》中说，鹅善转旋其项，古之学书者法以动腕，羲之好鹅者以此，乃是十足乡下人的话，未免有点可笑。羲之旧宅在蕺山下，后来舍宅为寺，颜曰戒珠，后人望文生义，便造出传说来，云有珠为鹅所吞，疑人窃去，未几鹅死剖腹得珠，乃大悔恨，遂舍宅而称以戒珠云。案：戒珠本佛教成语，谓戒如璎珞珠，如云以珠为戒，反为不词。至于鹅吞珠事见于《贤愚因缘经》，赞颂梵志的守戒与穿珠师的忏悔，反复唱说，是绝好一篇弹词，与羲之自无关系，唯以鹅故而被牵连说及，则亦不能说全没有因缘也。

（一九五〇年二月二十日）

东坡的坦白

苏东坡答李端叔书云：

轼少年读书作文，专为应举而已，既得及进士第，贪得不已，又举制策，其实何所有，而其科号为直言敢谏，故每纷然诵说古今，考论是非，以应其名耳。人苦不自知，既以此得，因以为实能之，故哓哓至今，坐此得罪几死，所谓齐虏以口舌得官，真可笑也。然世人遂以轼为欲立异同，则过矣。妄论利害，搀说得失，此正制科人习气，譬之候虫时鸟，自鸣自已，何足为损益。轼每怪时人待轼过重，而足下又复称说如此，愈非其实。

《退庵随笔》引此而断之曰：此书字字朴诚，近人所不肯道也。我写一篇短文，却抄书抄了这些，可谓多矣，但是因为东坡这封信很重要，不好删节，所以全抄了。历来尊重古文，这就是以唐宋八大家为主，宋人六家中重要的又是苏东坡，现在东坡却坦白的说，读书作文专为应举，其实何所有，人苦不自知，以为实能之，此正制科人习气，简截的几句话，多么犀利的批判了自己，也批判尽了古今的读书人，可以算是一服绝好的清凉剂，可以治愈知识阶级的遗传热病。东坡的本色还是在他的诗词书画，题跋尺牍上显得出来，一般人佩服他的政治文章，特别是反对王安石的新政，近时林语堂所写英文的《苏东坡》便取这种论调，此则不但落伍，而且又有[①]点反动。东坡是千年前的人，坦白时亦有自知之明，岂可以今人而反不如他乎？此等事正需要无制科人习气的学者来整理研究，给我们一个结论，我们则暂当以东坡的话为鉴，常常自己警惕要紧。

（一九五〇年二月二十二日）

【锺校】

① 原无“有”字，今增。

古董的用处[1]

平常说古董，意思大抵就是说无用的长物，往往上边加一字云老古董，可是天下并无废物，废物可以利用，古董也同样的有他的用处。古董原意大概是说杂物吧，古人或称大杂烩为古董羹，可以知道。罗雪堂所印的图录有一册云殷墟古器物，这名称是很确当的。本来古董并不是给人家玩的，他是古人所用过的各种器物，有些现今早已废止不用了，有的变了样子，有的还是一样，在这里就有他的历史的价值，它的正当的位置是应当在历史博物馆，而不是私人的书房里。中国历史向来多只记录皇帝们的行动，关于人民的生活情状，材料很少，这些古物加以整理研究，可以得到好些帮助，不论物件大小贵贱，用处都是一样。现在北京午门上的冀中出土的板桌高背椅，是北

【锺校】

① 刊于《大报》时题名《古董的活用》。

宋末的民家用具，显得与现时完全相同，又如在日本正仓院的唐时麈尾，可以证明并非拂子，乃是羽扇之类，都是很有意思的事。麈尾有一个柄，前半上下两条横档，中间横夹兽毛，状如大簏箕，拿在手里好像一柄团扇，所以古人可用以障面，若拂子便不可能，何况书中常二者并举，可知不是同物异名了。这样的事情很多，只须把学术的光照向古董堆去，便会自然明了。注重史前的古生物人类学与注重有史时代的考古学们，看去似乎离开现实很远，不是切要的东西，可是历史如果没有他们的帮助就很有点弄不好，所以这在现代中国也很重要，就只是难，又是冷门，要耐得寂寞的人才能去弄罢了。

（一九五〇年三月四日）

写白字

在中国读白字写白字，本来不算是什么，因为汉字实在是难，错误是情有可原的，只是有一个条件，不要于事理有妨。中国字有古今音地方音之异，有些只是习惯读音，约定俗成，成为正音，别的便都是错了。有甲读破绽为破定，乙曰应读殿，丙正之曰音如栈，普通总以丙为是，但绽本从定声，又准靛淀之例，则乙言之成理，不过习惯不用此两例而已。又有江西客自称敝姓定，申言之曰“丢吴定王的定”，习惯读郑如政，故以客言为异，其实郑从奠声，古音自当如定，知彻等音本是后起的。

我这样说却也并不是替白字辩护，虽然几分谅解是有的，我本来附有一个条件，若是违反了那个，也自然就不行了。例如旧笔记中所纪，有医生开方，“加锡一两”。怪而问之，云有古方可证，查书则原来是“饧一两”。又有医方用麻黄分量甚重，问其故，云书上说麻黄不可轻用。民国初期的军阀，招待亲戚派车往军法处办事，手谕写作某人抓往军法处，害得那位亲戚钉镣收押。这几件事都是关系人的性命的，轻易错不得，必须注意才好。此外如草“管”人命”、“茶”毒生灵之类，写错说错了只是好笑而已，于实际无妨害，也就罢了。实在这“菅”字“荼”字也太老了，人家认不得正是难怪，本来大可以不用，但是成语也有他的便利处，能使用得恰好的有时能得事半功倍之效，可是因为难认识，所以也应注意，正如麻黄一般不可轻用吧。

（一九五〇年三月二十七日）

讲得通的误字

古人有言："思误书亦是一乐。"这句话说得很有风趣，其实却未必然。拿出上海影印宝墨斋藏本唐人所写《大比丘尼经》来看，其古拙处固然可爱，笔划有些与今体不同，也很可研究，但错字连篇，有如地上小石头多要绊脚，不但气闷，几乎要恶发了。这是写手不高明之故，正是手民之误，但因写本都不经校正，所以错得更厉害，近代的木板和活字比起来自然要好多了。大抵书报上的误字可以分作两种，其一是错得讲不通的，其二是错得讲得通的。

这第一种还不要紧，它只把这一句弄得看不懂罢了，假如看的人猜想不出这错的原本是什么字；至于第二种则看去并不像有什么错，但是他与原意是两样了，很容易使得读者误解作者的意思。前回我的一篇小文章《经学史的教训》发表出来，题目上错了一个字，便是将"学史"二字颠倒了，经史之学范围很广，经学史则只是文学史一类，单讲孔门经典发达变迁之迹，所以历代帝王利用的痕迹都可以在这里历历看出。

又有一篇《主客谈诗》，末尾“屈贾”之下，屈原注的不错，贾下注了一个“岛”字，也是一个讲得通的错误，其实下文说明了贾生，其为贾谊无疑，但一眼看去，也容易误会作者以为贾生是贾浪仙的。不过，仔细一想，实在也记不清了，或者这括弧内的岛字是作者自己的笔误亦未可知。这里所想订正的那么就是经史学这一项了，本来只要一行字就够，现在却写了这些闲话，未免要多糟塌一点纸面了。

（一九五〇年二月二十八日）

炮格与炸弹

《论语》十九述子贡之言曰："纣之不善不如是之甚也，是以君子恶居下流，天下之恶皆[1]归焉。"这几句话很有疑古的精神，与孟子"尽信书则不如无书"的话可为表里，其实也很客观的。我们查太史公的《殷本纪》，上边[2]所说纣之坏处，也就是好酒淫乐，为酒池肉林，使男女裸逐其间，又重刑辟，有炮格之法（后人误写炮烙，相沿不改实在是错的），杀九侯鄂侯比干等人这些事。假如《史记》所记的是实录，那么纣王的恶名确是十分冤枉的，若是[3]拿来与我们现在的蒋二秃子比较一下。纣所设的炮格固是一种淫刑，但据《集解》引《列女传》云："膏铜柱，下加之炭，令有罪者行焉，辄堕炭中。"又《索隐》

【锺校】

①"皆"原作"也"。
②"边"原作"迹"。
③"是"原作"干"。

云："为铜格，炊炭其下，使罪人步其上。"这里的所谓有罪即使是并不公平，总之有这么一种限制，与一般街上的平人有点不同。二秃子所炸的却只是街上和家里的平人，他们平和的生活着，除了不肯跟他往台湾去做猪仔外，说不上有什么罪，他却那么大批的轰炸[①]，轰炸机与炸弹都是美国的，驾驶的又是日本美国人，使用外国凶器与外国凶手来屠杀中国人民，这在中国历史上是绝少的事情，不但是桀纣，便是在后来的暴君里也是找不出他的同志的。这原因是一半固然由于本人穷凶极恶的性格，一半也由于适值有穷凶极恶的帮凶，我们要认清的是这其中的帝国主义的一部分的责任，这是二秃子的另一户头的债。

（一九五〇年二月二十四日）

【锺校】

① 原无"轰炸"二字，今增。

汤马斯的倒灶[1]

近来在报上看到一条美国的新闻，非常有意思，也觉得很是愉快。这是什么好消息呢？据说美国国会议员，有名的非美活动委员会主席汤马斯因贪污被告发，判处徒刑六个月，罚款美金一万元。汤马斯将自己家属的姓名报进联邦特务机关当职员，捏造虚伪的发薪单，把这些薪水都收进在自己的口袋里去，据说照例应判三十二年的徒刑，和四万元罚金，但是因为是国会议员，又在非美活动委员会办事有功，所以减轻计徒刑去了百分之九十八强，罚金去了百分之七十五。原来《新共和》周刊的意思是在说美国的议员是多么写意，有那样的利益，我所觉得有意思的那是在于这件事给我们指示出来，现今美国官场所主张的“美国生活式样”是怎么的一种式样，因为汤马斯是

【锺校】

① 刊于《大报》时题名《贪污的汤马斯》。

非美活动委员会主席，查办非美活动既然很有功劳，那么该汤马斯之为正统的美国活动的人是确实无疑的了。其假报家属当特务人员，骗取薪水的办法虽是违法，岂不该是道德的，总之是非非[①]美的，即在政治上是合法的了。这样说来，汤马斯的生活式样是合于美国的政治道德的标准的，一面却是被认作违法，我想国会同仁一定很是遗憾，觉得法律早应改正才对吧。末了，我对于汤马斯的倒灶说是很愉快，因为我实在很憎恶他，觉得这个美国特务头子总有算账之必要，现在虽然是一笔小账，但也足以打破他特务的饭碗，未始不是一件痛快的事情。

（一九五〇年二月二十六日）

【锺校】

①“非非”原作“非”。

牛山猫儿诗

明朝志明和尚作打油诗曰《牛山四十屁》，其一曰：

春叫猫儿猫叫春，听他越叫越精神。
老僧也有猫儿意，不敢人前叫一声。

清初石天基的《传家宝》中收有《放屁诗》一卷，却只有三十几首，此诗恰不在内，不知道从什么书（《坚瓠集》么？）上看见，至今还是记得。

这诗是写得不坏，但是我对于猫叫春并无什么好感，固然我们不曾立志维持风化，要像莫泊三小说中的神甫，见过母狗在生小狗，用了洋伞把她打个半死。可是猫叫春实在讨厌得很，他的呼号显得很是横暴，正与狗的那副情急相可以相配，都是有点妨害治安的。还有一层，虽然我颇喜欢知道一点动物的生活，但并不要豢养他们，家畜中如猫与狗，我也只承认其实际上用处，不觉得有什么好玩。鸟类还可以让他在树上空中自在飞鸣，随时观赏，四只脚的便没有办法，即使在园里养两只梅花鹿也并无什么意思。

西洋人喜欢养狗，似乎比有色人种还要看得起，往往放在汽车上并坐，或是神气十足的带着牵着走，我最有反感，或者由于我的成见也说不定。爱猫大[①]概是女人常有的事情，因为这只在闺阁中，独自蟠卧在小坐垫上，与别人无甚关系，所以没有那么讨厌，但是我个人总不喜欢他，这柔媚与凶猛并合的小动物实在不是好家伙，古人将他比笑里藏刀的李林甫，说的很有道理。

春天来了，听见猫在屋上嗥叫了小半天，就连猫带狗说了他们一篇，原来的意思是在表彰牛山的那诗，却不知怎的跑野马跑远了。

（一九五〇年三月二日）

【锺校】

①“大”原作“犬”。

狼的故事

偶然翻阅外国讲动物生活的书，觉得很有趣味，如法国法[1]勃耳《昆虫记》，是世界有名的著作。英国汤姆孙教授也有些好书，见过中文译本有一册《动物生活[2]史》，却不知道原名是什么。日本有一册名叫《猪鹿狸》的书，单讲野猪、鹿和狸子的事情，也写得颇好，却不是专家所写的。以上都是二十年前的旧书，新的虽有好书也难得看见。

再想看看中国的这类书，似乎是一样的难得，不过外国书只要肯出钱就可设法买到，这却没有如此容易。我忽然想起要看狼的故事，但在旧书堆中除了一篇马东田的《中山狼传》很好玩之外，实在找不到什么材料，这本来也是难怪的，这里大都是唐宋人的

【锺校】

①“法”原作“的”。

②“活”原作“物”。

话，古一点的有[1]一千多年了，因此假如他说狼肠直，作声诸窍皆沸，古之烽火用狼粪，取其烟直，虽风吹之不斜，我们哪能怪他。《聊斋志异》虽是康熙时[2]人的著作，与宋人相比究竟近多了，其中记有狼的故事二三则，没有什么怪话，总之还不少浪漫分子，往往把狼看得太像人了，只有一处说推车上坡，被狼从后边咬去屁股肉，可能是纪实。在蒲留仙以后的人，年代愈近，思想也似乎愈浪漫，在《柳崖外编[3]》和《耳食录》等书里，我记不起有什么近似纪实的这种描写了，其原因的一部分，大概由于文人愈加书房化了，与蒲君当年坐在淄川乡下路边，喜同田夫野老聊天的生活相去愈远，对于自然生活更少了解的缘故吧？

（一九五〇年三月六日）

【锺校】

①“有”原作“要”。
②“时”原作“的”。
③“编”原作“偏”。

钱大王的歌

吴越王钱镠在五代时保境安民，虽然收入《无双谱》，可是在民间的印象并不怎么好，乡下通称钱大王，是从贩私盐发迹的英雄，与刘季朱三同样看待罢了。会稽有跳山，原有东汉摩崖刻字，全被苔藓埋没，只露出末了一个钱字，村人传说是他的遗迹，卖盐遇捕役，跳上山崖逃走，遂以名山云。又府中有握发殿，想学周公的样子，杭人却误传为恶发殿，说是钱大王发怒时坐的。此外，他又留下一件记事，看了觉得很有意思，据王渔洋《五代诗话》引《湘山野录》云：

镠封吴越王回乡扫墓，延故老大开筵宴，自起执爵，唱还乡歌以娱宾，父老虽闻歌进酒，都不之晓，镠觉其欢意不甚浃洽，再酌酒唱吴歌曰："你輩见侬的欢喜，别是一般滋味子，永在我侬心子里。"歌阕合声赓赞，叫笑振席，欢感闾里。

这位钱婆留到底是个乖觉人，他从盐枭做到了王，虽然摆出大王的架子，但他的心子里还是懂得人民的，放下了《大风歌》似的假古董，立刻编一只俗歌来唱，幸而纪录了下来，我相信还不曾怎么失掉了本色。这也给我们想作①诗文的人一个提示，三人行必有我师焉，我们何妨就把钱大王暂当一回老师呢？

（一九五〇年三月十六日）

【锺校】

① 原无“作”字，今增。

人变虎

翻阅《太平广记》，这是宋初所编的分类故事集，材料很丰富，我看了虎这[①]一部分，共有八卷，长短计八十则。这都是宋人以前的著作，比较的朴实，虽然所讲的故事也是离奇荒唐，其中所说大都是虎变人，人变虎这些事。第五则引《搜神记》云：

长沙有民曾作槛捕虎，忽见一亭长赤帻大冠在槛中，因问其故。亭长怒曰：昨被县召，误入此中耳。于是出之，乃化为虎而去。

这是虎变人的最素朴的一例。至于人变虎的事算来更多，其思想亦更普遍。老虎幻化为人之说在近代记录中已少见，若是人能随意或不随意的变为老虎，则大概还有人相信，特别是对于异民族更易有这种疑忌与迷信。赵瓯北在《檐曝杂[②]记》中说他在云南，

【锺校】

①“这”原作“造”。

②“杂”原作“日”。

听说有[1]土司头目巴先棒能变虎，同总督说了檄调来省，叫他试变，乃竟不能。赵瓯北是前清乾嘉时人，生于一七二七年，论年虽已逾二百，但在中国要算是近代的人，所以人变的思想可以说是至今还尚存在。但是我觉得特别有意思的，乃是特地调省实验，好像叫他来变一套戏法似的，结果完全不成功，笔记中口气也显得很是懊丧。我们看了觉得好笑，可是也不能不佩服。他这打破沙锅问到底的勇气大有可取，假如古时有他这样傻干的人，有许多故事便都已戳破了。我们对于古代的故事，不妨姑妄听之，反正并不如文信受，若是关于现在的，我们还得学赵瓯北先生那样，必须先来实验一下才行。

（一九五〇年三月十七日）

【锺校】

①“有”原作“在”。

《北京风俗图》

陈师曾画《北京风俗图》三十四幅，在姚茫父处，每幅有茫父题词一阕，民国十七年由淳菁阁影印出版，大本两册，今淳菁阁早已关门，此书绝版久矣。顷从友人处借看一过，觉得很有意思。师曾为清季诗人散原老人的长子，曾留学日本，书画篆刻皆佳妙，在教育部任编审，后因侍父病，传染肠热症，遂以不起。

画师图风俗者不多见，师曾此卷，已极难得，其图皆漫画风，而笔能抒情，与浅率之作一览无馀的绝不相同，如送香火、执事夫、拾穷人、烤蕃薯、吹鼓手、丧门鼓等，都有一种悲哀气，若是用时式的话来说，道地写出民众的劳动生活，虽是尚在三十多年前，却已经颇有新时代的空气了。此外又有几幅，写的很有趣味，如压轿嬷嬷，据程穆庵题诗注云：北京风俗，凡遇婚事，必于亲友家择一寿考多福之妪，先乘花轿诣女家迎新妇，谓之压轿，右幅正扶持上轿之状，画者尤能毕尽其神态也。又夫赶驴，茫父题词注云：一妇骑驴抱子，声“得得”从者夫也，京东人上京[1]多如此。一幅本是茶馆说书，作者自题曰“墙有耳”，茫父词注云：此原题也，画则二人窃听于门前，有招曰“雨前”。茫父题词长短三十四阕，为切题面，遣词运典亦多佳处，惟我觉得未能与画面的空气恰合，今录其题“墙有耳”《浣沙溪》，以见一斑，词云：

啼笑犹能感路旁，闲来窃听话偏长，几人身后蔡中郎。

暂许属垣教悦耳，不烦钻穴待逾墙，茶前一样耐思量。

（一九五〇年三月十八日）

【锺校】

① 原无“京”字，今增。

谈翻译

有人听苏联友人说他们译书的办法，无论汉文俄译或是俄文汉译，都用集体翻译法，即是最初由甲照原文一一直译，其次由乙来把译文整理通顺，再加修饰，后来由专家校定，作为定本。这个译法的确有好些好处，第一步求信，其后求达与雅，竭几个人的力量，各尽其所长，比一个人来担任自然要好得多了。

大概中国古时翻译佛经也是这样办的，一个人执梵本，一句句的念出来，懂梵文的和尚把他写成汉文，几经斟酌，由学士文人加以订定，所以往往有不懂汉文的番僧口授，不懂梵文的文官笔受。无识的儒士便来指摘，以为那些佛经多是文士假造的，其实情形是如此，故有这样的误解。翻译工作如当作自己的来做，本来也可以做得好，如严幾道译《法意》和《原富》那么样，但是人才难得，而要译的书很多，来不及等专人的出现，那么集体来翻译正是最好的补救方法了。从前林琴南与人合译小说，成绩颇好，可是毛病在于译文一任林氏，口译的人不加覆校，也不参加意见，由他一人去胡搞，成为林氏文集，事情一有偏向，便不免于搞糟了。平常编译机关出版的书大抵有名人列名校阅，但大都是阅而不校，毫无用处。实在校阅是很艰苦的工作，有时或者比自己翻译还要麻烦，从前书店向不看重，不肯给与相当的报酬，所以说校都是空话，至于名人之不肯屈尊劳驾，做这烦重的工作，那又是别一个原因了。

（一九五〇年三月二十五日）

旧民主的侵略

清末讲革命，最初是民族主义的，简单的排满就完了，可是第二个问题也跟着起出，满清倒了之后怎么办，还是像朱元璋洪秀全那样出皇帝吗？大家觉得不大好，于是想到共和国，便转到民主主义去了。那时说共和，这名称很有点古色古香，因为是出于周召共和的故典，但是内容自然还以外国为模范，如法国与美国，当时讲革命的人便以这两国为典据，法国大革命介绍得最起劲，但顿、罗勃士比的名字与罗兰夫人一样的脍炙人口，巴黎市民攻破巴士提尔监狱的事也成为作文的好资料，至于华盛顿因为功成不居，有民主的风度，美国的独立被引为建设的例，与法国的革命代表破坏相对立。总之法美两国在那时很被崇拜，认为是民主国的前辈，是值得效法的。

可是我们翻看近百年大事表，非洲的突尼斯、阿尔及利亚、马达伽斯加，东南亚洲的安南、交趾支那与柬[1]埔寨，被法国侵占，太平洋中的夏威夷与菲律滨，被美国侵占，法国待安南人与美国待黑人，又都不讲人道，他们是民主国，怎么还是那样，他们所说平等自由博爱哪里去了？这问题大家觉得奇怪，现在看来却很容易了解。因为他们的是旧民主主义，资产阶级起来革了贵族的命，自己取而代之，自由平等只有自己一阶级享受，对于别阶级还是照旧压迫，对于别民族还是照旧侵略，法美两国的实例正好来作证明。清末讲革命时佩服旧民主主义，那是无怪的，现在却应明白，这也只是帝国主义的一部分了。

（一九五〇年三月二十二日）

【锺校】

①“柬”原作“东”。

男性中心思想

妇女节那天的《人民日报》上，报告老解放区的妇女要求婚姻自由，遇着好些障碍，须得解除才好。原文中云：

> 轻视妇女甚至压制妇女的思想和作风，在部分县级司法部门及区村男女干部中还顽强地存在着，这是改革婚姻制度的重要障碍。他们错误地认为，妇女有了自由，似乎就会天下大乱，许多政府工作人员对于妇女合理的要求采取了封建主义和官僚主义的态度，借口婚姻自由只对妇女有利，因而对妇女要求离婚，不问情节如何，一律拖延不决，甚或强迫同居。

正如社论所指出，这是很严重的事，不但在结果上，据山西妇联会统计，去年一月至十月共发生妇女人命案四百六十四件，其中自杀占百分之七十五，由于离婚不遂者百分之四十，由于家庭虐待及纠纷者百分之三十强，造成很大的悲剧，在原因上则出于中国传统之男性中心思想，为封建社会的三纲主义的核心，祸害甚大，但势力也极顽强，很不易征服。农民是地主的奴隶，女人在家又是男子的奴隶，所以她是两重的奴隶，对于第一重她协同男子努力脱去了，这第二重她独力就有点支撑不下，须得政府援助才能有救。

有许多妇女翻身的故事都写得很好，但那是社会的翻身，属于第一重，是同男子一起的。若是家庭的翻身呢，即是以女人的身分脱去男子的压制而独立，这种故事却还少见。男子赞成打倒君纲父纲，但是看到女人要得自由，眼见夫纲将被打倒，便起了恐慌，觉得天下要大乱了，这种心情也可以了解，但为大局计，总是非彻底征服不可的。

（一九五〇年三月二十日）

俗谚的背景

俗谚与笑话都是很有意思的也是很有意义的东西，说有意思便是因为他诙谐巧妙，听了觉得有趣，有意义则是有研究的价值，从那里可以看出风俗人情来，为正经的经史上所没有载的。譬如《笑林广记》，大概是清初所编，增广冯梦龙的《笑府》而成的，里边便有江东的风土，不见于北方，如换料（收买肥料）的农人给价太少，主人怒道："这又不是狗撒的，给的这么少。"农人忙劝道："我又不就呷了你的，何必气急。"又有换灰一则，用竹竿戳灰堆，看里头有无石块垫底，原文殊下作，今从略。但这里反映出乡下的风俗，留给后世一种很好的资料。

俗谚都是人民经验之谈，在其中可以看出整个生活的影子。有些习俗也多有地方性的，如范寅《越谚》中所记的"船到桥门自会直"，"只要铜钱多，巷牌抬过河"，均是水乡的背景。巷牌即牌楼，在北方亦有之，唯像绍萧沿官河一带那么的石坊林立，却也少见。“瓦有翻身之日”，可见无产阶级的意气，但北方屋瓦都用泥胶住不动的，意思便有点难懂。又“扁担一条龙，一生吃弗穷”，这在运输用车少用肩挑的地方，也不免隔阂了。“衙门钱[①]，一蓬烟。生意钱，六十年。种田钱，万万年。”这是很健全的观念，中国向来以士为四民之首，农勉强居第二位，这里以农为首，士却与吏胥并在一起，列在末尾，可谓痛快之至。

有些各处共通的俗谚，如“一个和尚挑水吃，两个和尚抬水吃，三个和尚无水吃”，写自私的人情没有地方性，我们只希望他有时间性，以为不会再如此吧。

（一九五〇年三月十九日）

【锺校】

①“钱”原作“前”。

顾亭林论火葬

《日知录》卷十五有“火葬”一条，首节引《宋史》范同黄震二人反对火化的章疏，加以论断，以焚尸为惨虐之极，无复人道，次节乃云：“宋以礼教立国，而不能革火葬之俗，于其亡也乃有杨琏真伽[①]之事。”顾亭林虽有学问，能文章，而思想殊不高明，这里已是荒谬，近于俞理初所说的酷儒矣。他说蚩尤作五虐之法，商纣为炮烙（从俗）之刑，皆施之于生前，未至戮于死后也，把火化看作与戮尸一样，已是可笑；又以为活人可烧，死尸断乎不可，那么土葬也是一律，岂非死尸也要窒息，还不如生人之不妨活埋乎？本来古人的意思是葬者藏也，水火土怎么藏法都没有一定，只求便利，水土的比较庄子说得很好，蝼蚁何亲，鱼鳖何仇，埋在土里有什么好受，神经过敏

【锺校】

①“伽”原作“珈”。

的诗人如美国亚伦·坡，法国波特莱耳，都常想到坟墓里的蛆虫而感到恐怖，实在那副样子也真比大鱼小鱼要讨厌得多。

依据死不如速朽的原则，火葬当然最好，他的缺点是还多少拖泥带水，骨骼不能化尽，现在利用科学方法，这也不难办到，随后只将灰埋在地下，更不须筑坟立碑，十分简单。火葬此外的好处，还可以保存耕地，不至减少，若能对于旧日坟地加以整理，将可耕的田面恢复过来，于国计民生更有利益，不过这事一半要政府有决心，一半也要人民有觉悟，在这觉悟尚未普及的时候，只用治标的方法，奖励民间火葬，不使坟墓再去侵占耕地，也就行了吧。

（一九五〇年三月二十一日）

饱的饥饿

特克鲁夫大概是荷兰系的美国人吧，他的著书中有一本名曰《饥饿之斗士》，讲有些发现维他命的人的故事，虽然不及讲微生物的那一本的有趣，却也是很有意义的。以前只知道，人没有饭吃，会得要饿死，现在才又看出来，明明吃得饱饱的，可是因为缺乏维他命[①]这怪物，一样的要营养不足以至死亡，说起来也是一种饿死。翻过来说，如有病人，咽喉障碍而肠胃故无恙，用药饵注射灌入，营养足够，却大感空腹之苦，与饿人无殊。又如大食量人，照热量计算，或者只须半分已足敷用，而所吃以满腹为度，虽大半终归废弃，不吃足也就觉得不饱，俗语云，“薄粥撑大肚，荒年自受苦”，也正是这个意思。

看了现代科学迅速的进步，有人希望能够制出化

【锺校】

①“维他命”原作“唯他命”，下同。

学食料，一天吃下三丸，足供维持生命，这是高远的理想，将来却也不难做到。为难的是使用的问题，怎样可以使得服用的人不觉得饿，虽然是营养充足，精神饱满。有西洋人推测将来的人类，将头大，脚弱，牙与胃均退化，因为服用化学食料，不必再用牙齿咬嚼、胃液消化了。这是配合得很好的事，可是这其间需要相当的时日，在食料已改生理未变的期间，难免要发生若干困难，牙齿闲着尚无所谓，胃就耐不得空闲，饱人仍要感受饿苦，假如不在丸药之外再吃适量的观音土填补空隙。盲肠的虫样突起至今还是存在，那么胃的改革也当是很有点麻烦的事情吧？

（一九五〇年三月二十三日）

汉字不难学

汉字是难学么？我是学过也可以说是学会了的，所以有点成见也未可知，据我说来，这对于住在中国说中国话的中国人不怎么难，虽然在外国人一定是很难的。汉字是世上唯一的形声文字，用笔画而不用符号，学时费记忆，写起来也费安排，金心异常说，要在同样大小的格子里写下一个一字和一个蘁字，实在是很伤脑筋的事。

不过我觉得汉字之难还不在他的本身，乃是在于他的历史之长。我们不去惹他，甘心做了文盲，倒也罢了，若是一动手来学，那么麻烦就来了。别国的言语文字都有时代的限制，譬如英文，现在学的都是现代英语，大抵是十六世纪以后的文字，若是以前的便划为中古或古英文，学他[1]是另一种学问，其中有价

【锺校】

①“他”原作“字”。

值的作品大都已有现代语译本，普通人看了已够，无须再读原文了。中国则上下四千年，都还是囫囵整个的，学了汉字去看语体文的书，寥寥无几，动不动便须参考旧书，这都是古文体的，其古的程度又大得很，自八大家、选学以至史汉，应有尽有，国民党政权时代还叫高中学生念《易经》中的文章，这至少是三千年前的东西了。假如把汉文的历史截断，规定现今只学现代汉文，以某种文体为止，过此以上或其外的都列为古文，由学术文化机关积极整理，分别注释翻译，供学生之用，那么[①]学汉文的担子便要轻松得多，将来的文化建设的潮流总是往这方向去的，我们大可乐观的等着看吧。

（一九五〇年三月二十四日）

【锺校】

①“么”原作“是”。

图书在版编目(CIP)数据

饭后随笔/周作人著作;陈子善,鄢琨编订.—长沙:岳麓书社,2020.10
ISBN 978-7-5538-1257-1

Ⅰ.①饭… Ⅱ.①周…②陈…③鄢… Ⅲ.①随笔—作品集—中国—现代 Ⅳ.①I266.1

中国版本图书馆 CIP 数据核字(2020)第 179748 号

FAN HOU SUIBI

饭后随笔

周作人著作 陈子善 鄢琨编订

特约编辑:鄢 琨

责任编辑:蒋 浩

责任校对:舒 舍

书籍设计:风格八号

岳麓书社出版发行

地址:湖南省长沙市爱民路 47 号

直销电话:0731-88804152 0731-88885616

邮编:410006

版次:2020 年 10 月第 1 版

印次:2020 年 10 月第 1 次印刷

开本:787mm×1092mm 1/32

印张:27.625

字数:427 千字

印数:1—6 000

ISBN 978-7-5538-1257-1

定价:70.00 元

承印:长沙鸿发印务实业有限公司

如有印装质量问题,请与本社印务部联系

电话:0731-88884129